**UMA DIETA ALÉM
DA MODA**

UMA DIETA ALÉM DA MODA

Uma abordagem científica para a perda de peso e a manutenção da saúde

JOSÉ CARLOS SOUTO

wmf martinsfontes

© 2023, Editora WMF Martins Fontes Ltda.,
São Paulo, para a presente edição.

Todos os direitos reservados. Este livro não pode ser reproduzido, no todo ou em parte, armazenado em sistemas eletrônicos recuperáveis nem transmitido por nenhuma forma ou meio eletrônico, mecânico ou outros, sem a prévia autorização por escrito do editor.

1ª edição 2023
3ª tiragem 2024

Acompanhamento editorial e preparação de textos
Márcia Leme
Revisões
Ana Cristina Garcia
Adriana Bairrada
Produção gráfica
Geraldo Alves
Paginação
Renato Carbone
Capa
Gisleine Scandiuzzi

Dados Internacionais de Catalogação na Publicação (CIP)
(Câmara Brasileira do Livro, SP, Brasil)

Souto, José Carlos
  Uma dieta além da moda : uma abordagem científica para a perda de peso e a manutenção da saúde / José Carlos Souto. – São Paulo : Editora WMF Martins Fontes, 2023.

  Bibliografia.
  · ISBN 978-85-469-0487-7

  1. Dieta de baixo carboidrato 2. Dieta de emagrecimento 3. Saúde – Promoção I. Título.

23-168319   CDD-613.283

Índice para catálogo sistemático:
1. Dieta de emagrecimento : Baixo carboidrato :
Promoção da saúde 613.283

Cibele Maria Dias – Bibliotecária – CRB-8/9427

Todos os direitos desta edição reservados à
Editora WMF Martins Fontes Ltda.
Rua Prof. Laerte Ramos de Carvalho, 133 01325-030 São Paulo SP Brasil
Tel. (11) 3293-8150 e-mail: info@wmfmartinsfontes.com.br
http://www.wmfmartinsfontes.com.br

SUMÁRIO

Apresentação IX
Prefácio XVII

PARTE 1 | Por que engordamos? 1

1. Balanço calórico 3
   Imagine que você é um adipócito 8
   Calorias, em biologia, são uma abstração 9

2. A regulação do tecido adiposo 13
   Gasolina ou pizza? 20

3. A hipótese carboidrato-insulina 23
   A teoria carboidrato-insulina é posta à prova 34

4. A teoria carboidrato-insulina é incompleta 43
   Proteínas elevam a insulina, mas não fazem engordar 43
   E as pessoas que emagrecem com dietas de alto carboidrato? 45
   Kevin Hall põe à prova a hipótese carboidrato-insulina 46
   A teoria não é incorreta, mas sim incompleta 57

5. A proteína como freio do apetite 65
   Os grilos e os gafanhotos 65
   Mas e em seres humanos? 70
   O metabolismo desacelera quando emagrecemos 72
   A dieta cetogênica 74

6. Os alimentos ultraprocessados 81
   Controvérsia 92

PARTE 2 | *Low-carb*: a ciência e a prática 97

7. O que devo comer? 99
   Orientações gerais 100
   Adoçantes 112
   Lista para iniciantes 117
   Alimentos permitidos 118
   Alimentos a serem evitados 121
   Alimentos a serem consumidos com moderação 123

8. Dieta *low-carb* e emagrecimento 127
   Renasce o interesse científico pela dieta low-carb 131
   A época de ouro dos estudos sobre low-carb 134
   Eficácia e efetividade 138
   Recapitulando 149

9. Resistência à insulina, síndrome metabólica e diabetes 157
   A resistência à insulina e o limiar pessoal de gordura 160
   A síndrome metabólica 163
   Por que resistência à insulina e síndrome metabólica são tão importantes? 165
   Low-carb *e diabetes* 167
   Os estudos do Virta Health 194
   Desprescrição de medicamentos 205
   O que é mais radical: cortar carboidratos ou cortar o estômago? 208

PARTE 3 | Mitos 219

10. Mito: dietas *low-carb* fazem mal para os rins 225
    Dietas low-carb *e cálculo renal* 238

11. Mito: dietas *low-carb* prejudicam o ganho de massa muscular 241

12. Mito: dietas *low-carb* aumentam os riscos cardiovasculares 253
    O problema dos estudos epidemiológicos em geral e da epidemiologia nutricional em particular 256

A gordura na dieta não está associada a risco cardiovascular 270
Dietas low-carb e colesterol: uma relação complicada 279
Ônibus e passageiros 285
O fenômeno da hiper-resposta 302
As calculadoras de risco cardiovascular, o NNT e a decisão compartilhada 307
A polarização 310
As estatinas 311

13. Mito: dietas *low-carb* fazem mal para o fígado 319
A vesícula 326

14. Mito: dietas *low-carb* prejudicam os ossos 331

15. Mito: dietas *low-carb* causam ácido úrico e gota 339

Epílogo 351
Agradecimentos 355
Referências bibliográficas 359

APRESENTAÇÃO

Passou um filme pela minha cabeça

Quando o Souto me convidou para escrever a apresentação deste livro, recordei-me do dia em que saí entusiasmado do quarto após receber o retorno de um *e-mail*. Dizia para a minha esposa, ainda sem acreditar: "Amanda, o Souto respondeu o meu *e-mail*!".

Assim como muitos outros profissionais de saúde, após ler o *Good Calories, Bad Calories* (Gary Taubes) e *The Big Fat Surprise* (Nina Teicholz), encontrei o blog Ciência Low Carb. E ele mudou a minha trajetória como endocrinologista.

Na minha formação como médico e endocrinologista na Faculdade de Medicina da USP (FMUSP), aprendi como tratar diversas doenças com os melhores professores. No Hospital das Clínicas da FMUSP tive a oportunidade de atender a milhares de pessoas com doenças extremamente complexas.

De fato, saímos *experts* em tratar doenças. Sabemos todos os medicamentos, os benefícios e as indicações. No entanto, tratar doenças não implica necessariamente promover saúde.

Lembro-me até hoje do senhor Manuel, paciente que acompanhei por dois anos durante a minha residência médica. Ele tinha diabetes tipo 2, hipertensão e obesidade. Fazia uso de insulina e hipoglicemiantes que estimulam a produção de insulina, além de diversos medicamentos para controlar a pressão arterial.

Com a visão que tinha na época, tendo ele os exames absolutamente normais, eu estava lhe oferecendo o melhor tratamento. Na sua última consulta, ele me deu uma camiseta com os símbolos do Palmeiras e do São Paulo de presente. Eu sou são-paulino e meu sogro é palmeirense, assim como minha esposa – na época namorada. Foi a forma que ele achou para me ajudar naquela fase da "conquista". Tirei uma foto junto com a camiseta para mostrar-lhe na consulta seguinte. Entretanto, infelizmente, na data da sua próxima consulta, fiquei sabendo que ele tinha falecido. Morte súbita após um infarto aos 49 anos.

Não pude mostrar aquela foto ao senhor Manuel. Ele, muito menos, soube que a estratégia funcionou: eu me casei com Amanda e tivemos três filhas. E eu guardo a camiseta até hoje. Ela me faz relembrar diariamente que tratar doença não é o mesmo que ter saúde. Que ter exames "normais" pode não significar muita coisa se o seu estilo de vida for ruim. Que tratar apenas a glicose no sangue é olhar apenas o sintoma e não a causa da doença: resistência à insulina e inflamação.

Mesmo em uma Residência de Endocrinologia referência no ensino de obesidade e diabetes, com ambulatórios e grupos específicos, o meu aprendizado sobre abordagens nutricionais foi limitado. Nas quartas-feiras no final da tarde, colegas de residência ministravam aulas sobre temas específicos. Nos meus dez anos de formação acadêmica, esse foi o meu contato com a dieta *low-carb*: uma única aula, dada por um colega, cujo título era "Dietas da moda". Esse é um fardo que a dieta *low-carb* carrega. Por princípio, não existe nenhum mal em ser da moda. O problema é que esse rótulo carrega uma série de conotações negativas. Algo passageiro. Sem evidência. Fruto de um entusiasmo momentâneo.

O *blog Ciência Low-Carb*, nesse sentido, não poderia ter um nome melhor. Iniciado em 2011 pelo Dr. Souto, de forma ainda tímida e discreta, tinha como objetivo inicial divulgar a estratégia que havia feito ele próprio emagrecer 20 quilos. Sem passar fome. Sem contar calorias. Comendo alimentos gostosos e saudáveis. Emagrecer geralmente é um processo tão difícil que, ao nos depararmos com aquela nova estratégia que trazia resultados tão significativos mas que contrariava as principais recomendações das diretrizes médicas e nutricionais da época, logo questionávamos se ela poderia fazer bem.

Com uma linguagem fácil de ser compreendida e ao mesmo tempo profunda e reflexiva, sempre baseada em evidências científicas, o *blog* ganhou proporções inimagináveis. Atualmente, com mais de quinhentas postagens e mais de 26 milhões de acessos, o *blog Ciência Low-Carb* é o maior do gênero no Brasil.

O Dr. Souto tornou-se a maior referência nacional no assunto, tendo sido convidado também para palestrar em eventos nos Estados Unidos e no Reino Unido. Para quem o conhece pessoalmente, isso não causa estranhamento. Ouso dizer que, nesses vinte anos acadêmicos, mesmo tendo contato próximo com grandes referências na Faculdade de Medicina da USP, ele está entre as pessoas mais inteligentes e extraordinárias que já conheci. Foi formado pela Universidade Federal do Rio Grande do Sul. É mestre em Patologia pela Universidade Federal de Ciências da Saúde de Porto Alegre e *fellow* em patologia experimental pela Universidade do Alabama, em Birmingham, nos Estados Unidos. Urologista de formação, apaixonado por astrofísica e música clássica. Uma capacidade ímpar de gerar analogias que transformam assuntos extremamente complexos em temas simples e instigantes.

O seu maior impacto, entretanto, foi além de divulgar informações de qualidade para leigos e profissionais da saúde. Seu conhecimento gerou resultado: muitos milhares de pessoas emagreceram e reverteram doenças antes definidas como crônicas – como o diabetes tipo 2 – com os conhecimentos divulgados de forma gratuita por suas postagens.

Diga-se de passagem, o *blog Ciência Low-Carb* passou a ser ferramenta de apoio nas minhas consultas médicas e de muitos colegas. O mesmo em relação aos episódios do *Comida Sem Filtro*, *podcast* idealizado pelo Dr. Souto e pela química industrial de alimentos Sarita Fontana, que está entre os mais ouvidos na categoria saúde.

Em um ambiente com diversas informações contraditórias e desconexas, é essencial que profissionais e leigos tenham um local seguro e confiável para se ancorar. O conhecimento gera segurança e autorresponsabilidade, dois pontos determinantes para que alguém consiga mudar um hábito de forma consistente e duradoura. Por isso a importância deste livro não apenas para profissionais de saúde, mas, também, para seus pacientes e familiares.

Esta obra contempla todo o conhecimento acumulado em mais de uma década de estudos e prática, com linguagem acessível a todos os públicos, estruturado em um passo a passo lógico de ser entendido e implementado. E, o mais importante, de forma crítica e sempre baseado em evidências científicas. Sem extremismos, achismos ou modismos. Um livro que vai muito além das evidências sobre a segurança e os benefícios da dieta *low-carb*. Ele nos ensina a pensar e refletir criticamente, nos faz entender de maneira clara as origens das principais doenças crônicas da atualidade, além de direcionar de maneira precisa e confiável qual caminho seguir para ter uma vida com mais qualidade e saúde.

Nos capítulos iniciais do livro, somos apresentados não apenas ao contexto histórico da dieta *low-carb*, mas também a uma perspectiva intrigante sobre a relação entre balanço calórico e ganho de peso. Surge a questão: o maior consumo de calorias seria causa ou consequência do maior acúmulo de gordura? O livro explora esse questionamento complexo de maneira profunda, porém de fácil entendimento, destacando o papel fundamental da regulação do tecido adiposo na regulação do peso corporal.

Ao ler sobre a influência dos hormônios, como a insulina, compreendemos melhor como o armazenamento e a liberação de gordura são controlados no corpo humano. Também nos deparamos com a hipótese carboidrato-insulina, que destaca a relação entre os carboidratos, os níveis de insulina e o ganho de peso. No entanto, ao contrário de outros livros e autores que abordam o tema, é demonstrado que esse modelo é incompleto. E, como dito previamente, esse é um grande diferencial do livro: o apego à ciência e não às próprias crenças.

Nas palavras do próprio Souto, "Seria muito bom se tudo pudesse ser reduzido a gramas de carboidrato e picos de insulina. Mas, como disse H. L. Mencken, para todo problema complexo existe sempre uma solução simples, elegante e completamente errada". Por exemplo, como pode uma dieta rica em proteína, mesmo aumentando os níveis de insulina, favorecer o emagrecimento? Nesse momento é apresentado o conceito do alavancamento proteico de Simpson e Raubenheimer e como ele atua de forma sinérgica com a estratégia *low-carb*. Essa compreensão respalda a importância da melhora da relação proteína:energia – em uma dieta *low-carb* bem formulada – com a finalidade de emagrecimento e reversão da resistência à insulina.

Nesse complexo cenário, é ressaltado outro fator: o papel do ultraprocessamento dos alimentos. De fato, o consumo de alimentos ultraprocessados está intimamente ligado ao ganho de peso. Mas será que o problema é o grau de processamento em si? Afinal, a maioria dos ultraprocessados é rica em carboidratos. Será que o problema não seria apenas o excesso de carboidratos? Além disso, os alimentos ultraprocessados são flagrantemente pobres em proteínas. Não seria esse também outro ponto crucial?

Passada a fase histórica e de mecanismos, o livro inicia a sua abordagem prática. Quais alimentos fazem parte dessa estratégia alimentar? Se os mecanismos estão errados – incompletos ou não –, o que realmente importa? O resultado concreto de quem segue uma dieta *low-carb*, assim como o que a ciência demonstrou nas últimas décadas. Afinal de contas, a realidade tem primazia sobre os mecanismos.

Por meio de sucessivos ensaios clínicos randomizados é explicada a eficácia da dieta *low-carb* para a perda de peso – frequentemente com resultados superiores aos das estratégias com as quais é comparada. O aparente paradoxo de que estudos mais longos e metanálises acabariam não refletindo a superioridade da estratégia *low-carb* é refutado por dois conceitos fundamentais: eficácia e efetividade.

Entramos na parte mais impactante do livro. Lembra-se do senhor Manuel? Se tivéssemos esse conhecimento naquela época, hoje ele poderia estar vivo. Aqui, o Souto discorre sobre resistência à insulina e suas duas principais consequências – síndrome metabólica e diabetes tipo 2 – e demonstra que ambas não são necessariamente doenças crônicas e progressivas, contrariamente ao que se pregava no passado. Novamente, por meio de vasta literatura médica e nutricional, comprova os inúmeros impactos positivos da dieta *low-carb* no manejo dessas condições.

Ressalto aqui um trecho que considero extremamente importante para você, leitor, profissional da saúde ou não, reforçando mais uma vez a relevância deste livro: "Nenhuma pessoa é realmente livre para escolher se ela não souber que a escolha existe. É obrigação do profissional de saúde oferecer essas alternativas".

Agora, e todos os perigos e malefícios que uma dieta *low-carb* pode causar? Será que eles de fato existem ou são mitos que rondam o mundo da nutrição? Na parte final do livro, eles são esclarecidos um a um. Aqui, vou destacar o mito que mais dificulta a recomendação da dieta *low-carb* como estilo de vida: o aumento do risco de doenças cardiovasculares.

O que era para ser apenas mais um capítulo, acabou virando um dos maiores segmentos do livro. Sim, um assunto complexo, que gera muito medo e polarização. Como dito no próprio livro, a polarização simplificadora entre "colesterol simplesmente não é um problema" *versus* "esta dieta é perigosa pois pode elevar o colesterol" – duas postulações simples e erradas – requer uma discussão que introduza nuances. E, como prometido, somos conduzidos a refletir por meio de uma narrativa envolvente e primorosa.

Discordo, entretanto, da última frase do livro. Nela, o Souto diz que se este livro tiver servido para mudar a atitude de alguns profissionais de saúde e para tranquilizar alguns pacientes, terá cumprido a sua função. Penso diferente. Ouso dizer, sem medo de errar, que em um futuro próximo este livro será recomendado como leitura obrigatória pelas principais Sociedades e Faculdades de Medicina e Nutrição. E, assim, terá mudado a atitude não de alguns, mas da grande maioria desses profissionais e, consequentemente, melhorado a saúde de milhões de pessoas.

Ah, no *e-mail* mencionado no início desta apresentação, o Souto dizia que estava pensando em escrever um livro e me perguntou se eu poderia ajudá-lo a escrever o capítulo sobre diabetes. O futuro não podia ser melhor. Desenvolvemos diversos projetos juntos e, mais importante do que isso, nos tornamos grandes amigos. Esse contato próximo e todo o seu conhecimento, mais do que me tornar um profissional mais preparado, tornou-me uma pessoa melhor.

Desejo que você, leitor, tenha a sua vida – pessoal ou profissional – transformada! Assim como aconteceu com a minha e a de outras milhares de pessoas. Boa leitura!

RODRIGO BOMENY
Médico endocrinologista
São Paulo, 26 de junho de 2023

PREFÁCIO

Este não é um livro de medicina alternativa. Isso precisa ser dito assim, sem rodeios, pois nosso assunto central – dietas de baixo carboidrato ou *low-carb* – tem sido promovido nas redes sociais e na mídia por perfis, profissionais e entidades que abraçam e estimulam todo tipo de pseudociência. Se, por um lado, a dieta *low-carb* surfou nessa popularidade, por outro tal associação é uma grande maldição.

Eu entendo o preconceito dos profissionais de saúde sérios com relação a dietas de baixo carboidrato. Hoje em dia, não é raro encontrar no Instagram a expressão "*low-carb*" em postagens de influenciadores que também promovem (ou vendem) misticismos e mistificações, como alimentos "*detox*", "curas quânticas", "soros da imunidade", emagrecimento mágico, posturas antivacina etc.

"Diga-me com quem andas e te direi quem és!" Esse ditado coloca as dietas de baixo carboidrato em sérios apuros quando se trata de respeitabilidade acadêmica. Mas o famoso ditado é uma heurística – uma regra rápida – que, embora faça sentido muitas vezes, também pode gerar injustiça e preconceito, como toda generalização. As generalizações são perigosas e, quase sempre, equivocadas.

Já escrevi em meu *blog*, há muitos anos, que rejeito o conceito de "medicina alternativa". O que existe é boa medicina e má medicina.

E o que define (ou deveria definir) um tratamento ou uma conduta como "boa medicina" é o fato de ela ser baseada em evidências robustas. Este livro tem como um de seus objetivos resgatar do meio de suas más companhias a dieta *low-carb*, que é atualmente uma das estratégias nutricionais mais poderosas ao alcance dos profissionais de saúde. Em 2019, a Associação Americana do Diabetes a reconheceu como a estratégia nutricional mais estudada no tratamento e controle dessa patologia e a que, mesmo com a redução ou a retirada de medicamentos, produz os melhores resultados. Não é mais possível, hoje, que uma ferramenta com tamanho potencial deixe de ser conhecida e empregada pelos profissionais de saúde sérios apenas porque certos influenciadores falam dela e de ozônio retal em uma mesma dancinha do TikTok.

> Este livro tem como um de seus objetivos resgatar a dieta *low-carb* do meio de suas más companhias.

Mas médicos, nutricionistas e as diretrizes vigentes também têm alguma culpa nisso. Quando, a partir de 2011, comecei a ler os livros do jornalista e escritor norte-americano Gary Taubes (1956-) e tomei conhecimento da vasta literatura que já existia sobre o assunto, fiquei chocado. "Como é possível que isso não esteja sendo ensinado nas faculdades de medicina e nutrição?" É um método altamente eficaz para perda de peso e melhora de inúmeras condições metabólicas, como diabetes, resistência à insulina e gordura no fígado. Embora algumas pessoas não estejam dispostas a mudar seu estilo de vida, muitas estão e, se soubessem, por meio de seu médico ou nutricionista, da existência dessa alternativa, talvez optassem por adotá-la.

A natureza abomina o vácuo. Quando há um vazio, ele está fadado a ser preenchido. Eu não tenho dúvidas de que a dieta *low-carb* só se confundiu com pseudociência e todo tipo de práticas "alternativas" por culpa e preguiça intelectual da medicina e da nutrição acadêmicas. O fato é que esse estilo de vida funciona muito bem para diversas pessoas. Elas emagrecem, revertem esteatose hepática, colocam diabetes tipo 2 em remissão, revertem síndrome metabólica, enfim, passam a viver melhor. Se a medicina e a nutrição sérias não a abraçam, alguém fará isso. O que mais vejo hoje – e que muito me entristece – são pessoas que consultaram esses profissionais alternativos que lhes pediram dezenas de exames no mínimo questionáveis, prescreveram milhares de reais em suplementos manipulados e **também** orientaram a redução de carboidratos. A pessoa melhora por conta da dieta, mas fica ligada ao profissional que a convenceu de que precisa continuar se consultando com ele para fazer mais exames e tomar mais suplementos, voltando para supervisão periódica com novas requisições de exames inúteis e a repetição do ciclo.

Sem dúvida, meu maior desafio ao escrever este livro é atingir públicos completamente diversos: de curiosos que querem tomar contato com o assunto pela primeira vez, passando por aqueles que acompanham meu *blog* desde 2011 e que querem conhecer a evolução do meu pensamento e do conhecimento científico nesses mais de dez anos, pelos profissionais de saúde que já recomendam essa estratégia para seus pacientes e querem saber mais, até, por fim, os céticos.

Eu gosto dos céticos – porque sou um deles. Por isso mesmo sei que representam meu maior desafio. Em especial, por causa dessa infeliz associação entre *low-carb* e medicina alternativa. O cético é evidentemente repelido por tal promiscuidade entre dieta de baixo carboidrato e coisas como dieta alcalina ou curas energéticas milagrosas. Por isso peço a você, cético, que me dê um voto de confiança e dispa-se do preconceito com relação a essa abordagem: ela foi abraçada por tribos estranhas, é verdade, mas seu lugar é no cânone das práticas de saúde baseadas em evidências.

Meu desafio, então, é cativar o leigo que quer aprender, sendo também suficientemente técnico para satisfazer a curiosidade dos profissionais e dos céticos, tudo isso sem matar de tédio nenhum desses grupos. Fácil não é, mas escrevo ao mesmo tempo consciente do desafio e otimista quanto ao resultado.

O livro é estruturado de forma lógica, cada capítulo preparando os seguintes. Assim, recomendo fortemente sua leitura em sequência. Se alguma parte parecer muito técnica, em geral é seguida de um parágrafo que a resume para facilitar o entendimento. Se preferir pular esses trechos, não há maiores problemas. Leitores ansiosos por saber o que devem comer podem ir diretamente para o Capítulo 7, mas eu não recomendo, pois perderiam a oportunidade de entender o motivo dessas escolhas. A Parte 3, na qual discutimos os diversos mitos sobre alimentação *low-carb*, é excelente para refletir sobre diversas críticas infundadas e apimentar reuniões familiares, fornecendo outros motivos para brigas além da política. Esses capítulos podem ser consultados diretamente, mas também se baseiam em conceitos desenvolvidos nos capítulos anteriores.

Pensei muito na questão das referências bibliográficas. O leitor atento perceberá que os capítulos iniciais têm poucas referências, pois são mais conceituais. A ideia é aguçar a curiosidade do leitor e, de forma análoga ao que fazem as boas ilusões de óptica, permitir a visualização do ganho e da perda de gordura corporal de perspectivas completamente diferentes daquelas com as quais ele pode estar acostumado. Mas, à medida que progredimos, mais e mais referências tornam-se necessárias. Afinal, não se convence um cético apenas com retórica! Se preferir, ignore as referências. Mas tenho certeza de que elas serão muito úteis sobretudo para os profissionais da saúde, que terão de lidar com o ceticismo alheio (e também para pacientes engajados, que buscam compartilhar as decisões com seus médicos e nutricionistas). Este livro não deixa de ser, também, uma coletânea de bons estudos sobre o assunto.

Em um mundo ideal, este livro não precisaria existir. A restrição de carboidratos (sobretudo açúcar e farináceos) como alternativa de estilo de vida para pessoas com sobrepeso, obesidade, resistência à insulina, gordura no fígado, diabetes ou síndrome metabólica deveria ser sugerida por médicos e nutricionistas com a mesma frequência e naturalidade com que se orientam atividade física regular, cessação do tabagismo e higiene do sono. São todas intervenções baseadas em evidências, de baixo custo, mas que requerem esforço – motivo pelo qual precisam ser ativamente incentivadas. Só uma delas tem sido completamente negligenciada. Isso tem de mudar.

Porto Alegre, junho de 2023.

PARTE 1
Por que engordamos?

1

BALANÇO CALÓRICO

Irmtraud Eichler estava engordando demais. Aos 60 anos, a moradora de Dresden, na Alemanha, sempre lutou contra o peso[1]. O médico que tratava de Irmtraud havia anos recomendava que ela comesse menos e praticasse mais atividades físicas. Afinal, **todos sabem** que esse é o único caminho para emagrecer. Mas a coisa foi saindo de controle. Em oito meses ela aumentou de peso a olhos vistos, mesmo comendo cada vez menos. Ao menos era o que ela dizia. Seu médico, porém, tinha certeza de que a paciente apenas negava a realidade. Afinal, qual médico nunca ouviu a mesma história de seus pacientes? "Mas, doutor, eu não como quase nada!" "Parece que até a água que eu bebo me faz engordar!" A situação ficou crítica quando Irmtraud, com 1,68 m de altura, chegou aos 138 quilos e quase não conseguia mais andar. Não obstante, ela continuava afirmando que não comia "quase nada".

A senhora Eichler podia dar-se ao luxo do autoengano. Mas nós, médicos, vemo-nos como pessoas com formação científica. Sabemos que a água não engorda, sabemos que a energia não se cria e não se

---
1. McDERMOTT, 2012.

destrói, apenas se transforma. Então, **sabemos** que pessoas como Irmtraud Eichler não podem estar falando a verdade, não é mesmo?

Não estamos dizendo que essa mulher de 60 anos estava mentindo deliberadamente para o médico ou para si mesma. Talvez ela apenas sentisse vergonha, já que o descontrole ao comer e a falta de força de vontade para praticar alguma atividade física são vistos por muitos como falha de caráter. Gula e preguiça são, afinal, pecados capitais. Seria mais fácil se todos engordassem. Mas a incômoda existência de uma legião de magros torna conspícuo o fato de que, se alguns conseguem controlar o apetite e a preguiça (pois é assim que são vistos), todos podem fazê-lo. Talvez por isso Eichler mentisse para si mesma. Não seria de todo improvável. A memória, como sabemos, é seletiva. Podemos nos lembrar vivamente dos brócolis, mas nos esquecer convenientemente do sorvete – tudo isso de forma inconsciente.

Mas não se pode fugir da realidade. E há um fato inegável: a primeira lei da termodinâmica, a lei da conservação de energia, é sempre válida. Acúmulo de peso, na forma de gordura ou de qualquer outro tecido corporal, implica necessariamente um balanço calórico positivo. Os quilos acumulados por Irmtraud não podiam simplesmente surgir de um universo paralelo, de outra dimensão. Como numa conta bancária, o saldo só pode crescer se os depósitos superarem os saques, **se o balanço for positivo**.

Portanto, não restavam dúvidas de que Eichler estava em balanço calórico positivo: é um fato físico da vida. A dúvida era apenas de **quem** ela estava escondendo seus excessos: dos outros ou de si mesma? E foi então que a história tomou um rumo inesperado.

A filha de Irmtraud, exasperada com a situação que só piorava, exigiu que ela fosse levada ao Hospital da Universidade de Dresden para fazer exames mais detalhados. A tomografia computadorizada revelou, então, uma surpresa: Irmtraud Eichler tinha uma grande massa tumoral em seu abdômen. Após 7 horas de cirurgia, um tumor de ovário de baixa malignidade pesando incríveis 28 quilos foi removido. A doutora Pauline Wimberger, chefe do Serviço de Ginecologia e Obstetrícia, disse que o tumor era tão grande que caberia dentro de um barril. Três semanas após a cirurgia e 40 quilos mais leve, Irmtraud já conseguia caminhar novamente.

Há algo profundamente perturbador no caso dela. E não, não estou me referindo ao tamanho de seu tumor de ovário. Estou me referindo a nossa atitude em relação a ela. Veja bem: a primeira lei da termodinâmica segue sendo válida. A existência de um tumor de tamanhas proporções fazia com que Irmtraud, obrigatoriamente, estivesse em balanço calórico positivo. A não ser que acreditemos que um tumor de ovário pode surgir de um universo paralelo ou de outra dimensão, não há como fugir do fato de que esses 28 quilos são oriundos de um desbalanço entre calorias consumidas e calorias gastas. Lembra-se da conta bancária?

E, no entanto, quem de nós culparia Irmtraud por seu tumor? Quem, em sã consciência, a acusaria de glutona, de preguiçosa, agora que sabemos que se tratava de uma neoplasia? Afinal, uma massa tumoral cresce independentemente da vontade de quem a carrega. Se quisermos entender como e por que um tumor cresce dessa forma, precisamos estudar os mecanismos que regulam essas células, esse tecido tumoral. Mas, repito, não há como fugir ao fato de que, sem balanço calórico positivo, 28 quilos de tecido não poderiam ter-se acumulado.

Por que, então, quando o assunto é um tumor, ninguém perde tempo falando sobre calorias, ao passo que, quando o assunto é obesidade, não se fala em outra coisa? Porque está implícito que, no caso do tumor, o problema fundamental são os mecanismos responsáveis pela regulação do crescimento do tecido tumoral, ao passo que no caso da obesidade trata-se de uma falha de caráter: uma nefasta associação de gula e preguiça. Será mesmo? Ou será que essa diferença está apenas nos olhos de quem julga?

Vejamos: Irmtraud, que ganhou 28 quilos estando em balanço calórico positivo no decorrer de muitos meses, era a mesma pessoa antes e depois da descoberta do tumor. No entanto, antes da tomografia seu médico achava que lhe faltava firmeza de propósito e, depois da tomografia, passou a achar que ela era vítima de uma disfunção na regulação de um tecido que não parava de crescer.

Este livro dedica-se a explorar a ideia de que, mesmo na obesidade, o foco deve ser a regulação desse tecido que insiste em se expandir – o tecido adiposo. Da mesma forma que focar primariamente no balanço calórico não ocorreria a ninguém no caso de Irmtraud **depois** da descoberta do tumor, a mesma lógica indica que essa poderia não ser a abordagem mais adequada caso a tomografia revelasse que a paciente era apenas obesa. O balanço calórico positivo é uma condição necessária para o aumento de peso, mas não necessariamente uma **causa**.

A ideia de que um balanço calórico positivo é a causa do excesso de peso está tão enraizada em nosso pensamento que chega a ser tautológica. E isso deve-se ao fato de que um balanço calórico positivo – isto é, comer mais calorias do que se gasta – é uma condição absolutamente necessária para qualquer aumento de massa. Mas, como vimos na história de Irmtraud, a causa desse aumento de peso pode ser um tumor, por exemplo. O balanço calórico positivo segue existindo, o imperativo de que é necessário consumir mais calorias do que se gasta segue sendo válido. Mas não devemos confundir uma condição necessária (balanço calórico positivo) com uma causa.

Uma criança em crescimento precisa estar, necessariamente, em balanço calórico positivo. Parte daquilo que a criança come será utilizado (ou "particionado") para fins de crescimento, de modo que evidentemente essa criança consumirá mais calorias do que gastará em suas atividades metabólicas. E, no entanto, é óbvio que comer demais não é a causa do crescimento. A causa é o hormônio do crescimento (GH). A deficiência de tal hormônio provocará o nanismo. Comer a mais é uma condição necessária para crescer, mas não é sua causa.

Uma mulher gestante está em balanço calórico positivo. Ao final das quarenta semanas de gestação, um novo ser humano terá sido gerado, pesando em torno de 3,5 kg, que representam milhares de calorias. Todos sabem que houve necessidade de um consumo extra de calorias pela mãe em relação ao gasto calórico, para que tal excesso calórico e nutricional pudesse ser utilizado (ou "particionado") para o bebê. Não obstante, não creio que nenhum leitor deste livro seja suficientemente ingênuo para imaginar que a causa da gravidez seja comer demais.

Um fisiculturista usuário de esteroides anabolizantes é capaz de agregar muitos quilos de músculo no espaço de um ano. Além do estímulo hormonal e do treino físico, um balanço calórico positivo também é essencial. Afinal, os quilos a mais de músculo representam milhares de calorias – e uma dieta hiperproteica e hipercalórica faz parte desse processo. No entanto, ninguém diria que uma dieta hipercalórica e hiperproteica causou o ganho de massa muscular. Todos sabem que o exercício associado ao estímulo hormonal (seja ele natural ou não) é o que causa o ganho de massa muscular. Ninguém conseguirá um porte atlético apenas comendo mais calorias do que gasta. Porém, o balanço calórico positivo segue existindo.

Essa sucessão de exemplos tem um objetivo: fazê-lo questionar, nem que seja por um breve momento, a ideia de que o tecido adiposo seria o único capaz de aumentar ou diminuir de forma passiva e não controlada. Para crescer, precisamos de hormônio do crescimento e nutrição suficiente; sem o GH, não crescemos. Para ficarmos fortes, precisamos de exercício físico, hormônios de efeito anabólico e nutrição suficiente; sem esse estímulo, não se criam músculos. E para engordar, precisamos **apenas** comer demais? E como o tecido adiposo "sabe" que estamos comendo demais? O segredo para entender o aumento ou a diminuição de qualquer tecido no corpo é o estudo da regulação desse tecido. Quanto se come é apenas um epifenômeno – uma condição necessária, e não obrigatoriamente uma causa.

Nos organismos unicelulares a coisa é mais simples. Pense em uma ameba. A ameba só tem dois objetivos: alimentar-se e se dividir. Uma ameba vai obter toda a nutrição disponível no meio que a cerca. Havendo nutrição, a ameba vai, em dado momento, dividir-se em duas. E cada nova ameba fará o mesmo. E haverá tantas amebas quanto houver nutrientes disponíveis para sustentá-las.

Em nosso corpo é diferente. Nossas células são constantemente banhadas por um líquido, chamado líquido intersticial, repleto de água, eletrólitos, nutrientes e oxigênio. Ou seja, nossas células poderiam se reproduzir de forma ilimitada se elas funcionassem como amebas. Mas isso seria um desastre para o organismo como um todo.

O câncer, por exemplo, é uma situação em que as células se comportam dessa forma.

Mas em um organismo multicelular complexo tudo é altamente regulado. Quando uma célula toca em outra, elas param de se dividir. Um intrincado e delicado balanço entre hormônios (que agem a distância) e fatores de crescimento (que agem localmente) mantém a integridade de órgãos e tecidos. Um pequeno corte na pele é reparado por um incrível processo cicatricial, disparado por fatores de crescimento liberados localmente. Uma vez cicatrizado o ferimento, a proliferação celular cessa. O corpo inteiro pode crescer em tamanho, de forma harmônica e controlada, estimulado pelo hormônio do crescimento, que agirá em determinadas células e não em outras, em determinados momentos e não em outros. O que você come serve para manter a concentração de nutrientes constante no líquido que banha as células, mas obviamente não é a **causa** desses intrincados processos. Por que seria diferente com o tecido adiposo?

Imagine que você é um adipócito

Vamos fazer um experimento mental. Imagine, por um momento, que você é um adipócito. Isso mesmo, uma célula de gordura. Você não tem olhos nem ouvidos. De fato, suas únicas interações com o meio externo ocorrem por estímulos químicos.

Como você, adipócito, sabe se deve acumular ou liberar gordura para o resto do corpo? Pense nisto: em qualquer momento, um adipócito só pode estar armazenando ou liberando ácidos graxos. Como o adipócito sabe o que fazer? Segundo a sabedoria convencional, se a pessoa comer mais calorias do que gasta, você (adipócito) deverá armazenar gordura. Mas se a pessoa gastar mais calorias do que come, você (adipócito) deverá liberar seu conteúdo de gordura para o resto do corpo.

OK, agora responda: como você, adipócito, que não tem olhos nem ouvidos nem uma calculadora para julgar o balanço calórico, saberá o que fazer? Como você sabe se o ser humano de que você faz parte comeu demais ou de menos? Como você sabe que as calorias estão sobrando e que, portanto, está na hora de fabricar uma gordurinha? Como você sabe se a pessoa está de dieta ou mesmo passando fome? Como?

O corpo mantém o ambiente entre as células extremamente estável. Afora situações extremas ou de doença, a temperatura, o pH, a concentração de eletrólitos e de nutrientes (inclusive glicose) permanecem relativamente estáveis. Em outras palavras, você, adipócito, está sempre aquecido, hidratado e cercado de uma sopa de nutrientes. Então, **como** você sabe se deve acumular ou liberar gordura?

Obviamente não é a simples concentração de nutrientes do lado de fora da célula que vai determinar suas ações. Afinal, você é um adipócito, e não uma ameba. Não há dúvidas sobre o que uma ameba faria: iria crescer e se multiplicar enquanto houvesse nutrientes disponíveis. Mas nossos tecidos são altamente regulados. Alguma coisa precisa **dizer** a você, adipócito, o que fazer.

Hormônios e fatores de crescimento são moléculas que interagem com receptores nas células. Da mesma forma que uma chave se encaixa a uma fechadura, os hormônios se ligam a receptores específicos em suas células-alvo, desencadeando uma resposta. Portanto é evidente que, se quisermos compreender o que faz o adipócito "decidir" se deve liberar ou acumular gordura, devemos voltar nossa atenção à sua regulação, que se dá por hormônios e fatores de crescimento, como acontece com qualquer outra célula ou tecido.

Calorias, em biologia, são uma abstração

Calorias são uma unidade de medida. Uma caloria é a quantidade de energia necessária para elevar em 1 grau Celsius a temperatura de 1 g de água. Equivale a 4,1868 joules. Em nutrição, convencionou-se usar quilocalorias (kcal, ou 1.000 calorias) e, no uso cotidiano, emprega-se (erroneamente) o termo "calorias" como sinônimo de kcal.

No mundo da física e da química, a determinação da quantidade de energia contida nos alimentos é feita de forma relativamente simples: por meio da sua combustão. O calor liberado por certa quantidade de determinado alimento em um calorímetro – equipamento no qual o alimento é incinerado – aquece um volume de água que o cerca. Medindo a diferença de temperatura antes e depois do processo, determinam-se as calorias ali contidas.

Já aqui o leitor deveria começar a questionar até que ponto devemos nos ater a essa analogia. Afinal, nosso corpo não "queima" calorias. A energia é obtida dos alimentos com diferentes graus de (in)eficiência por meio de um sem-número de reações químicas acopladas. Se você colocar o papel deste livro (ou seu dispositivo móvel) em um calorímetro, obterá muitas calorias ao incinerá-lo; se, por outro lado, você decidir comê-lo, o impacto calórico será zero, visto que não temos a capacidade de digerir celulose (muito menos o seu dispositivo móvel).

O calorímetro não tem opção, foi desenhado exclusivamente para queimar substratos e produzir calor. Os sistemas biológicos, por outro lado, são complexos e apresentam diversos graus de liberdade no que diz respeito ao destino das calorias, que podem ser armazenadas, empregadas para catalisar incontáveis reações químicas, movimentar músculos ou até mesmo dissipadas na forma de calor, com maior ou menor eficiência, de acordo com o contexto e a necessidade do organismo. Em outras palavras, a destinação das calorias em um organismo vivo não é apenas (nem mesmo principalmente) uma decorrência de sua presença e quantidade. O que nos leva mais uma vez ao adipócito.

Hormônios e fatores de crescimento são moléculas orgânicas, entidades reais no sentido material do termo, algo que pode ser mensurado, sintetizado, manipulado e modificado. É a ligação de tais moléculas a receptores celulares, em um fenômeno análogo à inserção da chave na fechadura, que produz efeitos biológicos na célula. Mas e a caloria? Não é possível sintetizar uma caloria, modificar uma caloria. A caloria é uma unidade de medida. Nesse sentido, não é nada mais que uma representação abstrata de uma grandeza física. Não existe um receptor celular para calorias: calorias não são "coisas" que podem se encaixar em outras a fim de desencadear uma resposta.

Calorias, em biologia, são apenas uma forma de medir a energia química potencial armazenada nos alimentos. Não existe nenhuma possibilidade de uma célula de gordura avaliar se calorias estão sobrando ou faltando para "decidir" o que fazer. É muito claro que o comportamento desse tecido é regulado, como todos os demais, por hormônios e fatores de crescimento.

> Neste capítulo, abordamos o balanço calórico, isto é, a quantidade de calorias consumidas *versus* a quantidade que gastamos. Com o exemplo da mulher alemã que desenvolveu um tumor de ovário de 28 kg, explicamos que as causas do ganho de peso são complexas e não podem ser atribuídas simplesmente a consumir mais calorias do que se gasta. Afinal, consumir mais calorias do que se gasta é requisito para qualquer tipo de ganho de peso: crescimento, gestação etc. Portanto, o balanço calórico positivo é uma condição necessária para o aumento de peso, não necessariamente uma causa. Na verdade, o que deveria ser o foco principal no que tange ao ganho de peso é a regulação do tecido adiposo.

2

A REGULAÇÃO DO TECIDO ADIPOSO

O tecido adiposo, ou, como costumamos nos referir a ele, a "gordura", é um tecido muito importante e complexo. Longe de ser apenas um repositório passivo de calorias, uma espécie de almoxarifado de excessos alimentares, a gordura cumpre diversas funções, entre as quais acolchoamento de órgãos, isolamento térmico e síntese de determinados hormônios. Mas a sua função primordial, sem dúvida, é auxiliar no equilíbrio energético do organismo.

O tecido adiposo está em contínuo estado de fluxo, isto é, os ácidos graxos são constantemente liberados pelos adipócitos em direção à corrente sanguínea (fenômeno denominado lipólise) e captados pelos adipócitos para armazenamento (lipogênese). Quando predomina a lipólise, perde-se gordura, e o oposto acontece quando predomina a lipogênese. Tal processo, como você pode imaginar, é altamente regulado.

Para ilustrar a importância do tecido adiposo na homeostase energética, é interessante ver o que acontece quando uma pessoa não tem gordura no corpo. Existem algumas síndromes extremamente raras nas quais a pessoa é incapaz de acumular gordura. Um caso mundialmente famoso é o da norte-americana Lizzie Velasquez[1]: nascida em

---
1. THE TELEGRAPH, 2010.

1989, Lizzie tem uma doença congênita muito rara, caracterizada por lipodistrofia, que, entre outros sintomas, faz com que ela apresente um percentual de gordura corporal praticamente zero. Lizzie tem 1,57 m de altura e pesa 27 quilos. Não importa quantas calorias ela consuma, ela não consegue engordar. Seu consumo diário é de cerca de 5 mil a 8 mil calorias. E antes que alguém diga que isso é uma coisa boa, é importante ter em mente que Lizzie é obrigada a comer a cada 15 minutos, pois a ausência de tecido adiposo a impede de manter um suprimento energético constante para seu corpo. Lizzie não tolera o jejum – e daria tudo para ter um percentual de gordura normal, como ela mesma afirma.

Pense em um telefone celular recém-comprado com a bateria ainda bem nova. Você dá uma carga completa e no fim do dia ele ainda estará funcionando. Há um mecanismo que regula o fluxo da corrente elétrica. A corrente flui da bateria para o telefone durante o uso e flui do carregador para a bateria durante a recarga. Assim como no caso do tecido adiposo, não é a bateria que decide o que fazer. Há um mecanismo regulador que determina o fluxo da energia. Lizzie, a menina da lipodistrofia, praticamente não tem "bateria". Como um celular com a bateria viciada, ela precisa fazer recargas constantes, sob pena de parar de funcionar.

Mas, afinal, qual é o mecanismo que permite regular o funcionamento do tecido adiposo? De que forma os adipócitos sabem se está na hora da "recarga" (lipogênese) ou se está na hora de "descarregar" a gordura para fora da célula (lipólise)? Esse mecanismo é extremamente complexo e envolve diversos hormônios e mediadores químicos. Um desses hormônios, contudo, se destaca.

Todos já ouviram falar do efeito mais conhecido da insulina: sua capacidade de reduzir os níveis de glicose no sangue (glicemia). De fato, os médicos costumam pensar na insulina como uma droga utilizada para reduzir a glicemia muito elevada de alguns pacientes diabéticos. A insulina é secretada por células especializadas, localizadas no pâncreas, denominadas células beta. Essas células detectam os níveis de glicose na corrente sanguínea e secretam insulina até que a glicose retorne a níveis normais. Quando os níveis de glicose estão baixos, por sua vez, a secreção de insulina cai a níveis mínimos.

O que muita gente não sabe é que a insulina é o principal hormônio regulador do fluxo de ácidos graxos (gordura) nos adipócitos. **A insulina elevada facilita a entrada de ácidos graxos no adipócito** e a formação de compostos denominados triglicerídeos, moléculas grandes, contendo três ácidos graxos ligados a um esqueleto de glicerol, que é a forma na qual a nossa gordura permanece armazenada. Já **a insulina baixa favorece a lipólise**, ou seja, a transformação dos triglicerídeos que estão dentro do adipócito em ácidos graxos e sua saída da célula. Com efeito, a insulina é tão importante na regulação da glicose quanto na regulação dos adipócitos. E faz todo sentido que seja assim.

Todas as células do corpo podem usar glicose como fonte de energia. Quase todas podem usar gordura também (com algumas notórias exceções, como alguns tipos de neurônios, hemácias e células da medula renal). Contudo, existe uma capacidade limitada de armazenamento de glicose. E a glicose no sangue, quando em excesso, é tóxica (pois se liga de forma permanente a proteínas diversas, fenômeno conhecido como glicação). Já a gordura pode ser armazenada de forma praticamente ilimitada (nunca engordamos tanto que não possamos engordar mais um quilo). Assim, faz sentido que, na presença de glicose, a gordura armazenada não seja utilizada, enquanto a gordura oriunda da dieta seja armazenada, visto que a glicose pode e precisa ser usada como fonte de energia prioritária. Na relativa escassez de glicose, a gordura passa a cumprir sua tarefa de "bateria" do sistema: liberar os ácidos graxos armazenados nos adipócitos para que eles sejam usados como fonte de energia para as células do corpo.

A beleza desse sistema é que o mesmo hormônio (insulina) que é secretado quando a glicose se eleva no sangue bloqueia o uso da gordura como fonte de energia (e favorece seu armazenamento) e, ao mesmo tempo, obriga o uso da glicose como fonte de energia (e seu armazenamento dentro das células na forma de um polímero chamado glicogênio). Um mecanismo altamente elegante e eficaz, mas com implicações radicais sobre a forma como o tecido adiposo é regulado.

* * *

Elizabeth Hughes[2] era uma menina completamente saudável até os 11 anos de idade, quando foi diagnosticada com diabetes tipo 1 em 1919. Diabetes tipo 1 é uma doença autoimune na qual as células beta do pâncreas são destruídas pelo próprio organismo. Na ausência total de insulina, não apenas a gordura não pode ser armazenada como há, de fato, um **estímulo negativo da ausência de insulina** que produz lipólise em grande escala – praticamente toda a gordura de todos os adipócitos passa a ser liberada, produzindo emagrecimento extremo e rápido, **independentemente de quanto a pessoa comer**. O sangue fica cheio de açúcar e de gordura, ao mesmo tempo que as células vão definhando por ausência de nutrientes. Sem a insulina, que age como chave para abrir a porta das células, os nutrientes não têm como entrar. Elizabeth recebera aquilo que, em 1919, era efetivamente uma sentença de morte. Mas ela só morreu em 1981. Uma descoberta incrível aconteceu no início dos anos 1920 que viria a mudar o destino de Elizabeth e de milhões de pessoas. Frederick Banting e colaboradores conseguiram isolar um hormônio a partir do pâncreas de animais, ao qual deram o nome de insulina, e Elizabeth Hughes foi uma das primeiras pessoas no mundo a receber esse hormônio. A Figura 2.1 (duas fotos da mesma paciente) mostra o estado impressionante em que a jovem se encontrava e o efeito quase milagroso da restauração de seus níveis de insulina.

Se você não soubesse a história real por trás dessas fotos, seria razoável imaginar que se tratava de um caso de abuso. Que a criança sofria maus-tratos que a levaram à inanição extrema (foto à esquerda), porém foi resgatada de seu lar abusivo, recebeu comida e ficou com a aparência de uma menina saudável (foto à direita). Mas **a diferença entre as duas fotos não é nutricional, é exclusivamente hormonal**. A única diferença entre o antes e o depois, nesse caso, é o hormônio insulina. Assim como no caso de Irmtraud Eichler, a senhora alemã sobre quem falamos no primeiro capítulo que todos achavam que comia demais, mas que na verdade tinha um tumor de ovário, também aqui nossos preconceitos nos levariam a uma conclusão completamente errada.

....
2. COOPER; AINSBERG, 2011.

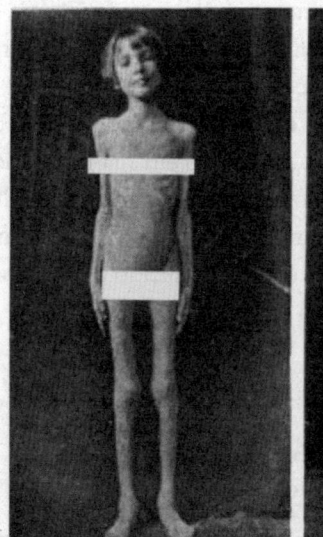

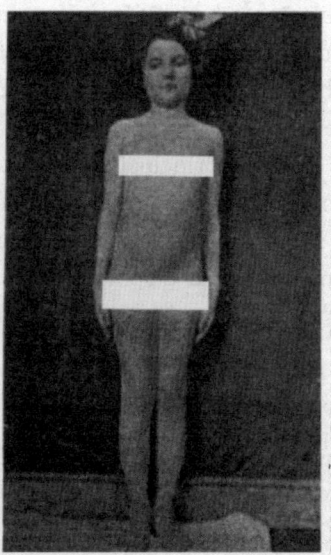

Figura 2.1

Jovem antes e depois de ser tratada com insulina.
Fotos de 1922. (POLONSKY, 2012)

Temos de parar de enxergar o mundo pelas lentes monocromáticas do balanço calórico. Só porque uma pessoa está acima do peso não significa necessariamente que a causa para isso seja o fato de ela ter comido demais; assim como o fato de uma pessoa estar muito magra não significa que a **causa** para isso seja o fato de ela ter comido de menos.

Os livros de fisiologia ensinam que há vários hormônios que facilitam a liberação de gordura pelos adipócitos (adrenalina, glucagon e GH, por exemplo), mas que a insulina é basicamente o único que estimula o seu acúmulo.

....

Só porque uma pessoa está acima do peso não significa necessariamente que a causa para isso seja o fato de ela ter comido demais; assim como o fato de uma pessoa estar muito magra não significa que a **causa** para isso seja o fato de ela ter comido de menos.

....

Da mesma forma que seria impensável estudar o nanismo sem estudar a regulação do hormônio do crescimento (GH) e que não faria sentido estudar a hipertrofia muscular sem considerar o efeito de hormônios anabolizantes (testosterona, por exemplo), deveria ser óbvio que não se deve estudar o tecido adiposo – e o ato de engordar – sem considerar o efeito do principal hormônio envolvido em sua regulação.

Anos atrás, me deparei com um texto no *site* do Hospital Albert Einstein sobre um transtorno alimentar denominado "diabulimia". O texto não está mais disponível, mas está reproduzido na íntegra no meu *blog*[3] e eu o reproduzo no trecho a seguir.

Diabulimia: distúrbio que pode ser fatal

Transtorno afeta pacientes com diabetes tipo 1 que deixam de tomar a insulina deliberadamente

Adolescentes do sexo feminino com diabetes tipo 1 formam o grupo de maior risco para o desenvolvimento de diabulimia, transtorno alimentar ou de imagem corporal, como a bulimia e a anorexia, porém com características relacionadas à administração da insulina. Portadoras de diabulimia aliam a rejeição aos alimentos – comum a todos os transtornos de imagem corporal – à redução ou até ao abandono do tratamento do diabetes por saberem que a perda de peso é um dos efeitos mais imediatos da falta de insulina. É mais um distúrbio que coloca a saúde em risco em nome da estética da magreza.

Um dos principais hormônios produzidos pelo corpo humano, a insulina é de vital importância para o funcionamento do organismo e para o crescimento e desenvolvimento de crianças e adolescentes. Nas pessoas com diabetes tipo 1, o pâncreas é incapaz de produzir a insulina, que precisa ser suprida por meio da autoadministração.

A conduta clássica no tratamento da doença consiste em ensinar a criança ou adolescente a se medicar para que possa manter sua autonomia e independência. "O paciente recebe todas as informações relacionadas à importância de administrar corretamente a insulina, tanto no que se refere à dose certa quanto aos intervalos adequados, e é alertado

---

3. SOUTO, 2013b.

sobre o que pode acontecer se não seguir à risca o esquema", diz o doutor Ricardo Botticini Peres, endocrinologista do Einstein.
O outro lado da informação
Com pleno conhecimento sobre o mecanismo de ação da insulina, pacientes com propensão ao distúrbio alimentar acabam tendo nas mãos um poderoso instrumento para provocar o rápido emagrecimento. Sem insulina, o corpo perde a capacidade de utilizar a glicose como fonte de energia e vai buscar essa energia na gordura. [...]

(*apud* SOUTO, 2013b)

Afora o risco de morte por cetoacidose diabética (não confundir com cetose nutricional, que é um estado benigno sobre o qual falaremos mais adiante) e/ou coma hiperglicêmico, os resultados desse distúrbio sobre a composição corporal são assustadores e lembram bastante a foto da menina Elizabeth Hughes antes de começar a ser tratada, em 1922. Mas a frase para a qual eu gostaria de chamar especial atenção é "Com pleno conhecimento sobre o mecanismo de ação da insulina, pacientes com propensão ao distúrbio alimentar acabam tendo nas mãos um poderoso instrumento para provocar o rápido emagrecimento. Sem insulina, o corpo perde a capacidade de utilizar a glicose como fonte de energia e vai buscar essa energia na gordura". Veja que, no contexto dessa doença, o papel da insulina como regulador do tecido adiposo é dado como incontestável. Não obstante, quando passamos a falar de sobrepeso e obesidade, só nos ocorre pensar em calorias, gula e preguiça. Por que será? É que quando o assunto é excesso de peso, passamos imediatamente a enxergar tudo pelas lentes monocromáticas do balanço calórico. É como se abrigássemos em nossas mentes, ao mesmo tempo, explicações completamente distintas para o mesmo fenômeno. No caso da diabulimia, é "obviamente" uma questão hormonal. No caso da obesidade, é "obviamente" comer demais. Mas como o adipócito sabe quando é sem querer ou quando é de propósito? Ele é uma célula e, como tal, responde a hormônios. E o principal desses hormônios é a insulina.

O entendimento da importância dos hormônios na regulação do tecido adiposo leva necessariamente a um questionamento radical: Será que todas as calorias são iguais?

Gasolina ou *pizza*?

Como já vimos, calorias são unidades de medida e não há receptor celular para calorias. Uma caloria, diferentemente de uma molécula, não tem forma tridimensional no espaço. Um litro de gasolina contém muitas calorias (cerca de 8.000 kcal), tanto que é capaz de mover um automóvel de uma tonelada por alguns quilômetros. Mas se você bebesse um litro de gasolina você engordaria? Obviamente não. Além do fato de o produto ser tóxico, nosso corpo não sabe o que fazer com a gasolina. Ter calorias não basta, é necessário que o corpo possa utilizá-las. Mas quando comemos um alimento de verdade (que também contém calorias, ou seja, liberaria energia caso fosse incinerado), de que forma os adipócitos ficam sabendo disso? Quem conta para eles o que aconteceu? Como eles vão decidir se é para armazenar ou liberar a gordura contida nele? Como eles vão saber se é gasolina ou *pizza*?

Nos anos 1960 e 1970, cientistas demonstraram que o tecido adiposo (gordura) incubado *in vitro* (isto é, em um tubo de ensaio) era capaz de armazenar os ácidos graxos presentes no meio de cultura desde que houvesse glicose disponível e fosse acrescentado ali o hormônio insulina[4]. Em outras palavras, um pedaço de gordura mantido vivo em um tubo de vidro "engorda" na presença de insulina. No entanto, imagino que não tenha passado pela sua cabeça que a culpa é do tubo porque ele provavelmente comeu demais e se exercitou de menos. O tecido adiposo não tem como saber se está em um tubo de ensaio ou na dobra da barriga de uma pessoa. Ele não tem olhos nem ouvidos, e muito menos cérebro. Ele responde a estímulos hormonais.

Obviamente os alimentos que consumimos afetam os níveis de vários hormônios, em particular os da insulina. A insulina é conhecida como um hormônio de "armazenamento". Fica elevada no estado alimentado, favorecendo a estocagem de nutrientes (gordura nos adipócitos e glicose no fígado e nos músculos), e fica baixa nos períodos de jejum. A insulina baixa atua como um "estímulo negativo", ou seja,

....
4. BALLY; CAHILL JR.; LEBOEUF; RENOLD, 1960.

favorece a liberação da glicose armazenada no fígado e da gordura armazenada nos adipócitos. E é assim que os adipócitos sabem o que fazer. Eles não precisam ter olhos, ouvidos ou cérebro. Por meio das flutuações hormonais em geral e da insulina em particular, nosso organismo comunica a essas células o que elas devem fazer em prol da coletividade celular que compõe nosso organismo.

Acontece que diferentes alimentos têm diferentes efeitos hormonais (endócrinos). E não são as calorias que determinam esses níveis hormonais (lembram-se da gasolina?). A composição dos alimentos é crucial.

> Neste capítulo, tratamos da regulação do tecido adiposo. Usamos o exemplo de uma doença – a lipodistrofia – na qual o tecido adiposo subcutâneo inexiste. Explicamos que a regulação do tecido adiposo é feita por diversos hormônios, entre os quais a insulina – níveis elevados de insulina favorecem o armazenamento de gordura; a insulina baixa, ao contrário, favorece a lipólise, isto é, a saída da gordura de dentro dos adipócitos. Vimos ainda que existe uma prioridade metabólica da glicose, isto é: em havendo consumo de grande quantidade de glicose, esta será utilizada como energia em detrimento da gordura. Lançamos mão do exemplo do diabetes tipo 1 para salientar a importância da regulação hormonal do tecido adiposo: não podemos pensar apenas em termos de calorias. E surge a intrigante ideia de que as calorias não são todas iguais, visto que diferentes alimentos terão diferentes efeitos sobre os hormônios que regulam o tecido adiposo, particularmente a insulina.

3

A HIPÓTESE CARBOIDRATO-INSULINA

A constatação de que o nosso tecido adiposo não é tão somente um repositório passivo de calorias, mas, sim, um tecido altamente regulado do ponto de vista endócrino altera nossa perspectiva. Se os olhos e os ouvidos dos adipócitos são seus receptores e a insulina é o principal hormônio envolvido no armazenamento de gordura, cabe a pergunta "O que regula os níveis de insulina?".

O principal estímulo para a secreção de insulina pelo pâncreas são os níveis de glicose no sangue (glicemia). O que faz todo sentido, já que uma das funções primordiais da insulina é justamente a regulação da glicemia. Funciona assim: quando a glicemia está elevada (após a ingestão de um doce, por exemplo), as células beta do pâncreas detectam essa elevação e secretam insulina para trazer a glicemia novamente a níveis normais. Quando a glicemia está baixa (depois de um período de jejum mais prolongado, por exemplo), a insulina é reduzida a níveis muito baixos (mas nunca a zero), o que permite que a gordura seja liberada pelos adipócitos e passe a ser utilizada como fonte de energia. Assim, o corpo alterna entre o uso da glicose e o uso da gordura. Quanto mais glicose se consome, menos gordura o corpo utiliza.

> O principal estímulo para a secreção de insulina pelo pâncreas são os níveis de glicose no sangue (glicemia) [...] e a quantidade de insulina que será secretada depende primariamente da composição dos alimentos, e não da quantidade de calorias ingeridas.

Mas você não diz, no mercado: "Moço, por favor, quero 250 g de glicose". Você compra comida. Acontece que diferentes alimentos têm diferentes efeitos na glicemia. Alguns alimentos são praticamente pura glicose e outros não contêm glicose nenhuma em sua composição. Assim, é evidente que diferentes alimentos terão efeitos distintos na concentração de glicose no sangue e, portanto, na quantidade de insulina que o pâncreas terá de liberar.

Como já dissemos, a insulina é um hormônio de armazenamento secretado quando começamos a comer (a rigor, começa até mesmo antes, quando pensamos em comida, cheiramos a comida, olhamos a comida) e que continua sendo secretado por até duas horas depois de nos alimentarmos. Mas a quantidade de insulina que será secretada depende primariamente da composição dos alimentos, e não da quantidade de calorias ingeridas. Um alimento composto basicamente de glicose vai, obviamente, elevar a sua glicemia e, necessariamente, promover uma elevação muito maior dos níveis de insulina do que o consumo da mesma quantidade de calorias de um alimento sem glicose em sua composição. Seus adipócitos não sabem quantas calorias você comeu nem quantas calorias você gastou. Muito menos se você é uma pessoa esforçada ou preguiçosa. Mas eles sabem se sua insulina está alta ou baixa. E a insulina alta promoverá o acúmulo de gordura e o bloqueio da lipólise – não importando se o adipócito está em um tubo de ensaio ou em uma dobra de sua barriga. Não é questão de moral, é questão de bioquímica e fisiologia!

Carboidrato é o nome genérico que damos aos alimentos compostos basicamente de glicose e outros açúcares (como frutose e galactose). Como saber se um alimento é (principalmente) carboidrato ou não? Na prática, os carboidratos nos alimentos apresentam-se em três formas: **açúcar, amido** e **fibra**. Praticamente todo mundo já sabe que o açúcar nos alimentos vai elevar o "açúcar" no sangue – é um conhecimento intuitivo e correto. Mas a maioria das pessoas não sabe que o amido tem o mesmo efeito que o açúcar. Em verdade, se a glicose fosse uma pérola, o amido seria um colar de pérolas. O amido é composto basicamente de moléculas de glicose lado a lado e difere dela apenas no gosto, e não no efeito. A diferença entre o amido e o açúcar é meramente **culinária**, e não metabólica (com exceção da frutose, cujos efeitos veremos mais adiante). Uma batata frita é salgada e um brigadeiro é doce, mas ambos elevam a glicose no sangue. E, portanto, elevam mais os níveis de insulina do que a mesma quantidade de calorias de peixe ou ovos. A fibra, embora seja carboidrato, não afeta a glicemia. Isso se dá pelo fato de a fibra, por definição, ser um carboidrato não digerível.

....
[...] se a glicose fosse uma pérola, o amido seria um colar de pérolas [...]. A diferença entre o amido e o açúcar é meramente **culinária**, e não metabólica.
....

A ideia de que os carboidratos favorecem o ganho de peso e de que deixar de consumi-los é uma forma eficaz de emagrecimento não é nenhuma novidade. Gary Taubes, em seus livros *Good Calories, Bad Calories* [Calorias boas, calorias ruins], *Por que engordamos e o que fazer para evitar* e *Em defesa da dieta cetogênica*, apresenta o resumo histórico dos sucessivos autores que, por décadas, vêm escrevendo livros a esse respeito. Ao que tudo indica, o primeiro autor que codificou na forma de livro aquilo que já seria senso comum à época foi o francês Jean Anthelme Brillat-Savarin (1755-1826), em seu livro *A fisiologia do gosto*, de 1825. Nessa obra, o autor (que não era cientista nem médico) explica sua impressão de que aqueles que apresentam tendência ao ganho de peso deveriam abster-se de amidos e, sobretudo, de açúcares.

Um dos melhores exemplos de que tal conhecimento já era parte da sabedoria popular no século XIX pode ser encontrado no clássico de Tolstoi, de 1878, *Anna Karenina*. O personagem Vronsky está se preparando para a corrida de cavalos. Tolstoi descreve assim a cena: "No dia das corridas em Krásnoie Sieló, Vronsky veio comer um bife no refeitório dos oficiais no regimento mais cedo do que de costume. Não precisava controlar-se com severidade porque rapidamente alcançara o peso devido, de 73 quilos; mas era preciso não engordar e por isso fugia dos alimentos farináceos e açucarados".

> "[...] mas era preciso não engordar e por isso fugia dos alimentos farináceos e açucarados."

O que chama a atenção no trecho é a forma trivial com que o autor trata o assunto. Não se vê ali a necessidade de explicar ao leitor a atitude de Vronsky. Tolstoi assume que uma pessoa culta nos anos 1870 **sabe** que quem não deseja engordar **obviamente** deve se abster de açúcar e farináceos. Isso era **senso comum**.

Não é que o senso comum esteja sempre certo – longe disso. Mas crenças do tipo "o sol nascerá amanhã" ou "uma pedra jogada para cima vai cair" não surgem de forma aleatória; são fruto da observação diária do mundo, lapidadas pela experiência cotidiana. Vronsky não precisava de um ensaio clínico randomizado para saber que, se quisesse manter o peso, comer um bife era melhor do que comer pão e doces. Todo mundo sabia disso.

O primeiro *best-seller* voltado ao emagrecimento foi publicado em 1864 pelo agente funerário inglês William Banting (1797-1878) (sem parentesco com o médico que descobriu a insulina no século XX). Intitulado *Carta sobre a corpulência*, era mais um livreto do que um livro. Banting vinha engordando, embora tivesse sido orientado a comer menos e a fazer mais exercício. Passou a praticar remo, passava fome, e nada. Para seu desespero, encontrava-se com dificuldade de subir escadas e até mesmo de amarrar os sapatos. Finalmente, consultou um médico (otorrinolaringologista) que lhe indicou um caminho diferente: "[...] Os itens dos quais eu deveria me abster tanto quanto possível eram: pão, leite, açúcar, cerveja e batatas, que até então tinham sido os principais elementos da minha existência. [...] Esses alimentos, disse meu excelente médico, contêm amido e 'matéria açucarada', tendem a produzir gordura, e devem ser evitados completamente". Banting emagreceu 23 quilos e publicou a primeira edição de seu livro com recursos próprios. O livro virou febre na Inglaterra não por causa de *marketing* ou da internet. As pessoas simplesmente percebiam que os resultados eram bons. É o que hoje chamaríamos de "dieta da moda".

Em 1864 ninguém fazia ideia sobre a questão da regulação do tecido adiposo. Mas Gary Taubes, no excelente levantamento histórico que caracteriza seus livros, sobretudo em *Good Calories, Bad Calories*, explica que a ideia de que tal regulação poderia ser o problema primário da obesidade já era defendida por médicos nos primeiros anos do século XX, sobretudo pelo alemão Gustav von Bergmann (1878-1955) e pelo austríaco Julius Bauer (1853-1941). Com o início do emprego da insulina para o tratamento do diabetes, em 1922, esses médicos logo notaram que pacientes tratados com esse hormônio ganhavam peso, mas ainda não era possível medi-lo no sangue, o que não permitia inferir sua possível função na obesidade.

Nesse ínterim, dietas com baixo carboidrato seguiam sendo redescobertas de tempos em tempos. Em 1919, o médico norte-americano Blake Donaldson (1892-1966), de Nova York, começou a tratar pacientes com uma dieta nesses moldes após constatar que "dietas de fome" tinham resultados muito ruins. Donaldson teve esse *insight* após conversar com um antropólogo do Museu de História Natural de Nova York que lhe disse que os humanos pré-históricos viviam quase exclusivamente de caça, suplementada com frutas silvestres e algumas raízes. Embora tenha tratado milhares de pacientes, Donaldson nunca publicou na literatura científica, limitando seu alcance. Foi apenas por acaso, por meio de um contato pessoal, que o médico Alfred Pennington ficou sabendo da dieta de Donaldson nos idos de 1944. Como é muito comum na história da dieta *low-carb*, Pennington testou-a em si mesmo, perdeu peso sem passar fome e, então, passou a prescrevê-la a seus pacientes. No ano seguinte, Pennington passou a trabalhar na DuPont, em um dos serviços pioneiros de saúde ocupacional. Em

1948, a empresa começou a ficar preocupada com a epidemia de doença cardíaca dos Estados Unidos, após um ataque cardíaco de um de seus executivos. Era a hora de atacar o problema do sobrepeso e da obesidade na empresa.

Primeiramente, o serviço de saúde ocupacional da DuPont tentou a tradicional estratégia de orientar a redução de porções e o aumento da atividade física. Os resultados foram pífios. Pennington decidiu então prescrever a dieta de Donaldson aos executivos obesos da empresa. Em 1949, publicou (em um periódico pouco conhecido) os resultados obtidos com vinte executivos submetidos à dieta *low-carb*: a perda de peso média era de quase 1 quilo por semana, e os executivos perderam de 4 a 24 quilos – sem restrição calórica voluntária e referindo ausência de fome.

Em 1953, Pennington publicou dois artigos em periódicos de alto impacto, o *New England Journal of Medicine (NEJM)*[1] e o *American Journal of Clinical Nutrition*[2], nos quais expunha sua teoria de que "A restrição de carboidratos, por si só, parece possibilitar o tratamento da obesidade com uma dieta sem restrição calórica [voluntária] composta principalmente de proteínas e gorduras. O fator limitante do apetite, necessário para qualquer tratamento da obesidade, parece ser fornecido pelo aumento da mobilização e utilização da gordura, em conjunto com as forças homeostáticas que normalmente regulam o apetite. A cetogênese parece ser um fator-chave no aumento da utilização de gordura. O tratamento da obesidade por esse método parece evitar o declínio do metabolismo encontrado no tratamento por restrição calórica". No artigo do *NEJM*, Pennington deixa claro que o devido crédito deve ser dado a Blake Donaldson e a Vilhjalmur Stefansson (1879-1962) – um antropólogo e explorador canadense que descobriu que os inuítes consumiam uma dieta com quase nenhum carboidrato e não apresentavam obesidade, ao menos no início do século XX. Ele estava convencido de que os carboidratos favoreciam o armazenamento de gordura

---

1. PENNINGTON, 1953a.
2. PENNINGTON, 1953b.

e que, por causa disso, o indivíduo sentia mais fome, comia mais e ficava com o metabolismo mais lento. Uma postulação muito parecida com aquilo que seria, modernamente, conhecido como teoria carboidrato-insulina da obesidade.

Os resultados de Pennington viriam a ser reproduzidos por diversos outros autores nos anos subsequentes. Mas talvez o artigo científico de maior importância para o moderno emprego da restrição de carboidratos no emagrecimento tenha sido publicado em 1963 por Edgar Gordon e outros autores no *Journal of the American Medical Association* (*JAMA*). Intitulado "Um novo conceito no tratamento da obesidade"[3], o artigo propunha uma dieta semelhante à proposta por Pennington, mas com menos gordura: "uma dieta alta em proteína, moderada em gordura e pobre em carboidratos".

O motivo pelo qual esse artigo foi tão importante foi o fato de que um médico em particular precisava emagrecer. O cardiologista norte-americano Robert Atkins (1930-2003), formado pela Cornell University, começou a trabalhar em Manhattan em 1959. Em 1963, já havia engordado 23 quilos. E, naquele ano, reproduzindo um padrão que parece se repetir na história da dieta *low-carb*, Atkins resolveu testar a dieta em si mesmo. Ele diria, mais tarde, que o que lhe chamou a atenção no artigo de Gordon foi o fato de que as pessoas perdiam peso sem se queixar de fome. Atkins perdeu 13 quilos sem restrição voluntária de calorias, o que chamou a atenção dos executivos da AT&T, empresa em que trabalhava meio período. No que só poderia ser chamado de uma incrível coincidência com a história de Pennington, 65 executivos da empresa experimentaram a "dieta Atkins" e tiveram resultados impressionantes.

Mas Atkins não era um autor acadêmico – ele era um médico que trabalhava diretamente no atendimento de pacientes. Em 1966, poucos anos depois de ele começar a prescrever a estratégia *low-carb* em sua clínica, as revistas femininas passaram a recomendar a sua dieta. Depois que a *Vogue* popularizou a "dieta Atkins" em 1970, o médico

....
3. GORDON; GOLDBERG; CHOSY, 1963.

começou a escrever seu livro, que viria a ser publicado em 1972. Tornou-se o maior *best-seller* da história dos livros de dieta – era, sem dúvida, a grande "dieta da moda".

O livro A *dieta revolucionária do dr. Atkins* é visto por muitos como uma obra de autoajuda escrita por um tipo de charlatão. Nada poderia estar mais distante da realidade! Atkins debruçou-se sobre a literatura científica que o antecedera e postulou em seu livro que a insulina era o principal hormônio regulador do tecido adiposo, que os carboidratos na dieta eram o principal estímulo para a secreção de insulina e que a insulina mantida baixa facilitava a lipólise e a perda de peso sem fome. Era uma das postulações mais claras da teoria carboidrato-insulina da obesidade: você não engordava porque comia demais; você comia demais porque seu tecido adiposo estava sequestrando mais calorias do que deveria, e comer a mais era um comportamento compensatório (não causal). E o motivo para esse processo era o excesso de insulina, que tinha a ver menos com as calorias consumidas do que com a quantidade de carboidratos (açúcar e amido) ingerida, pois eram eles que causavam o aumento desse hormônio.

> Você não engordava porque comia demais; você comia demais porque seu tecido adiposo estava sequestrando mais calorias do que deveria, e comer a mais era um comportamento compensatório (não causal).

A dieta *low-carb* (de baixo carboidrato) não nasceu com Atkins, mas ele certamente a popularizou como poucos. E isso acabou se tornando um problema. Logo depois da publicação do livro, começaram os ataques das associações médicas. Estávamos nos anos 1970, e predominava fortemente o dogma de que a causa da doença cardiovascular era o excesso de gordura na dieta, que levaria à elevação do colesterol no sangue e ao consequente entupimento das artérias (falaremos mais a esse respeito no Capítulo 12). E ali estava um médico que nem sequer era professor ou pesquisador universitário afirmando que uma dieta rica em proteínas e gorduras, desde que pobre em carboidratos, era não apenas adequada para perder peso, mas efetivamente saudável.

O grande paradoxo de Robert Atkins foi que, ao mesmo tempo que se tornou extremamente popular (e talvez justamente por causa disso), ajudou a mergulhar a reputação das dietas de baixo carboidrato em uma espécie de Idade das Trevas que durou três décadas.

Mais uma vez, o que resgataria a dieta *low-carb* de seu sono acadêmico prolongado seria uma nova coincidência. O doutor Eric Westman, professor de medicina da Duke University, nos Estados Unidos, ficou intrigado com dois pacientes que perderam muito peso e descobriu que eles haviam seguido a tal dieta do "doutor famoso de Nova York".

Em 2002, Westman publicou um dos primeiros estudos modernos sobre a dieta *low-carb* visando à perda de peso, logo seguido por um ensaio clínico randomizado comparando a dieta então recomendada pelas diretrizes norte-americanas (popularizadas por meio da famosa Pirâmide Alimentar) com a dieta Atkins, na qual as pessoas poderiam comer à vontade carnes, peixes, ovos, folhas verdes, legumes, queijos e embutidos, mas deveriam zerar o consumo de açúcares e amidos (como farináceos, arroz e batatas). Não havia necessidade de contar calorias. Os resultados foram espantosos: o grupo *low-carb*, mesmo sem restrição calórica, perdeu o dobro do peso (ver Capítulo 8).

Nos últimos vinte anos, dezenas de ensaios clínicos randomizados foram conduzidos (67 ao todo)[4] até o momento em que escrevo estas linhas, e o resultado da maioria mostra inequivocamente que, em condições de vida livre, perde-se mais peso com dietas *low-carb* do que com dietas tradicionais de restrição de gorduras e calorias.

Em 2008 foi publicado no *New England Journal of Medicine* um dos maiores e mais bem conduzidos ensaios clínicos randomizados sobre dieta *low-carb*, o *Dietary Intervention Randomized Controlled Trial* (DIRECT)[5]. Esse é o tipo de estudo que deveria encerrar a discussão e mudar condutas: é um ensaio clínico randomizado com mais de trezen-

---
4. PUBLIC HEALTH COLLABORATION, 2022.
5. SHAI; SCHWARZFUCHS; HENKIN *et al.*, 2008.

tos participantes que durou **dois anos** e foi extremamente bem conduzido (o almoço era fornecido pelo próprio estudo no refeitório do local de trabalho de todos os participantes durante dois anos, ou seja, sabe-se com certeza que ao menos essa refeição era exatamente conforme o que era proposto).

Os participantes, pessoas de ambos os sexos com IMC > 27 (sobrepeso) ou diabetes tipo 2 ou doença coronariana, foram distribuídos, por sorteio, em três grupos, a saber:

- dieta *low-fat*, da forma como é recomendada pela Associação Americana de Cardiologia, com **restrição compulsória de calorias** (consumo diário máximo de 1.500 kcal para mulheres e de 1.800 kcal para homens);
- dieta mediterrânea, nos moldes do livro popular escrito por Walter Willett, de Harvard, com **restrição compulsória de calorias** (consumo diário máximo de 1.500 kcal para mulheres e de 1.800 kcal para homens);
- dieta *low-carb*, baseada no livro *A nova dieta revolucionária do dr. Atkins*, **sem restrição de calorias**.

É preciso salientar que, como se sabia empiricamente que a restrição de carboidratos é eficaz para a perda de peso, os autores do estudo se utilizaram de um subterfúgio para "dar uma chance" às demais dietas. Os participantes dos grupos das dietas *low-fat* e mediterrânea foram instruídos a restringir as calorias, enquanto os do grupo da dieta *low-carb* foram expressamente orientados a comer quanto quisessem, desde que fossem alimentos pobres em carboidratos.

O DIRECT mostrou que o grupo *low-carb* perdeu mais peso e mais medidas, reduziu mais os triglicérides, aumentou mais o HDL (colesterol "bom"), melhorou mais a razão entre colesterol total e HDL (um fator de risco para doença cardiovascular) e reduziu mais a proteína C reativa (um marcador de inflamação, que também é fator de risco para doença cardiovascular). Em suma, a dieta *low-carb* produzia perda de peso maior e consequente melhora de marcadores metabólicos, mesmo sem a restrição **consciente** de calorias. De acordo com os questionários de frequência alimentar – instrumentos bastante falhos utilizados para avaliar o que as pessoas comem baseados no que elas se lembram de ter comido – houve redução semelhante de calorias em todos os grupos.

Alguns críticos afirmam que esses resultados mostram que a insulina não tem nada a ver com a perda de peso e que o único motivo pelo qual a dieta *low-carb* funciona é porque as pessoas comem menos. Mas... e qual é o problema se for isso mesmo? Se você tem uma estratégia alimentar baseada em comida de verdade, que lhe leva a comer menos sem nem mesmo tentar, isso não é uma coisa boa?

Alguns dos ensaios clínicos randomizados nos quais não se observou vantagem do grupo *low-carb* utilizaram calorias controladas. Ou seja, os dois grupos tinham de consumir a mesma quantidade de calorias. De forma pouco surpreendente, a perda de peso foi a mesma. Acontece que, para se obter tal resultado, o grupo *low-fat* acaba sendo forçado a comer menos do que quer, e o *low-carb* mais do que deseja. É como se você organizasse uma corrida em que a velocidade máxima permitida fosse 30 km por hora. Faz-se a corrida, todos os carros terminam juntos, e você conclui – erroneamente – que não há diferença entre eles (ver Capítulo 8).

Assim, mesmo admitindo o fato de que em dietas *low-carb* tende-se a comer menos de forma espontânea, não se exclui a possibilidade de que a pessoa esteja comendo menos porque, com a insulina baixa, o corpo ganha acesso facilitado às calorias armazenadas na forma de gordura e passa a necessitar de menos calorias vindas de fora. Ou seja, nas dietas tradicionais, a pessoa passa fome e o corpo, em situação de privação calórica, utiliza as reservas de gordura; nas dietas *low-carb*, por outro lado, com o "estímulo negativo da insulina baixa", o corpo passa a usar as calorias da gordura, havendo menos necessidade de comer. Em ambos os casos, um observador externo diria que as pessoas estão comendo menos e estão emagrecendo. Mas a seta da causalidade é diferente nos dois casos. No primeiro, há um estado de privação no qual o emagrecimento ocorre **com fome** e outros sintomas de déficit calórico (falta de energia); no segundo, a sobra de energia endógena, oriunda da própria gordura corporal, leva a comer menos, mas **sem fome** e com energia de sobra.

Figura 3.1

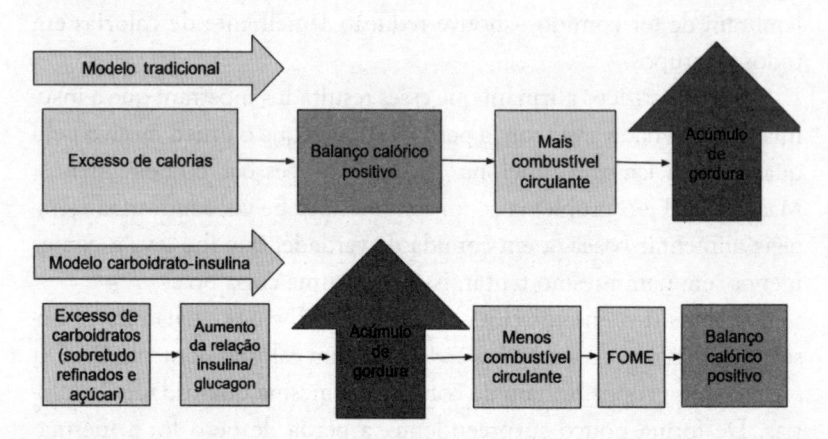

Modelo tradicional

Excesso de calorias → Balanço calórico positivo → Mais combustível circulante → Acúmulo de gordura

Modelo carboidrato-insulina

Excesso de carboidratos (sobretudo refinados e açúcar) → Aumento da relação insulina/glucagon → Acúmulo de gordura → Menos combustível circulante → FOME → Balanço calórico positivo

Esquema elaborado pelo autor para esta publicação com base em: LUDWIG; EBBELING, 2018.

A teoria carboidrato-insulina é posta à prova

Ao estudar a obesidade infantil, que atingiu níveis epidêmicos em muitos países nos últimos tempos, o endocrinologista pediátrico norte-americano David Ludwig (1957-) chegou à conclusão de que os resultados da restrição calórica em crianças eram muito negativos. Se já é muito difícil fazer com que um adulto concorde em passar fome, com crianças e adolescentes é quase impossível. Segundo relata em seu livro *Emagreça sem fome*, foi nos livros de Gary Taubes que Ludwig encontrou a melhor expressão da teoria carboidrato-insulina.

Como vimos, já não se discute a eficácia da estratégia *low-carb* na perda de peso e na melhora de diversos marcadores de saúde metabólica – são dezenas de ensaios clínicos randomizados. A narrativa mudou para "OK, não é melhor que as demais dietas, é apenas mais uma, que funciona porque as pessoas comem menos".

Ludwig tomou para si a tarefa de testar de forma rigorosa a hipótese carboidrato-insulina[6] avaliando algumas de suas previsões. Uma

---
6. LUDWIG; EBBELING, 2018.

das mais ousadas previsões é a chamada "vantagem metabólica", ou seja, a ideia de que é possível comer **mais** em dietas *low-carb* e ainda assim perder peso – algo que parece absurdo ao violar a lei da conservação de energia.

É bastante comum escutar que uma dieta que permita perder peso sem passar fome viola as leis da termodinâmica. As pessoas estão se referindo, na verdade, à primeira lei da termodinâmica, da conservação da energia (energia não se cria e não se perde, apenas se transforma). Há dois equívocos nessa interpretação:

1) a pessoa pode não ter fome e ainda assim provocar um déficit calórico por comer menos. Há ensaios clínicos randomizados que mostram que isso ocorre nas dietas com restrição de carboidratos (*low-carb*); nesse caso, não há que se falar das leis da física, e sim da biologia, devido aos efeitos hormonais distintos que cada tipo de alimento provoca;
2) a segunda lei da termodinâmica explica que **parte** da energia será transformada em calor e outra parte em entropia. Não existe nenhuma lei da termodinâmica que obrigue o corpo a estocar na forma de gordura 100% da energia consumida que não tenha sido usada para realizar trabalho: o particionamento da energia (para gordura, para trabalho muscular, para processos metabólicos ou para ser dissipada na forma de calor) é uma questão biológica, e não física (a física diz que **algo** precisa acontecer com essa energia, mas não diz **o quê**).

Esse segundo tópico é fundamental. Observe que, de fato, as calorias contidas nos alimentos que você come não podem desaparecer do Universo – elas não "se perdem". Mas uma parte variável delas será dissipada para o ambiente na forma de calor e entropia. Aqui entra o conceito de **eficiência:** qual porcentagem da energia contida nos alimentos será efetivamente utilizada pelo seu corpo ou armazenada e quanto será dissipada. Quando se fala em estratégias de perda de peso, o que desejamos é **ineficiência**. Queremos que nosso organismo seja tão ineficiente quanto um automóvel gastador. Você precisa colocar muito mais gasolina em um carro altamente ineficiente para percorrer a mesma distância do que em um carro de alta eficiência energética, econômico. Isso em nada viola as leis da termodinâmica: no caso do carro mais econômico, uma parcela maior das calorias contidas na gasolina está sendo convertida em energia de movimento; e no caso do carro ineficiente, um percentual maior está sendo convertido em calor e em entropia do meio. E se a composição da sua dieta pudesse afetar a eficiência energética do seu organismo? David Ludwig pretendia testar essa ideia revolucionária.

Sabe-se que o emagrecimento produz adaptações destinadas a dificultar a perda adicional de peso e facilitar a retomada do peso perdido. Além do aumento do apetite, ocorre uma redução do metabolismo (tecnicamente, uma redução do gasto energético em repouso e do gasto energético total). Ou seja, à medida que comemos menos, nosso corpo gasta menos: na analogia automotiva, tornamo-nos um veículo mais econômico, mais eficiente. Será que isso pode ser afetado pelo tipo de combustível?

Cara Ebbeling (1963-), David Ludwig e colaboradores resolveram testar essa hipótese com um pequeno estudo-piloto, publicado em 2012[7]. Nesse estudo, 21 pessoas com sobrepeso ou obesidade foram colocadas em uma dieta de restrição calórica até atingirem 10% a 15% de perda de peso corporal. O objetivo dessa fase era tornar seus metabolismos mais lentos, como ocorre sempre que perdemos peso. A seguir, foram randomizados para uma dieta de alto (60%), médio (40%) e baixo (10%) carboidrato. Embora tenha havido, como esperado, uma redução no metabolismo de todos os voluntários após a fase de emagrecimento, a redução foi muito menor no grupo *low-carb*. A redução no gasto calórico total foi de −423 kcal/d no grupo de alto carboidrato, −297 kcal/d no grupo de médio carboidrato e −97 kcal/d no grupo *low-carb*. Trata-se de uma diferença de mais de 300 calorias por dia!

---

7. EBBELING; SWAIN; LUDWIG et al., 2012.

O estudo foi criticado por ser pequeno e de curta duração, mas lançou a semente da ideia de que **o que** você come afeta o seu metabolismo, ou seja, as calorias, afinal, não são todas iguais.

Alguns anos depois, Ebbeling, Ludwig e colaboradores voltaram à carga, dessa vez com um estudo muito mais robusto[8]. Para esse estudo, 164 voluntários com sobrepeso ou obesidade foram recrutados. Eles concordaram em consumir exclusivamente os alimentos fornecidos pelo estudo ao longo de incríveis cinco meses. Em um primeiro momento, os pesquisadores colocaram todos os participantes em uma dieta de restrição calórica a fim de produzir uma perda média de 10% do peso corporal. Atingida essa meta de redução de peso e sua manutenção por uma semana, foram randomizados (sorteados) para uma de três dietas: *low-carb*, média em carboidratos e alta em carboidratos (*high-carb*, a dieta recomendada pelas diretrizes vigentes). Todos os participantes receberam balanças com *wi-fi* nas quais deveriam se pesar diariamente e que reportavam o resultado automaticamente para os pesquisadores, que ajustavam a quantidade de calorias para que o peso das pessoas permanecesse estável: aumentando a comida se estivessem emagrecendo e diminuindo se estivessem engordando. Assim, era possível medir a eficiência do metabolismo das pessoas em diferentes dietas.

O resultado foi surpreendente: o grupo que seguia uma dieta *low-carb* (com 20% de carboidratos) podia comer 250 calorias a mais por dia para manter o peso estável quando comparado com o grupo da dieta *high-carb* (60% de carboidratos). Dito de outra forma, os voluntários que seguiam uma dieta *low-carb* apresentavam uma vantagem metabólica de 250 calorias. Os resultados desse estudo são especialmente confiáveis por vários motivos. Primeiro por se tratar de um ensaio clínico randomizado (no qual as pessoas foram sorteadas para cada dieta, o que torna os três grupos homogêneos no que diz respeito a outras características, como grau de atividade física, renda, etnia etc.); segundo, por ter um grande número de participantes e longa duração; terceiro, porque a totalidade das refeições foi fornecida pelo estudo, aumentan-

---
8. EBBELING; FELDMAN; LUDWIG *et al.*, 2018.

do, assim, a adesão e reduzindo o risco de que as pessoas fizessem a dieta de forma errada; e, por fim, por causa do método de aferição do metabolismo. Nesse estudo, não se confiou apenas no relato subjetivo das pessoas (como diários de consumo alimentar). O metabolismo, mais especificamente o gasto metabólico total, foi medido diretamente por uma técnica chamada **água duplamente marcada**, que tem grande acurácia e nenhuma subjetividade.

> O grupo que seguia uma dieta *low-carb* (com 20% de carboidratos) podia comer 250 calorias a mais por dia para manter o peso estável quando comparado com o grupo da dieta *high-carb* (60% de carboidratos).

Uma vantagem de 250 calorias já é, por si só, incrível. A teoria carboidrato-insulina prediz, porém, que nos indivíduos que secretam mais insulina (pessoas com resistência à insulina e/ou síndrome metabólica) as diferenças deveriam ser ainda maiores. E foi o que aconteceu. Ao analisar o subgrupo de indivíduos que secretavam mais insulina em resposta aos alimentos, Ludwig, Ebbeling e colaboradores descobriram que os que seguiram uma dieta *low-carb* podiam comer incríveis 400 calorias a mais do que os do grupo *high-carb* e manter a mesma perda de peso. Uma típica dieta de emagrecimento prescreve esse tipo de déficit calórico (mas com a pessoa passando fome). Acrescente-se a isso o fato de que, em condições de vida livre, sabemos que uma dieta *low-carb* reduz espontaneamente o consumo calórico na ordem de 500 calorias por dia, e estamos falando de um déficit de cerca de 1.000 calorias por dia sem passar fome. O segredo, ao que parece, não é tentar violar as leis da termodinâmica, mas aliar-se a elas.

Outra previsão da teoria carboidrato-insulina diz respeito à facilidade de acesso à própria gordura corporal como fonte de energia. Em uma analogia sensacional, o médico norte-americano Ted Naiman (em seu excelente livro *The P:E Diet* [A dieta da relação proteína:energia]) fala sobre a ironia de um caminhão-tanque transportando 40 mil litros de combustível que precisa parar no posto para reabastecer. Em tese, esse caminhão tem combustível suficiente para dar algumas voltas no planeta Terra. O problema é que, embora carregue tudo isso, ele não tem acesso a esse grande tanque de combustível, dependendo, em vez disso, do pequeno tanque de *diesel* que precisa ser reabastecido com frequência. Analogamente, uma pessoa obesa não deveria sentir fome, já que carrega centenas de milhares de calorias em seu tecido adiposo – um tanque de combustível bastante volumoso. Mas, de acordo com a teoria carboidrato-insulina, tal tanque não está acessível quando a insulina está elevada (afinal, a insulina impede a saída da gordura de dentro dos adipócitos). Isso obriga o indivíduo a rodar com a energia obtida na glicose da dieta, cujo "tanque" de armazenamento no corpo é diminuto (a glicose é armazenada no fígado e nos músculos na forma de glicogênio) e precisa ser reabastecido com frequência. Isso explicaria o paradoxo de uma pessoa que carrega consigo muitas calorias extras e, não obstante, sente necessidade de comer a cada poucas horas.

Ludwig e colaboradores resolveram testar essa hipótese: logo após consumir refeições ricas em açúcar, farináceos e amido, haveria ampla disponibilidade de energia para as células do corpo, na forma de glicose. Mais adiante, porém, a insulina elevada (provocada justamente por esses alimentos) tornaria difícil o uso da gordura armazenada, fazendo com que houvesse menos energia total disponível na corrente sanguínea. Assim como no caso do caminhão-tanque, a pessoa sentiria necessidade de comer novamente, pois seu grande tanque de combustível (a gordura) estaria inacessível.

Em um engenhoso estudo conduzido por Cara Ebbeling, Ludwig e colaboradores[9], um subgrupo dos mesmos pacientes do experimento descrito anteriormente (que foram sorteados para diferentes dietas por cinco meses após perderem 10% do peso corporal) foi investigado. Como previsto pela teoria carboidrato-insulina, os voluntários que foram alocados para a dieta de alto carboidrato tiveram níveis mais elevados de insulina por várias horas após a refeição. E, também como previsto pela teoria, quem estava no grupo de alto carboidrato tinha

---

9. SHIMY; FELDMAN; KLEIN *et al.*, 2020.

menos energia disponível para nutrir as células e o cérebro do que os que os do grupo *low-carb*: os altos níveis de insulina atuaram impedindo a gordura de ser liberada pelos adipócitos, fazendo com que houvesse menos energia disponibilizada na corrente sanguínea, aumentando assim a fome de forma compensatória.

Em resumo, a hipótese carboidrato-insulina postula que o principal regulador do tecido adiposo é a insulina e que o principal determinante dos níveis de insulina é o consumo de carboidratos (açúcares e amidos). O apoio experimental indireto para essa hipótese vem do sucesso das dietas de baixo carboidrato para a perda de peso; e o apoio direto vem dos estudos cuidadosamente controlados que indicam que dietas de baixo carboidrato de fato 1) reduzem a fome, 2) oferecem vantagem metabólica da ordem de 250 calorias, e 3) mantêm os níveis de combustíveis metabólicos estáveis no sangue.

> Em resumo, a hipótese carboidrato-insulina postula que o principal regulador do tecido adiposo é a insulina e que o principal determinante dos níveis de insulina é o consumo de carboidratos (açúcares e amidos).

Em outras palavras, esse modelo está comprovado.
Será mesmo?

> Neste capítulo, discutimos a hipótese carboidrato-insulina da obesidade. Se o tecido adiposo é altamente regulado e a insulina é o principal hormônio responsável por tal regulação, faz sentido que alimentos que estimulam maior secreção de insulina favoreçam o ganho de peso. Como o maior estímulo para a secreção de insulina é a glicose no sangue, e como todos os carboidratos são digeridos em glicose, o consumo de carboidratos é, de fato, o maior determinante dos níveis de insulina. Assim, uma alimentação pobre em carboidratos –

low-carb – favoreceria o emagrecimento, visto que induz menor secreção de insulina. A observação de que dietas pobres em carboidratos favorecem a perda de peso não é nova, e remonta ao século XIX. Coube ao médico Robert Atkins – um declarado adepto da teoria carboidrato-insulina da obesidade – a popularização da dieta de baixo carboidrato. Mas, por não ser um acadêmico, o doutor Atkins foi tratado como charlatão. O professor Eric Westman, da Duke University, intrigado pelos resultados impressionantes que alguns de seus pacientes obtinham com a dieta Atkins, foi um dos primeiros a colocar a dieta *low-carb* à prova, na forma de ensaio clínico randomizado. Nos últimos vinte anos, mais de sessenta ensaios clínicos randomizados testaram a dieta *low-carb*, e a conclusão inequívoca é que ela é tão boa ou melhor do que as estratégias tradicionais de restrição calórica. Tais estudos mostram que, de fato, a dieta *low-carb* produz uma redução espontânea nas calorias consumidas. Assim, o balanço calórico fica negativo, mas, segundo a teoria, em dietas tradicionais perde-se peso porque se está comendo menos (com fome); já em *low-carb*, come-se menos porque se está emagrecendo (sem fome). Ao usar a gordura armazenada, em virtude dos níveis mais baixos de insulina, o corpo passa a ter uma fonte endógena de calorias. O doutor David Ludwig tem sido o maior estudioso da hipótese carboidrato-insulina. Seus estudos indicam que há, de fato, uma vantagem metabólica na abordagem *low-carb*: pacientes que já emagreceram podem consumir 250 calorias a mais por dia em *low-carb* do que os que seguem uma dieta *low-fat*, sem ganhar o peso de volta. Mas será que a teoria carboidrato-insulina está, então, definitivamente comprovada?

4

A TEORIA CARBOIDRATO-INSULINA É INCOMPLETA

Uma teoria científica precisa ser capaz de fazer previsões que se confirmem e precisa sobreviver às tentativas de refutação. Como vimos, a teoria carboidrato-insulina parece ter tido sucesso com a confirmação de algumas de suas previsões. Mas muitas tentativas de refutação surgiram. Algumas são facilmente descartadas; outras, porém, colocam de fato a teoria em cheque.

Proteínas elevam a insulina, mas não fazem engordar

Uma das observações incômodas para a teoria carboidrato-insulina é o fato de que proteínas também elevam a insulina. Algumas proteínas com altas concentrações de aminoácidos de cadeias ramificadas, como os laticínios, aumentam a insulina tanto quanto carboidratos (embora por períodos mais curtos). Se a teoria estivesse correta, deveríamos ter de limitar o consumo de proteínas, quando o objetivo é emagrecimento. Mas, como veremos adiante (Capítulo 5), o consumo aumentado de proteínas está associado à perda de peso em todos os estudos. Como explicar isso?

Há outros hormônios que regulam o tecido adiposo. Se por um lado é verdade que o principal hormônio de armazenamento é a insulina, por outro há diversos hormônios que favorecem a lipólise (liberação de gordura pelos adipócitos), entre eles a adrenalina, a noradrenalina, o GH (hormônio do crescimento) e o glucagon. O glucagon, produzido pelo pâncreas, é de fato o principal hormônio antagonista da insulina – seus efeitos são todos opostos. Na verdade, o grande regulador da lipólise e da produção de glicose pelo fígado não é tanto o nível absoluto de insulina, e sim a relação insulina/glucagon. Quanto maior for essa relação, maior será o armazenamento de gordura e o bloqueio da lipólise; quanto menor for essa relação, menor será esse armazenamento.

Imagine o seguinte: quando você consome açúcar, há aumento da glicose no sangue e logo ocorre um consequente aumento da insulina, o que, como sabemos, leva à redução da glicose no sangue. Uma coisa anula a outra e faz todo o sentido que seja assim. Mas e se você consome bastante proteína, o que acontece? A proteína é digerida em aminoácidos, não em glicose. Não há, portanto, aumento da glicemia, mas ainda assim haverá aumento da insulina. O que deveria acontecer com a glicose no sangue? Deveria despencar (esse é, afinal, o efeito da insulina: reduzir a glicemia). Se isso fosse verdade, você deveria ter uma hipoglicemia (talvez até desmaiar!) cada vez que comesse um bife. E todos sabemos que isso não acontece. E não acontece porque as proteínas estimulam a liberação de insulina **e de glucagon** ao mesmo tempo. Ou seja, a relação insulina/glucagon não é afetada de forma significativa pelas proteínas, fazendo com que as proteínas não reduzam (nem aumentem) a glicemia e, portanto, não produzam ganho de peso por seu efeito insulinêmico.

É interessante notar que nos pacientes com diabetes tipo 1 as proteínas provocam elevação da glicemia. Isso acontece porque esses pacientes não produzem nenhuma insulina, mas continuam a produzir glucagon. Assim, quando consomem uma dieta com bastante proteína, o glucagon vai estimular o fígado a produzir glicose, mas não haverá o efeito antagônico da insulina. Por esse motivo, pacientes com diabetes tipo 1 que utilizam a estratégia *low-carb* para obter controle ótimo da glicemia utilizam não apenas a contagem de carboidratos, mas também a contagem de proteínas para determinar as doses de insulina regular ou rápida que vão utilizar[1].

E as pessoas que emagrecem com dietas de alto carboidrato?

Uma objeção frequente quanto à ideia de que reduzir carboidratos, reduzindo assim a insulina, seria fundamental para o emagrecimento é o fato de que muitas pessoas seguem dietas altas em carboidrato e ainda assim perdem peso. Aliás, as típicas dietas para perda de peso prescritas por nutricionistas são, frequentemente, compostas de 50% a 60% de carboidratos. É bem verdade que existe a necessidade de restrição calórica mediante contagem de calorias nessas estratégias (portanto, são dietas em que se passa fome), mas a questão persiste: em uma dieta na qual mais de 50% das calorias vêm de carboidratos, não deveria haver **ganho** de peso de acordo com a teoria carboidrato-insulina? Gary Taubes, em seu livro *Por que engordamos e o que fazer para evitar*, dá a seguinte explicação em defesa da teoria carboidrato-insulina:

> [...] toda dieta que funciona é porque o indivíduo que está seguindo essa dieta restringe a ingestão de carboidratos engordantes, seja ou não por orientação explícita. Em outras palavras, aqueles que perdem gordura em uma dieta o fazem por causa do que não estão comendo – os carboidratos engordantes –, e não por causa do que estão comendo. Sempre que entramos em um regime sério de perda de peso, seja uma dieta ou um programa de exercícios, invariavelmente fazemos algumas modificações nos alimentos que ingerimos, independentemente das instruções que recebemos. Especificamente, eliminamos da dieta os carboidratos mais engordantes, porque esses são os mais fáceis de eliminar e os mais obviamente inapropriados se estamos tentando entrar em forma. [...] (Mesmo a dieta com baixíssimo teor de gordura de Dean Ornish restringe todos os carboidratos refinados, inclusive açúcar, arroz

---
1. BERNSTEIN, 2011.

branco e farinha branca. Isso, por si só, poderia explicar quaisquer benefícios que daí resultem.) [...].

Se tentarmos cortar um número significativo de calorias de nossa dieta, estaremos cortando também a quantidade total de carboidratos que consumimos. Isso é pura aritmética. Se cortarmos todas as calorias que consumimos pela metade, por exemplo, estaremos cortando os carboidratos também pela metade. E, uma vez que os carboidratos constituem a maior proporção de calorias em nossa dieta, estes sofrerão a maior redução em termos absolutos. Mesmo se nossa meta for cortar as calorias de gordura, será extremamente difícil cortarmos mais de algumas centenas de calorias por dia reduzindo a gordura, e por isso teremos de comer menos carboidratos também. As dietas com baixo teor de gordura que são também menos calóricas reduzirão tanto quanto, ou até mais, o consumo de carboidratos.

Em síntese, toda vez que tentamos fazer dieta por algum dos métodos convencionais, e toda vez que decidimos "ter uma dieta balanceada" tal como definida atualmente, eliminamos também os carboidratos mais engordantes da dieta e alguma porção do total de carboidratos. E, se perdemos peso, é quase certo que a razão seja essa. (TAUBES, 2014)

Seguindo a lógica proposta por Taubes, se tivéssemos uma dieta com total ausência de carboidratos, seria impossível engordarmos, mesmo que exagerássemos na quantidade de gorduras/calorias disponível. Ao contrário, haveria emagrecimento. Empiricamente, sabemos que isso não é verdade. Há pessoas seguindo uma dieta cetogênica que não conseguem perder peso; e há pessoas que, mesmo no contexto de uma dieta *very low-carb*, ganham peso por excesso de consumo de gordura/calorias. Mas isso são observações de consultório, casos anedóticos. Se quiséssemos mesmo testar a hipótese carboidrato-insulina, teríamos de fazer um teste rigoroso da hipótese em condições 100% controladas.

Kevin Hall põe à prova a hipótese carboidrato-insulina

Kevin Hall é um aclamado pesquisador do Instituto Nacional de Saúde (NIH) dos Estados Unidos. É PhD em física e seu laboratório tem se dedicado a estudar as relações entre consumo calórico, metabolismo e adiposidade. Extremamente meticuloso, é conhecido como uma das maiores autoridades mundiais no assunto.

Em 2012, Taubes se juntou ao médico Peter Attia para lançar a NuSI (Nutrition Science Initiative), organização sem fins lucrativos que tinha como objetivo levantar fundos para testar rigorosamente a hipótese carboidrato-insulina. A NuSI foi patrocinadora dos estudos de David Ludwig, sobre os quais falamos em capítulos anteriores.

Kevin Hall sempre viu a hipótese carboidrato-insulina com extrema desconfiança. E foi exatamente por esse motivo que Taubes e Attia fizeram questão que ele fosse a pessoa escolhida para conduzir o estudo que deveria testar a hipótese.

Em 2014, foram apresentados os resultados iniciais, ainda não revisados pelos pares, do estudo-piloto de Hall. Os resultados não pareciam bons para a teoria carboidrato-insulina. Houve grande alvoroço nas redes sociais, com dois campos entrincheirados: aqueles que consideram que todas as calorias são iguais e aqueles que consideram que os carboidratos são mais engordantes, em função de seu efeito mais pronunciado sobre a insulina.

Peço licença para entrar nos detalhes desse experimento, pois sei que vão interessar a alguns leitores deste livro que acompanharam a controvérsia em tempo real – inclusive nas redes sociais. Se você achar um pouco enfadonho, pode avançar para a próxima seção sem problemas!

Em 14 de agosto de 2015, foram publicados os resultados finais de um estudo intitulado "Calorie for Calorie, Dietary Fat Restriction Results in More Body Fat Loss than Carbohydrates Restriction in People with Obesity" (Caloria por caloria, a restrição de gordura na dieta resulta em maior perda de gordura corporal do que a restrição de carboidratos em pessoas com obesidade)[2]. Imediatamente manchetes pipocaram mundo afora: "Reduzir gordura na dieta é mais eficaz do que reduzir carboidrato, diz estudo; Estudo comparou impacto dos dois

2. HALL; BEMIS; BRYCHTA et al., 2015.

tipos de dieta na perda de gordura corporal. Resultado derruba mito de que reduzir carboidrato seria mais eficaz", dizia a manchete do *site* Bem Estar[3].

Como vimos, há dezenas de estudos sugerindo que as dietas *low-carb* costumam ser mais eficazes que (ou pelo menos tão eficazes quanto) dietas tradicionais para a perda de peso em condições de vida livre, ou seja, quando as pessoas recebem a orientação de como seguir a dieta, vão para casa e são acompanhadas por vários meses. Então o que havia de diferente nesse estudo de Kevin Hall? Trata-se de um estudo interessante e bem conduzido, mas com severas limitações, cujo objetivo principal era bastante específico: basicamente refutar a teoria de que a insulina é o principal regulador da quantidade de gordura no corpo. Dito de outra forma, a questão era testar de forma rigorosa, pela primeira vez, se a perda de peso observada em dietas *low-carb* era, de fato, consequência da redução dos níveis de insulina ou se a perda de peso se devia exclusivamente à restrição calórica. Ou, ainda, se era verdade que a restrição de carboidratos conferia uma "vantagem" metabólica (*metabolic edge*).

Era um estudo pequeno. Dez homens e nove mulheres obesos e sem outras doenças foram selecionados como voluntários. As pessoas foram randomizadas para uma dieta com 30% a menos de calorias por seis dias, sendo que tal redução calórica viria exclusivamente da restrição de carboidratos ou exclusivamente da restrição de gorduras. Depois, invertiam-se os grupos. A quantidade de proteína foi mantida constante nos dois grupos. O rigor do estudo estava no seguinte detalhe: foi conduzido em "ala metabólica" fechada, isto é, as pessoas ficaram internadas, sem nenhuma comunicação com o meio exterior, com a totalidade de suas refeições fornecida pelos pesquisadores. Antes das dietas restritivas, todos foram mantidos por cinco dias em dieta de manutenção calórica, durante a qual suas taxas metabólicas foram medidas por calorimetria indireta (não foram apenas estimadas, fo-

---

3. Disponível em: https://g1.globo.com/bemestar/noticia/2015/08/reduzir-gordura-na-dieta-e-mais-eficaz-do-que-reduzir-carboidrato-diz-estudo.html. Acesso em: 13 dez. 2022.

ram efetivamente **medidas**), incluindo a técnica de água duplamente marcada e câmara metabólica (uma espécie de casulo no qual se mede tudo o que seu corpo emana). Cada paciente ficou mais duas a quatro semanas em dieta de manutenção e foi colocado na dieta oposta à anterior; em outras palavras, cada pessoa foi o próprio controle.

Até hoje nenhum estudo jamais havia feito isso: modificar exclusivamente dois macronutrientes (carboidrato e gordura), deixando todos os demais parâmetros inalterados, em voluntários confinados, com alimentação controlada e medidas objetivas (coeficiente respiratório para medir a quantidade de gordura e de carboidratos oxidados e calorimetria indireta para controle de taxas metabólicas). E por que isso é importante? Porque isola as variáveis. Quando fazemos uma dieta *low-carb* em condições de vida livre, várias coisas costumam acontecer, entre elas as descritas a seguir:

- aumento de proteínas na dieta
- aumento de gorduras na dieta
- diminuição da fome
- diminuição de calorias consumidas
- diminuição da secreção de insulina

Então a situação é a seguinte: vários ensaios clínicos randomizados em condições de vida livre já demonstraram que dietas de baixo carboidrato são mais eficazes no que diz respeito à perda de peso por até um ano. Esse estudo não questiona esse fato nem tem como objetivo avaliar a sua veracidade. O que acontece é que o mecanismo pelo qual as dietas de baixo carboidrato funcionam não estava claro. Seria pela redução da insulina, que induz lipólise e reduz a lipogênese? Seria pelo aumento das proteínas, cujo metabolismo é mais ineficiente, produzindo perdas calóricas (efeito térmico da dieta)? Seria pela redução do apetite, devido à maior saciedade? Seria devido à redução espontânea da ingestão calórica, tão comum em dietas com mais proteínas e menos carboidratos? Ou seria pela diminuição dos alimentos ultraprocessados? Ou, ainda, por uma combinação de vários desses elementos?

Esse estudo representa a ciência em sua forma mais pura, tentando pela primeira vez isolar a variável de forma mais perfeita, e as questões apresentadas pelos autores já na introdução são:
- Está correta a afirmação de Gary Taubes (sim, ele é nominalmente citado no estudo) de que a restrição de carboidratos é absolutamente imprescindível para a perda de peso (de forma que, mesmo em dietas hipocalóricas, a perda seria devida primariamente à redução absoluta dos carboidratos, e não à restrição calórica)?
- Está correta a afirmação de que a redução nos níveis de insulina produzida pela dieta está diretamente relacionada à eficácia dela em produzir perda de gordura corporal?

Sob pena de ser repetitivo, vou dizer novamente: esse estudo não tinha como objetivo saber qual é a dieta mais eficaz para um paciente obeso que chega ao consultório nem qual é a dieta com melhores resultados clínicos e laboratoriais para pacientes diabéticos ou com síndrome metabólica. Esse estudo é, na verdade, um elegante teste da chamada "hipótese alternativa" de Gary Taubes.

E qual foi o resultado?
- O grupo que restringiu exclusivamente gorduras (sem **nenhuma** redução de carboidratos) perdeu gordura (ou seja, **é possível**, diferentemente do que supunha Taubes, emagrecer sem restringir um grama sequer de carboidratos).
- O grupo *low-carb* teve uma secreção de insulina 22% menor em 24 horas do que o grupo *low-fat*, o que está em linha com o que esperaríamos. Contudo, o grupo *low-carb* oxidou **menos** gordura corporal do que o grupo *low-fat*, diferentemente do que a teoria de Taubes propunha.

À primeira vista, o estudo parece realmente refutar a teoria carboidrato-insulina, porém ele também apresenta limitações. Alguns problemas são óbvios: cada dieta durou apenas seis dias! A quantidade de gordura perdida em ambos os casos foi tão pequena que o método DEXA (densitometria de corpo inteiro) foi incapaz de identificar a diferença. O cálculo de quanta gordura foi perdida em cada grupo foi **estimado** medindo a quantidade de gordura que cada pessoa comeu e subtraindo-se a quantidade de gordura que cada pessoa queimou (via calorimetria e quociente respiratório). Assim, o grupo *low-fat* perdeu 89 g de gordura por dia (463 g em 6 dias), enquanto o grupo *low-carb* perdeu 53 g de gordura por dia (245 g em 6 dias). No entanto, a pesquisadora britânica Zoë Harcombe apontou uma possível falha nesse modelo matemático: o modelo assume que a gordura da dieta só pode ser queimada ou armazenada. Mas, como sabemos, a gordura também tem papel estrutural e compõe as paredes de todas as células, de modo que nem toda a gordura que entrou e não foi exalada na forma de CO_2 precisa necessariamente ter sido armazenada dentro dos adipócitos. Como o estudo foi muito curto e o DEXA não detectou diferença entre os grupos, não há como saber.

Também não sabemos o efeito que a lipoadaptação, ou seja, a adaptação do organismo a uma dieta de baixo carboidrato, que costuma levar algumas semanas, teria tido sobre os resultados. Esse último item é muito importante. Clinicamente, sabe-se que as pessoas levam de duas a quatro semanas para se adaptar plenamente a uma dieta de baixo carboidrato. É perfeitamente razoável supor que o aumento da oxidação de gordura corporal e a vantagem metabólica da *low-carb* venham a se manifestar bem depois dos seis dias que o estudo de Kevin Hall durou. O estudo que demonstrou a vantagem metabólica da dieta de baixo carboidrato levou, é bom lembrar, cinco meses.

....

O estudo que demonstrou a vantagem metabólica da dieta de baixo carboidrato levou, é bom lembrar, cinco meses.

....

Mas o grande elefante branco do estudo é o seguinte: o grupo *low-fat* foi muito mais *low-fat* do que o grupo *low-carb* foi *low-carb*. Explico: a dieta *low-fat* tinha apenas 8% de gordura (era, portanto, **very low-fat**).

A dieta *low-carb*, por outro lado, tinha 29% de carboidratos (moderada em carboidratos, diríamos). A dieta *low-fat* foi absurdamente *low-fat* e algo praticamente impossível de seguir. Já a dieta *low-carb* foi moderada em sua restrição de carboidratos. O grupo *low-carb* estava consumindo 140 g de carboidratos (!) (uma típica dieta *low-carb* para perda de peso terá menos do que 50 g de carboidratos por dia).

É preciso deixar claro que esse estudo não é uma comparação entre uma dieta *low-fat* e uma dieta *low-carb*. Ele é uma comparação entre uma dieta *very low-fat* com uma dieta moderadamente *low-carb*.

Você deve estar se perguntando por que os autores fizeram isso. Não, não foi um plano maligno para fazer a dieta *low-fat* parecer melhor do que a *low-carb*. Acontece que a dieta basal (original, a que eles comiam em casa) dos voluntários tinha 35% das calorias na forma de gordura, o que correspondia a 109 g. Para reduzir as calorias da dieta em 30% cortando apenas gorduras, restaram apenas 17 g (menos de 8% das calorias na forma de gordura). Mas a dieta basal dos voluntários continha 350 g de carboidratos. Assim, ao cortar 30% das calorias totais reduzindo carboidratos, restaram ainda 140 g de carboidratos, o que corresponde a 29% das calorias.

A fim de testar a hipótese a que se propuseram, os autores não tinham outra opção. Para comparar uma dieta *very low-carb* com uma *very low-fat*, as dietas necessariamente seriam diferentes em outras características (quantidade de proteínas e/ou gorduras). Mas o objetivo dos autores era isolar a variável **restrição de carboidratos *versus* restrição de gordura**, deixando todas as demais variáveis intocadas. Matematicamente falando, não havia outra forma de desenhar o estudo.

Isso deixa, sim, *low-carb* (com 140 g de carboidratos por dia) em desvantagem no que diz respeito à sua eficácia para perda de gordura no estudo. Mas o objetivo do estudo não era saber qual dieta era melhor para emagrecer. Já sabemos, repito, que a dieta *low-carb* costuma ser superior à *low-fat* para perda de gordura corporal no mundo real. O estudo tinha como objetivo estudar **o mecanismo** e não – diferentemente do que a mídia erroneamente supôs – definir qual dieta era melhor. A questão era saber se a insulina era o único (ou mesmo o principal) fator determinante para ganho ou perda de peso. **Claramente, não é.**

Kevin Hall não parou por aí. Como vimos, esse estudo-piloto com dietas de apenas seis dias de duração tinha limitações metodológicas. Mais recentemente, ele publicou um novo estudo fascinante[4] comparando dietas com a mesma proporção de macronutrientes (proteína, carboidrato, gordura e fibra) diferindo apenas no grau de processamento dos alimentos (analisaremos esse estudo em detalhes no Capítulo 6). Por ora, nos interessa um detalhe específico desse estudo: o comportamento da glicemia dos participantes.

Vamos lembrar novamente a afirmação de Gary Taubes: "toda dieta que funciona é porque o indivíduo que está seguindo essa dieta restringe a ingestão de carboidratos engordantes, seja por orientação explícita ou não". E o motivo seria a insulina. Quando você consome mais carboidratos, sua insulina aumenta, o que leva ao armazenamento de gordura, fazendo com que você tenha mais fome e coma mais. Se, pelo contrário, você se abstiver dos carboidratos, sua insulina ficará baixa, o que facilitará a liberação de gordura pelos adipócitos, fazendo com que você possa comer menos sem fome.

Nesse estudo de 2019, Kevin Hall selecionou vinte voluntários com sobrepeso para ficarem confinados em ala metabólica por 28 dias, 14 consumindo uma dieta e 14 consumindo a outra. Ambas as dietas tinham a mesma proporção de carboidratos (cerca de 50%), proteínas, gorduras e fibras, de modo que a quantidade de carboidratos não explicaria uma eventual diferença nos resultados.

Mas a diferença existiu, e não foi pequena. O grupo sorteado para a dieta de alimentos ultraprocessados consumiu 500 calorias a mais por dia do que o grupo sorteado para alimentos minimamente processados, o que resultou em ganho de peso para um grupo e perda de peso para o outro, mesmo nesse período de apenas 14 dias.

Observe, porém, o gráfico a seguir.

....
4. HALL; AYUKETAH; BRYCHTA et al., 2019.

Figura 4.1

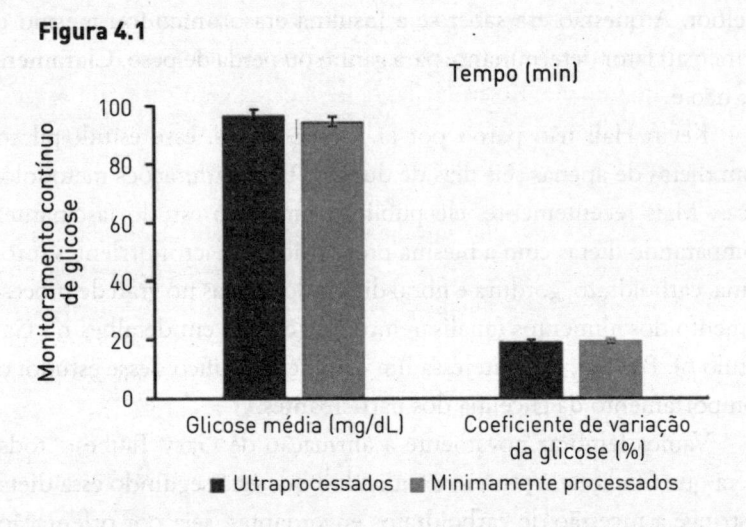

[Gráfico de barras: Monitoramento contínuo de glicose vs Tempo (min). Glicose média (mg/dL): Ultraprocessados ~97, Minimamente processados ~95. Coeficiente de variação da glicose (%): Ultraprocessados ~19, Minimamente processados ~20.]

Elaborado com base em: HALL; AYUKETAH; BRYCHTA et al., 2019.

O gráfico mostra o comportamento da glicose em ambos os grupos, medido por meio de um monitoramento contínuo. Como se pode observar, ambos os grupos apresentaram uma resposta completamente superponível, que é exatamente o que você esperaria, dado que as duas dietas tinham quantidades iguais de carboidratos, embora em um grupo esses carboidratos fossem ultraprocessados, "piores". Para que fique mais claro: a média da glicemia observada nos dois grupos foi igual, o que era previsível, visto que nenhuma das dietas era *low-carb*.

A grande diferença ocorrida entre os dois grupos foi, de fato, calórica. O grupo sorteado para dietas compostas de alimentos ultraprocessados simplesmente comeu mais – quase 500 calorias a mais por dia. Um grupo consumiu mais calorias, o outro menos, e as mudanças observadas na composição corporal foram explicadas pela diferença no consumo de calorias entre os grupos.

Tudo bem, você dirá, quando ambas as dietas são altas em carboidratos você vai comer mais alimentos ultraprocessados (batatas fritas, refrigerantes, *pizza*) do que alimentos não processados (frutas, legumes, tubérculos) – afinal, os ultraprocessados são alimentos que têm como objetivo provocar o consumo excessivo (são "hiperpalatáveis"). Mas e se pudéssemos comparar duas dietas compostas de alimentos minimamente processados, uma *very low-carb* e outra *very low-fat*?

Novamente ele, Kevin Hall, voltou à carga com mais um estudo realizado em ala metabólica no Instituto Nacional de Saúde dos Estados Unidos[5]. Ele coloca a questão nos termos a seguir.

> O modelo de carboidrato-insulina da obesidade afirma que dietas com alto teor de carboidratos levam ao excesso de secreção de insulina, promovendo assim o acúmulo de gordura e aumentando a ingestão de energia. Assim, prevê-se que dietas com baixo teor de carboidratos reduzam a ingestão de energia *ad libitum* em comparação com dietas com baixo teor de gordura e alto carboidrato. (HALL et al., 2021)

Para testar essa hipótese, vinte adultos com sobrepeso foram randomizados para receber uma dieta cetogênica *very low-carb*, minimamente processada, com 75% de gordura e 10% de carboidratos *versus* uma dieta de muito baixa gordura (*very low-fat*) baseada em vegetais também minimamente processada com 75% de carboidratos e 10% de gordura. Duas dietas diametralmente opostas! Os voluntários estavam, como dissemos, internados em ala metabólica, recebendo 100% das refeições fornecidas pelo estudo. E podiam comer à vontade.

Como previsto, o grupo da dieta cetogênica reduziu seu consumo calórico e perdeu peso quando comparado ao seu consumo anterior, na dieta norte-americana padrão. Isso poderia sugerir que a teoria carboidrato-insulina estivesse, afinal, correta. Entretanto, o grupo *very low-fat* comeu ainda menos! E não foi uma diferença pequena. O grupo com 75% de carboidratos ingeriu cerca de 690 calorias a menos por dia do que o grupo *low-carb* com 10% de carboidratos.

E o que aconteceu com a perda de peso? O grupo *low-fat* perdeu mais gordura do que o grupo *low-carb* – que é o que você esperaria que acontecesse levando em conta a sua maior redução de consumo calórico. Além disso, o grupo *low-fat*, com seus 75% de carboidratos, teve uma elevação muito maior da glicemia do que o grupo *low-carb*, com seus 10% de glicose, como mostra o gráfico a seguir.

---

5. HALL; GUO; COURVILLE et al., 2021.

Figura 4.2

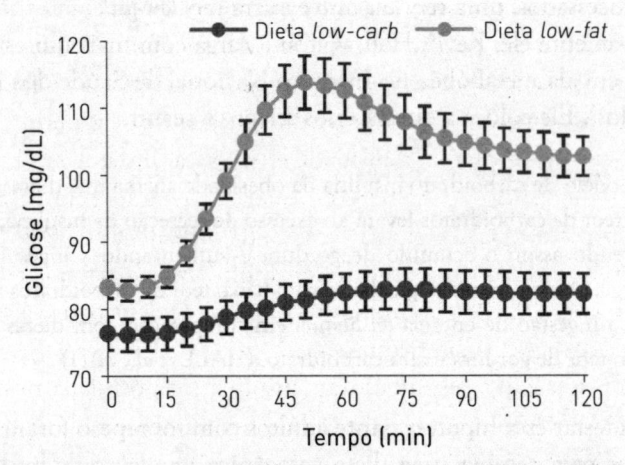

Elaborado com base em: HALL; AYUKETAH; BRYCHTA et al., 2019.

Por fim, para provar que, de fato, o grupo *low-carb* estava realmente em cetose, os níveis de beta-hidroxibutirato, o principal dos corpos cetônicos presentes no sangue, elevaram-se de forma significativa, como mostra o próximo gráfico.

Figura 4.3

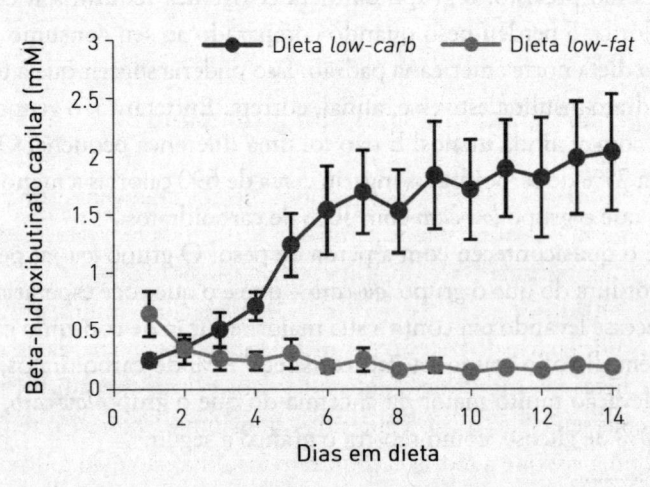

Elaborado com base em: HALL; AYUKETAH; BRYCHTA et al., 2019.

Para alguns, uma dieta só com 10% de gordura é tão ruim e sem graça que as pessoas obviamente comeriam menos. Seria como comparar um belo filé a um pedaço de papelão. Mas não foi o que se observou. Foram aplicados escores de fome, saciedade, satisfação e familiaridade com os alimentos e não houve diferença entre os grupos.

A única diferença foi a **densidade energética**. E o que seria isso? Densidade energética é o número de calorias dividido pelo peso da comida em gramas. Cada grama de comida *low-carb* tinha 2 kcal, e cada grama de comida *low-fat* tinha 1 kcal. Em outras palavras, a dieta cetogênica, com 75% de gordura, tinha o dobro da densidade calórica da dieta *low-fat* baseada em plantas.

Assim, se a hipótese carboidrato-insulina for postulada nos termos "toda dieta que emagrece precisa necessariamente reduzir os níveis de glicose e insulina", ela é, hoje, uma hipótese falsificada, isto é, que foi demonstrada ser incorreta por meio de experimentação. Da mesma forma, a ideia de que **qualquer coisa** que eleve a insulina deve ser evitada (por exemplo, proteínas) está flagrantemente incorreta.

Se você, leitor, não entendeu muito bem este capítulo até aqui, não se preocupe, o assunto é realmente complexo! O resumo é que existem estudos que indicam que nem tudo se resume ao efeito dos alimentos sobre a insulina.

A teoria não é incorreta, mas sim incompleta

Mas os estudos de David Ludwig que mostram uma vantagem metabólica do grupo *low-carb* não valem nada? E o fato bem estabelecido de que a insulina regula o tecido adiposo não é verdade?

A verdade é que a teoria carboidrato-insulina muito provavelmente explica **parte** do sucesso das dietas *low-carb* para a perda de peso, mas as dietas *low-carb* funcionam por vários outros mecanismos que não apenas seu efeito sobre a glicemia e a insulina. O erro é o reducionismo, uma vez que a teoria carboidrato-insulina não é de todo incorreta, ela é incompleta.

> A teoria carboidrato-insulina não é de todo incorreta,
> ela é incompleta.

Há um fato interessante nos resultados desse mais recente estudo de Kevin Hall, comparando dietas de 10% de carboidratos com dietas de 10% de gordura que não recebeu a devida atenção: "O gasto energético diário dos participantes, medido na câmara respiratória, foi 153 ± 24 kcal/d menor durante o consumo da dieta *low-fat* em comparação com a dieta *low-carb*". Ou seja, o mais rigoroso teste já realizado para testar a hipótese carboidrato-insulina parece ter **confirmado** a vantagem metabólica observada nos estudos de Ebbeling e Ludwig.

Aqui é importante observar que o estudo de Kevin Hall durou apenas 14 dias. Se você observar a curva de perda de gordura (Figura 4.4), parece claro que a perda de gordura da dieta cetogênica se acelera após os primeiros sete dias. Será que se o estudo fosse mais longo a dieta cetogênica alcançaria a dieta *low-fat* e poderia até mesmo ultra-

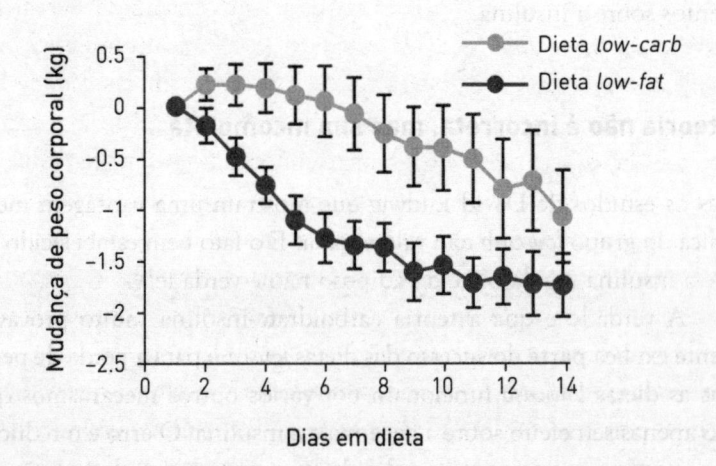

Figura 4.4

Elaborado com base em: HALL; AYUKETAH; BRYCHTA et al., 2019.

passá-la? Será que a vantagem metabólica da *low-carb* de cerca de 150 calorias observada por Kevin Hall não poderia chegar às 250 observadas por Ludwig se o estudo tivesse vinte semanas (como o de Ludwig), em vez de apenas duas? Note que mesmo uma vantagem metabólica aparentemente pequena, como 150 kcal por dia, poderia significar quase oito quilos de gordura em um ano. A verdade é que efeitos sutis da insulina sobre a regulação dos adipócitos podem ter consequências cumulativas em um prazo mais longo, de vários meses ou anos, que simplesmente não conseguimos medir em poucos dias. E infelizmente não temos como manter voluntários aprisionados em câmaras metabólicas por meses.

> A verdade é que efeitos sutis da insulina sobre a regulação dos adipócitos podem ter consequências cumulativas em um prazo mais longo, de vários meses ou anos, que simplesmente não conseguimos medir em poucos dias.

O equívoco da interpretação literal da hipótese carboidrato-insulina como formulada por Taubes é afirmar que calorias não têm nenhuma importância, que a gordura pode ser consumida livremente em uma dieta *low-carb*, visto que não impacta significativamente a insulina, e que a totalidade da perda de peso observada em *low-carb* deve-se à redução dos níveis de insulina por causa da redução da ingestão de glicose. Ou, pior ainda, que o emagrecimento pode ocorrer **somente** pela redução da insulina. Como vimos, tudo isso foi experimentalmente refutado. Dessa interpretação literal equivocada derivam vários outros equívocos. Por exemplo, a ideia de que o consumo de proteínas deve ser limitado por aumentar a insulina (na verdade, consumir mais proteína favorece o emagrecimento, como veremos no Capítulo 5) ou a ideia de que adoçantes artificiais não calóricos impediriam a perda de peso pois o gosto doce induz a secreção de insulina, quando os ensaios clínicos randomizados em humanos mostram que seu uso simplesmente não atrapalha o emagrecimento.

> O equívoco da interpretação literal da hipótese carboidrato-insulina, como formulada por Taubes, é afirmar que calorias não têm nenhuma importância e que a gordura pode ser consumida livremente em uma dieta *low-carb*.

Mas há outra formulação possível da teoria que se harmoniza com as evidências experimentais e que pode ajudar a explicar o grande sucesso que a abordagem *low-carb* tem no mundo real. Com insulina baixa, o corpo passa a utilizar a própria gordura com mais facilidade, e a maior disponibilidade de energia no sangue no período pós-prandial tardio[6] (isto é, algumas horas após a refeição) faz com que haja menos fome (e, portanto, redução da ingestão calórica). Além disso, como o corpo não se encontra em estado de privação, há menor redução da taxa metabólica em repouso, que se traduz em vantagem metabólica. Essa vantagem metabólica não é infinita: é da ordem de 250 calorias por dia (talvez 400 calorias em indivíduos com resistência à insulina). Assim, se você consumir muitas calorias, não perderá peso, mesmo estando em cetose. Como disse um crítico, "a fada da insulina não vai lhe salvar do excesso calórico". Mas ela pode, sim, dar uma boa ajuda!

> Assim, se você consumir muitas calorias, não perderá peso, mesmo estando em cetose.

Há uma fábula originada provavelmente na Índia no primeiro século a.C. que explica o fato de que descrições de um mesmo fenômeno podem ser ao mesmo tempo diferentes entre si e verdadeiras, posto que parciais. Ela diz mais ou menos o seguinte: um grupo de homens cegos ouviu dizer que um animal até então desconhecido, chamado elefante, havia sido trazido para a aldeia em que eles viviam. Curiosos em conhecer o tamanho, a aparência e a conformação desse novo animal, disseram: "Precisamos inspecionar e conhecê-lo pelo tato". Quan-

---
6. SHIMY; FELDMAN; KLEIN *et al.*, 2020.

do encontraram o elefante, passaram a tateá-lo. A primeira pessoa, cuja mão tateou a tromba do elefante, disse: "Este ser é como uma cobra grossa". Outro, que passou a mão na orelha, disse que o animal parecia um leque aberto. Outro, em contato com a perna do elefante, disse que ele era como um pilar ou como um tronco de árvore. O cego que colocou a mão na lateral do bicho, disse que ele era como "uma parede". O que tocou o rabo, descreveu-o como uma corda. O último sentiu sua presa, afirmando que o animal era duro, liso e afiado como uma lança.

Uma dieta pobre em açúcar e em farináceos, menos processada, rica em fibras e em proteínas produz melhores resultados na saúde humana tanto para a perda de peso como para o manejo de condições metabólicas como diabetes, resistência à insulina e esteatose hepática (ver Capítulo 9). De acordo com o paradigma que se adota, assim como na parábola do elefante, várias teorias podem ser utilizadas para explicar esse fenômeno. Atkins e Taubes diriam que essa dieta funciona pelo fato de reduzir os carboidratos e a insulina; o doutor Robert Lustig, autor que se dedica a estudar os males do açúcar, diria que ela dá certo porque remove o açúcar e, com ele, a frutose refinada, que é uma toxina; para o dr. William Davis, autor do livro *Barriga de trigo*, ela funciona porque elimina a farinha de trigo e tudo o mais que contenha glúten; o doutor Stephan Guyenet, pesquisador que estuda o efeito dos alimentos nos centros cerebrais da recompensa, diria que ela obviamente apresenta bons resultados porque, com a remoção dos alimentos processados e do açúcar, diminui-se a palatabilidade da comida, o que faz com que se coma menos; e Loren Cordain, Robb Wolf e Mark Sisson, autores que escrevem sobre dieta paleolítica, diriam que ela dá certo porque esses são os alimentos que nossos ancestrais consumiam, e aos quais estamos geneticamente adaptados. Eu não sei se já está ficando claro para o leitor, mas alguns podem estar certos e outros errados, ou mesmo **todos podem estar certos ao mesmo tempo**. Mas isso não muda os fatos. A saúde das pessoas continua a melhorar de forma prodigiosa com estas modificações de estilo de vida, independentemente se isso se deve à adoção de uma dieta ancestral, pela redução da insulina ou simplesmente porque induzem a uma redução indolor do consumo calórico.

> A fome é o cemitério das dietas.

A teoria carboidrato-insulina é apenas uma das partes desse elefante metafórico. Ela ajuda a explicar a redução do apetite que acompanha as dietas de baixo carboidrato (embora haja mecanismos adicionais, como veremos adiante). Não há como perder peso sem déficit calórico. Mas, de forma geral, esse déficit calórico não precisaria ser intencional. A fome é o cemitério das dietas. Uma dieta *low-carb* bem formulada deve produzir redução de fome e um aumento de bem-estar que leve a uma redução calórica relativa espontânea. Calorias contam, você é que não deveria ter de se preocupar em contá-las. Embora não seja verdade que você pode comer "tanto quanto quiser, desde que sem carboidratos", a vantagem metabólica de cerca de 250 calorias pode fazer muita diferença, sobretudo no longo prazo, para tornar essa redução calórica relativa uma realidade sustentável.

> Uma dieta *low-carb* bem formulada deve produzir redução de fome e um aumento de bem-estar que leve a uma redução calórica relativa espontânea.

> Calorias contam, você é que não deveria ter de se preocupar em contá-las.

Neste capítulo, vimos que a teoria carboidrato-insulina é incompatível com alguns fatos. É uma teoria incompleta. As proteínas da dieta elevam a insulina, mas todos os estudos indicam que uma maior quantidade de proteínas leva a maior emagrecimento. Todos sabemos que é possível emagrecer com dietas ricas em carboidratos, desde que se faça restrição calórica (com sofrimento, com fome, mas ainda assim é possível). E também sabemos que é possível ganhar peso com uma dieta hipercalórica, mesmo que haja ausência completa de carboidratos (não é comum, não é fácil, mas ainda assim é possível). Falamos sobre os estudos de Kevin Hall testando rigorosamente as hipóteses da teoria carboidrato-insulina, que demonstraram de forma inequívoca que é possível perder peso sem nenhuma redução de carboidratos ou de insulina, que duas dietas com quantidade igual de carboidratos podem ter efeitos diferentes sobre ganho e perda de gordura corporal (alimentos processados *versus* minimamente processados), e que uma dieta *very low-carb*, cetogênica, com alta densidade calórica produz uma perda de peso **menor** que uma dieta de alto carboidrato com densidade calórica mais baixa. Assim, se a hipótese carboidrato-insulina for postulada nos termos "toda dieta que emagrece precisa necessariamente reduzir os níveis de glicose e insulina", ela é, hoje, uma hipótese falsificada, isto é, provada incorreta por experimentação. Da mesma forma, a ideia de que qualquer coisa (proteína, por exemplo) que eleve a insulina deve ser evitada está flagrantemente incorreta. O correto é dizer que é uma estratégia eficaz, que permite produzir um déficit calórico com menos esforço e que pode apresentar uma vantagem metabólica da ordem de 150 a 250 calorias por dia, no longo prazo.

5

A PROTEÍNA COMO FREIO DO APETITE

Os grilos e os gafanhotos

O sul-africano David Raubenheimer e o australiano Stephen Simpson são entomologistas, ou seja, biólogos voltados ao estudo de insetos. Em 1991, o foco do trabalho dos dois era gafanhotos. Gafanhotos parecem grilos porque... são grilos. No entanto, quando pensamos em grilos nos lembramos daquele barulhinho das noites de verão e quando pensamos em gafanhotos vêm a nossa mente terríveis pragas bíblicas. De fato, uma nuvem de gafanhotos pode consumir em um dia o que a população inteira de Nova York consumiria em uma semana. O grilo comum, com sua coloração verde, camufla-se na vegetação para não ser comido pelos predadores. Mas quando determinadas condições estão presentes, milhares de grilos se reúnem e misteriosamente se transformam na praga de gafanhotos. Tal transformação não é apenas de comportamento. Eles mudam de cor, crescem – já não se preocupam em se camuflar para fugir de predadores, pois estão protegidos pela enorme quantidade de companheiros da espécie.

Das milhares de espécies de grilos, cerca de vinte são capazes dessa espantosa metamorfose. E a pergunta era: "Que fatores desencadeavam essa incrível transformação?". O que Raubenheimer e Simpson estavam por descobrir mudaria os rumos do nosso moderno entendimento da nutrição. Em seu incrível livro *Eat Like The Animals* [Alimente-se como os animais], os autores descreveram a descoberta de que o prodigioso apetite dos gafanhotos não era apenas um apetite por calorias em geral, mas sim um apetite particular por proteína: a fim de obter a quantidade de proteína necessária, eles precisavam comer muito! Mas será que apenas os gafanhotos teriam essa fome específica por proteínas?

Em uma incrível sequência de experimentos que envolveram alimentar grilos com diferentes quantidades de proteínas e carboidratos, pesar quanto sobrou de comida, pesar os grilos e pesar as fezes deles (!), os autores chegaram a uma conclusão fascinante: a **proporção** desses dois macronutrientes determinava quanto os insetos iriam comer. O gráfico resultante foi chamado por eles de geometria nutricional.

Figura 5.1

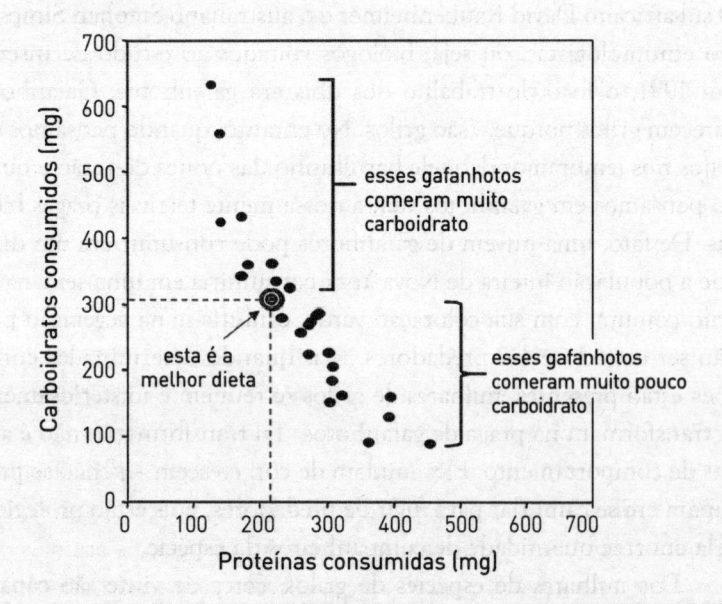

Elaborado com base em: RAUBENHEIMER; SIMPSON, 2020.

Quando havia poucas proteínas, os insetos comiam mais carboidratos (calorias); quando havia mais proteína, eles consumiam menos calorias. O que esse estudo evidenciou é que não havia apenas um apetite geral, mas no mínimo dois apetites: um apetite por carboidratos (calorias) e outro por proteína. Mais do que isso: quando tais apetites competem entre si, o apetite por proteína sai vitorioso. Dito de outra forma: um animal sacrifica o consumo de calorias (mais fáceis de encontrar na natureza) para favorecer o consumo de proteína (mais difícil de encontrar). E o inverso também é verdadeiro: em havendo pouca proteína disponível, os animais tendem a comer mais calorias que o necessário, a fim de atingir a quota proteica exigida por sua espécie. E é por isso que alguns grilos se transformam em vorazes gafanhotos: devido à escassez de proteína no ambiente.

Para elucidar melhor: quando se oferece uma dieta variada a esses insetos, eles comerão quantidades específicas de cada item até atingir uma proporção ideal de carboidratos e proteínas compatível com sua saúde e longevidade. Quando, porém, se oferece apenas um alimento, a necessidade de obter proteína em quantidade suficiente prevalece. Se o alimento é pobre em proteína, o animal continuará comendo – mesmo à custa de se tornar obeso – até atingir a quantidade de proteína necessária. Se, porém, o alimento for muito rico em proteína, o animal comerá menos – mesmo que isso signifique perda de peso corporal.

Essa era a primeira vez que tal fenômeno era descrito. Mas a pergunta permanecia: "Será que esse fenômeno era restrito a gafanhotos?". Nos anos que se seguiram, Raubenheimer e Simpson testaram a hipótese em diversos tipos de animais (mais de cinquenta ao todo!), de baratas a cães, passando, é claro, por roedores. Em praticamente todos os casos observa-se o mesmo: a fome por proteína parecia controlar a fome "geral" por calorias. Com base nessas conclusões, os autores cunharam o termo *protein leverage hypothesis*, ou **hipótese do alavancamento proteico**. Nas palavras de Raubenheimer, "em um ambiente alimentar pobre em proteína, mas rico em energia, os animais vão consumir carboidratos e gorduras em excesso para tentar atingir seu alvo proteico. Entretanto, quando os únicos alimentos disponíveis forem elevados em proteína, os animais consumirão menos carboidratos e gorduras".

> "[...] quando os únicos alimentos disponíveis forem elevados em proteína, os animais consumirão menos carboidratos e gorduras."

A teoria do alavancamento proteico foi publicada por Simpson e Raubenheimer em 2005[1] e, desde então, vem sendo confirmada por estudos adicionais.

Um dos estudos clássicos a esse respeito e publicado em 2008[2] testou a teoria em camundongos (modelos muito utilizados em pesquisa biomédica). Foram desenvolvidas cinco rações diferentes, contendo 9%, 17%, 23%, 31% e 48% de proteína, respectivamente. A ração com menos proteína tinha mais carboidratos; quanto mais proteína, menos carboidratos (gordura, fibras e minerais foram mantidos constantes). Em um primeiro grupo de experimentos, os camundongos podiam escolher entre pares de rações. Por exemplo, alguns podiam comer livremente a quantidade que desejassem das rações com 9% ou com 48% de proteína; outro grupo podia comer as rações com 17% ou com 48%, e assim por diante. Em todos os casos, os roedores acabaram consumindo um mix de rações que redundou em um consumo total de cerca de 23% de proteína. Isso é incrível! Como esses pequenos animais foram capazes de comer a quantidade certa de uma mistura de diferentes rações para atingir exatamente 23% de proteína? Tudo indica que, assim como Raubenheimer e Simpson já haviam demonstrado com insetos e com outros animais, também os camundongos apresentavam uma proporção ideal – um alvo – de proteínas e calorias não proteicas em sua dieta. Mais do que isso, eles escolhiam inconscientemente combinações de rações que os levassem a atingir esse alvo proteico e calórico.

1. SIMPSON; RAUBENHEIMER, 2005.
2. SORENSEN; MAYNTZ; RAUBENHEIMER et al., 2008.

Em um segundo grupo de experimentos, os camundongos também podiam comer tanto quanto quisessem, mas dessa vez não teriam escolha entre diferentes tipos de ração. Um grupo só poderia comer ração com 9% de proteína, outro só com 17%, ou 23%, ou 31% ou 48%. Nessa situação, surgiu um problema para o camundongo. Em uma dieta com apenas 9% de proteína, só seria possível atingir o alvo proteico (cerca de 23%) comendo muito mais ração do que o normal, o que significaria comer mais carboidratos (calorias) do que o necessário; alternativamente, o animal poderia comer apenas a quantidade necessária de calorias, mas ficaria deficiente em proteínas. No outro extremo, os camundongos alimentados com a ração hiperproteica (48%) atingiriam o alvo proteico consumindo muito poucas calorias ou, se decidissem comer as calorias necessárias, iriam ultrapassar em muito a meta ideal de proteínas. O gráfico abaixo mostra o que foi observado nos experimentos:

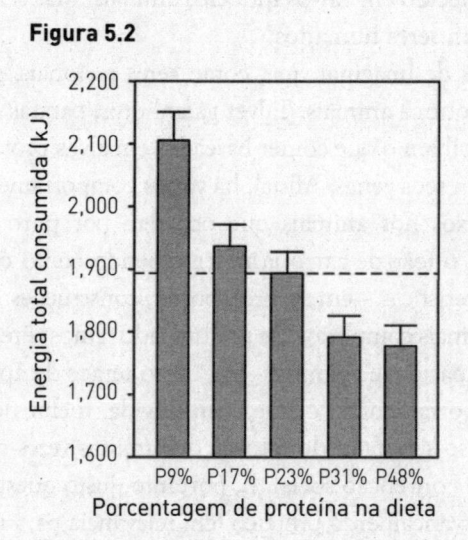

Figura 5.2

Elaborado com base em: SORENSEN; MAYNTZ; RAUBENHEIMER et al., 2008.

Como se pode observar, a escolha dos camundongos foi clara. Entre calorias (carboidratos, no caso) ou proteína, o grande determinante da quantidade de comida consumida foi a proteína. Animais com dietas pobres em proteína **vão consumir mais comida, mais car-**

boidratos e mais calorias a fim de atingir sua quota ideal de proteínas; o contrário ocorre em dietas mais ricas em proteína: o consumo calórico é sacrificado em função do alvo proteico.

> Animais com dietas pobres em proteína vão consumir mais comida, mais carboidratos e mais calorias.

Mas e em seres humanos?

Como vimos, o alavancamento proteico – a ideia de que as proteínas, embora geralmente constituam um percentual menor da dieta, efetivamente controlam o consumo dos demais macronutrientes – parece ser bem estabelecido em vários modelos animais. Mas será que o mesmo acontece em seres humanos?

Gostamos de imaginar que, como seres racionais, somos muito diferentes dos outros animais. Talvez gafanhotos, baratas e camundongos de fato escolham o que comer baseados em alvos proteicos e calóricos gravados em seus genes. Afinal, há vários comportamentos incrivelmente complexos nos animais que ocorrem por puro instinto. De alguma forma, o joão-de-barro já nasce sabendo como construir suas casinhas características – em árvores, postes, construções. Mas nós, humanos, somos mais complexos. Se por um lado temos cérebro maleável, com grande capacidade cognitiva, por outro temos de aprender quase todos os comportamentos, o que, sem dúvida, inclui nossos hábitos alimentares. Isso sem falar do fato de que muitas vezes comemos por puro prazer ou convenção social. É, portanto, justo questionar se o fenômeno do alavancamento proteico tem relevância para nós.

Uma série de experimentos sugere fortemente que sim. Vários ensaios clínicos randomizados[3,4,5,6] indicam que pessoas que consomem

---
3. DUE; TOUBRO; SKOV et al., 2004.
4. SKOV; TOUBRO; RONN et al., 1999.
5. WESTERTERP-PLANTENGA; LEJEUNE; NIJS et al., 2004.
6. WEIGLE; BREEN; MATTHYS et al., 2005.

dietas com mais proteína perdem mais peso do que pessoas que consomem dietas com menos proteína. É bem verdade que, em tais estudos, o grupo com mais proteína consome menos carboidratos, de forma que, na prática, torna-se difícil isolar os efeitos. Um estudo voltado diretamente para o teste da hipótese de alavancamento proteico[7] foi feito com voluntários, variando-se a concentração de proteína (na forma de suplementos) entre 5%, 15% e 30%. O grupo que consumiu a dieta mais rica em proteínas ingeriu uma quantidade significativamente menor de calorias do que os demais grupos – compatível com o que se esperaria pela teoria do alavancamento proteico. Quando se observa todo o conjunto de experimentos em humanos, parece haver pelo menos um efeito parcial das proteínas em modular o consumo total de calorias.

> Vários ensaios clínicos randomizados indicam que pessoas que consomem dietas com mais proteína perdem mais peso do que pessoas que consomem dietas com menos proteína.

Ted Naiman, autor de *The P:E Diet* [A dieta da relação proteína:energia], de quem já falamos no Capítulo 3, inspirou-se nesse conceito para propagar a ideia de **relação proteína:energia (relação P:E)**, isto é: em uma dieta visando emagrecimento e preservação de massa magra, devemos buscar maximizar a proteína em relação às calorias ("energia") de carboidratos e de gorduras. Em uma dieta de baixo carboidrato, naturalmente a energia tende a vir da gordura dos alimentos. Assim, pode não ser interessante consumir propositalmente os cortes mais gordos de carne, queijos e oleaginosas em abundância, quando se quer emagrecer. Voltaremos a esse assunto no Capítulo 7.

Raubenheimer e Simpson sugerem também um efeito mais sutil, em nível populacional. Se é verdade que tendemos a manter constante nosso consumo de proteínas, tentando inconscientemente atingir um alvo proteico, é possível que parte da epidemia de obesidade possa ser

---

7. MARTENS; LEMMENS; WESTERTERP-PLANTENGA, 2013.

explicada pela progressiva diluição das proteínas na dieta nos últimos quarenta anos. Em outras palavras, o consumo de alimentos mais ricos em carboidratos e gorduras e mais pobres em proteínas, como é típico da dieta ocidental padrão, poderia explicar, pelo menos em parte, o aumento do consumo calórico que tem sido observado desde os anos 1970. Ou seja, o simples fato de ter havido uma redução na proporção de proteínas na dieta ocidental entre os anos 1970 e os anos 2000 seria suficiente para explicar o aumento do consumo calórico (de carboidratos e de gorduras) de cerca de 300 calorias por dia. Esse aumento, por sua vez, seria suficiente para explicar a atual epidemia de obesidade.

Kevin Hall – ele de novo! – utilizou as equações de Raubenheimer e Simpson e os dados do governo norte-americano para estimar quanto do ganho de peso ocorrido desde 1973 nos Estados Unidos poderia ser explicado, exclusivamente, pela redução da proporção de proteína na dieta[8]. O resultado é surpreendente: a redução observada, de apenas 1% na proporção de proteína na dieta dos norte-americanos, seria suficiente para produzir dois terços do aumento do consumo calórico necessário para explicar a epidemia de obesidade (ou um terço, se imaginarmos que o alavancamento proteico é apenas parcial). Dito de outra forma, pelo menos parte do ganho de peso ocorrido desde os anos 1970 pode ser justificada pelo aumento do apetite decorrente de uma dieta proporcionalmente mais pobre em proteínas.

O metabolismo desacelera quando emagrecemos

Existe ainda outro aspecto relacionado ao consumo de proteínas. É bem sabido que, no processo de emagrecimento, há uma redução no gasto energético total do corpo: seu organismo literalmente trabalha contra o emagrecimento, aumentando sua eficiência energética. Seria como se um carro fosse se tornando progressivamente mais econômico à medida que você o abastece com menos combustível, para evitar que o tan-

---
8. HALL, 2019.

que fique vazio. Assim, estratégias que minimizem a redução do gasto energético associado à perda de peso seriam muito importantes.

Cerca de 75% de todas as calorias que gastamos são despendidas durante o repouso. A não ser que você seja um atleta, cerca de três quartos de todas as calorias que você gasta durante 24 horas servem apenas para manter as funções básicas do corpo funcionando. Essa taxa metabólica em repouso é, portanto, fundamental. Como dissemos, há uma redução desse gasto calórico durante o emagrecimento, o que dificulta a continuidade do processo de perda de peso. Esse fenômeno, bem conhecido pelos pesquisadores, chama-se **termogênese adaptativa**, ou adaptação metabólica: o corpo se adapta à perda de peso, tornando-se cada vez mais eficiente, para evitar o emagrecimento e facilitar o reganho do peso perdido.

Dietas de alta proteína parecem atenuar significativamente essa temida termogênese adaptativa[9]. Em outras palavras, uma pessoa que perde peso com uma dieta de alta proteína até tem alguma redução da taxa metabólica de repouso, mas muito menos do que se esperaria pela quantidade de peso perdido. Há várias teorias que buscam explicar esse fenômeno, incluindo a melhor preservação da massa magra (os músculos são tecidos metabolicamente "caros"). Há, porém, estudos altamente controlados, realizados em câmara metabólica, que indicam que dietas altas em proteína são capazes de impedir a diminuição do gasto energético em repouso além do que seria esperado apenas pela maior preservação da massa muscular. Em uma dieta mais rica em proteínas, as pessoas simplesmente dissipam mais calor (fenômeno mediado, ao menos em parte, pelas chamadas proteínas desacopladoras – *uncoupling proteins* – que desacoplam as reações químicas que ocorrem dentro das mitocôndrias na geração de ATP, desperdiçando energia propositalmente). Dito de outra forma: com mais proteína na dieta, o metabolismo não fica tão lento com o emagrecimento.

....
9. DRUMMEN; TISCHMANN; FOGELHOLM *et al.*, 2020.

A dieta cetogênica

A adoção cega e ingênua da formulação mais simplista da teoria carboidrato-insulina da obesidade ("tudo o que eleva a insulina engorda") levou à formulação de dietas *low-carb* com muita gordura e pouca proteína, visto que as proteínas produzem certo grau de elevação da insulina. Isso foi um erro. E esse erro tem raízes históricas.

No início do século XX, observou-se que as frequentes crises convulsivas em crianças com epilepsia grave cessavam no jejum prolongado[10]. Em 1921, H. Rawle Geyelin, um proeminente endocrinologista de Nova York, apresentou resultados impressionantes do jejum em trinta pacientes consecutivos com epilepsia. Após examinar meticulosamente o que mudava no metabolismo dos pacientes em jejum, foi o doutor James Gamble quem descobriu o aumento de duas substâncias na urina: o beta-hidroxibutirato (BHB) e o acetoacetato, conhecidos como "corpos cetônicos", ou *ketone bodies* em inglês.

Nessa mesma época, a insulina ainda não havia sido isolada e o diabetes tipo 1 era uma doença uniformemente fatal. Os médicos sabiam que o jejum era capaz de eliminar o açúcar da urina desses pacientes, mas obviamente não poderia ser utilizado como tratamento, pois não é possível mantê-lo por tempo indeterminado. Ainda em 1921 surgiu a ideia de eliminar os carboidratos da dieta e substituí-los por grande quantidade de gordura, o que permitiria aos diabéticos obter os benefícios do jejum sem, no entanto, alterar o consumo calórico. Aqui, mais uma vez, os corpos cetônicos beta-hidroxibutirato (BHB) e acetoacetato apareciam na urina.

Não levou muito tempo para que alguém, no caso a doutora Mynie Peterman, da Mayo Clinic, tivesse a epifania: uma dieta muito pobre em carboidratos, com pouca proteína e muita gordura – uma dieta **cetogênica** – simula o ambiente metabólico do jejum. Quem sabe uma dieta cetogênica pudesse ser utilizada como tratamento da epilepsia em crianças?

---

10. CHRISTOPHERSON; D'AGOSTINO, 2015.

Os resultados foram incríveis. Muitas das crianças com epilepsia grave intratável estavam subitamente livres das convulsões. Estudos subsequentes indicaram que eram os corpos cetônicos os principais responsáveis pelo efeito antiepilético. Assim, o objetivo da dieta cetogênica terapêutica era manter níveis elevados desses compostos. Na dieta havia duas coisas que reduziam os níveis de corpos cetônicos: carboidratos e proteínas, pois ambos estimulam a liberação de insulina, que inibe a síntese de corpos cetônicos.

Com o surgimento das drogas para o tratamento da epilepsia e da insulina para o tratamento do diabetes, a dieta cetogênica terapêutica foi praticamente abandonada por muitas décadas – era simplesmente mais fácil as pessoas se medicarem do que seguir um protocolo dietético rígido.

Nos anos 1970, o doutor Robert Atkins passou a sugerir o emprego de fitas medidoras de corpos cetônicos na urina na primeira fase de sua dieta *low-carb*, a chamada fase de indução. Durante esses catorze dias, deveria haver um consumo abaixo de 20 g de carboidrato, o que caracterizava uma dieta cetogênica. Atkins deixava claro que o principal objetivo de medir a cetose era *compliance* (conformidade ou aderência), ou seja, permitir às pessoas que soubessem que estavam de fato restringindo os carboidratos abaixo de 20 g. **Ele não achava que a cetose fosse necessária para a perda de peso.** Mas esse detalhe foi se perdendo no tempo.

Nos últimos cinco anos, a dieta cetogênica, ou *keto diet*, em inglês, tornou-se extremamente popular. Avanços tecnológicos permitem, atualmente, medir os corpos cetônicos no sangue com apenas uma pequena gota, ou até mesmo pelo ar expirado (tecnologia semelhante à dos bafômetros). Isso criou uma obsessão, entre o público interessado no assunto, com os valores precisos de BHB e a perseguição de valores mais elevados por meio de dietas com quantidades crescentes de gordura, mantendo-se a proteína moderada ou mesmo baixa. Acontece que pessoas que querem emagrecer estão utilizando uma estratégia (dieta cetogênica terapêutica) originalmente desenvolvida para tratar doenças neurológicas.

> [...] pessoas que querem emagrecer estão utilizando uma estratégia (dieta cetogênica terapêutica) originalmente desenvolvida para tratar doenças neurológicas.

Assim, a cetose nutricional, o estado fisiológico de estar com corpos cetônicos elevados no sangue (não confundir com **cetoacidose**, condição patológica que não é produzida por dieta, e sim por deficiência de insulina; ver Capítulo 9), algo que ficou esquecido por décadas, passou a ser vista por muitos como uma condição necessária para a perda de peso. Se isso fosse verdade, qualquer alimento que provocasse a elevação da insulina impediria o emagrecimento (ou, pior ainda, levaria ao ganho de peso). E, como já vimos, alimentos ricos em proteína frequentemente provocam elevação da insulina e, ao mesmo tempo, favorecem a perda de peso – sem contar o fato sabido de que dietas que não são *low-carb* também produzem perda de peso, desde que hipocalóricas (embora, talvez, com mais fome no processo). Pior ainda: de acordo com esse pensamento, se você não estivesse em cetose, seria necessário fazer de tudo para atingir esse estado – reduzir ainda mais os carboidratos, reduzir a proteína e aumentar a gordura na dieta (sendo que as duas últimas são o **contrário** do que deve ser feito para emagrecer). De fato, não é raro que se vejam nas redes sociais diálogos como o seguinte:

– *Estou fazendo [dieta] cetogênica, mas parei de perder peso, não sei o que fazer!*
– *Aumente a quantidade de gordura na dieta colocando manteiga e óleo de coco no seu café; assim, você vai ficar em cetose e voltar a emagrecer.*

Tal conselho poderia ser ótimo para alguém com epilepsia, mas é uma péssima ideia para quem precisa emagrecer. Aumentar a gordura na dieta tornará ainda menos necessário que o corpo passe a usar a própria gordura como fonte de energia. É verdade que os corpos cetônicos reduzem o apetite, o que pode ajudar na criação do déficit calórico. Mas, idealmente, eles devem ser produzidos predominantemente à custa da própria gordura, e não da gordura acrescentada por você aos alimentos. Basta reduzir os carboidratos. E, ademais, os níveis de BHB são um desfecho substituto (falaremos detalhadamente sobre isso nos capítulos sobre mitos), isto é, não é o seu objetivo final. Se seu objetivo final for o emagrecimento, a fita métrica e a balança serão seus desfechos concretos – pouco importa saber os níveis exatos de BHB.

> Aumentar a gordura na dieta tornará ainda menos necessário que o corpo passe a usar a própria gordura como fonte de energia.

É comum as pessoas usarem os termos dieta cetogênica e *low-carb* como se fossem sinônimos. As definições variam, mas a maioria dos autores concorda que *low-carb* é qualquer dieta que contenha menos de 130 g de carboidratos por dia. Dificilmente ocorrerá cetose nutricional com mais de 30-40 g de carboidratos por dia. Assim, toda dieta cetogênica é *low-carb*, mas a maioria das dietas *low-carb* **não é cetogênica**.

> [...] toda dieta cetogênica é *low-carb*, mas a maioria das dietas *low-carb* não é cetogênica.

Mas será que uma dieta *low-carb* cetogênica seria mais eficiente para a perda de peso do que uma dieta *low-carb* não cetogênica? Um pequeno ensaio clínico randomizado publicado em 2006[11] tentou responder justamente a essa pergunta. Nesse estudo, vinte pacientes obesos foram sorteados para uma dieta cetogênica ou para uma dieta *low--carb* moderada (40% das calorias na forma de carboidratos). O título já nos dá a resposta: "As dietas *low-carb* cetogênicas não têm vantagem metabólica sobre as dietas *low-carb* não cetogênicas". Mas devo fazer um pequeno adendo: o autor sênior do estudo é o doutor Barry Sears, autor de diversos livros sobre o assunto, entre eles O *ponto Z: a dieta*,

---

11. JOHNSTON; TJONN; SWAN *et al.*, 2006.

que defende justamente essa abordagem de *low-carb* moderada (ou seja, o conflito de interesses do autor deve ser levado em conta).

Mas esse estudo tem um defeito que o fere de morte: as dietas foram desenhadas para ser isocalóricas, isto é, ambos os grupos foram obrigados a consumir 30% menos calorias do que o estimado para sua manutenção de peso. Se ambos os grupos consomem exatamente o mesmo número de calorias, é de se esperar que os resultados sejam similares! Ainda assim, o que o estudo mostra, sem dúvida, é que a cetose não é essencial para a perda de peso na forma de gordura.

Mais recentemente (2021), um estudo do grupo do doutor Jeff Volek testou o efeito de uma dieta cetogênica hipocalórica (25% de redução nas calorias) na composição corporal de voluntários[12]. Foram estudados três grupos: dieta cetogênica, dieta cetogênica mais *ketone salts* (sais orais de corpos cetônicos) e dieta *low-fat* – todas com o mesmo grau de restrição calórica e com a mesma quantidade de proteína na dieta. Ao final de seis semanas, os três grupos apresentaram melhoras em sua composição corporal (com perda de gordura e de um pouco de massa magra, uma vez que não havia musculação associada). Mas não houve diferença significativa entre os grupos. Nas palavras dos autores:

> Em resumo, os resultados de nossa investigação exploratória sugerem que a inclusão de *ketone salts* em uma dieta cetogênica hipocalórica bem formulada não altera significativamente a perda de peso ou as respostas da composição corporal em comparação com uma dieta cetogênica + placebo com a mesma quantidade de proteína e de calorias. Assim, as mudanças de curto prazo na composição corporal durante a restrição calórica são impulsionadas mais pela restrição calórica do que pelo nível de cetose ou distribuição de macronutrientes.

Resumidamente, a cetose, seja ela provocada pela restrição de carboidratos, seja ela aumentada pelo acréscimo de cetonas exógenas, não aumenta a perda de peso: é a restrição calórica que produz o emagrecimento. A cetose não é a causa, e sim uma consequência, um marcador de perda de peso em *low-carb* ou em jejum.

---

12. BUGA; KACKLEY; CRABTREE *et al.*, 2021.

Por esse motivo, no que diz respeito ao emagrecimento, as dúvidas quanto ao fato de determinado adoçante ou alimento potencialmente reduzirem a cetose são irrelevantes. Da mesma forma, se o consumo de proteína afeta ou não o estado de cetose não apenas é uma pergunta irrelevante mas, de fato, indica uma linha de pensamento equivocada que tende a prejudicar os esforços de recomposição corporal. O aumento do consumo proteico está associado à redução espontânea do apetite, perda de gordura e melhor preservação da massa magra com menor redução da taxa metabólica em repouso – com ou sem cetose.

> Neste capítulo, vimos como a teoria do alavancamento proteico de Simpson e Raubenheimer ajuda a explicar alguns dos efeitos da estratégia *low-carb*. A proteína funciona como um verdadeiro freio do apetite: o aumento da proporção de proteína na dieta leva a uma redução espontânea da fome e do consumo calórico. Por isso, uma dieta rica em proteína, muito embora eleve a insulina, favorece o emagrecimento. Da mesma forma, o fato de que proteínas são mais caras ajuda a explicar, em nível populacional, a associação entre pobreza e obesidade e diabetes. A compreensão do conceito de alavancamento proteico faz com que a melhora da relação proteína:energia passe a ser vista como ponto crucial para o sucesso de uma dieta *low-carb* bem formulada. Outro efeito importante de uma dieta rica em proteína é impedir que o metabolismo sofra uma redução muito significativa (a chamada "termogênese adaptativa"), que é um dos motivos para a dificuldade de perda de peso. Assim, a adoção cega e ingênua da versão mais simplista da teoria carboidrato-insulina da obesidade ("tudo o que eleva a insulina engorda") levou à formulação de dietas *low-carb* com muita gordura e pouca proteína, visto que as proteínas produzem certo grau de elevação da insulina. Isso foi um erro. Vimos ainda que não é necessário estar em "cetose" para que a perda de peso ocorra.

6

OS ALIMENTOS ULTRAPROCESSADOS

Em 5 de novembro de 2014 foi publicado o novo *Guia alimentar para a população brasileira*[1]. A leitura do seguinte trecho, no *site* do Ministério da Saúde, já dava uma ideia de que se tratava de uma verdadeira revolução, uma maneira completamente nova de enxergar a nutrição:

> A nova edição, ao invés de trabalhar com grupos alimentares e porções recomendadas, indica que a alimentação tenha como base alimentos frescos (frutas, carnes, legumes) e minimamente processados (arroz, feijão e frutas secas), além de evitar os ultraprocessados (como macarrão instantâneo, salgadinhos de pacote e refrigerantes). O *Guia* orienta as pessoas a optarem por refeições caseiras e evitarem a alimentação em redes de *fast food* e produtos prontos que dispensam preparação culinária ("sopas de pacote", pratos congelados prontos para aquecer, molhos industrializados, misturas prontas para tortas).

Na época, eu escrevi no *blog*:

> Você talvez não perceba imediatamente, mas isto é um avanço e tanto. Não há pirâmide alimentar. Não se está demonizando a gordura como

---

1. BRASIL, 2014.

um todo, os ovos ou a carne, nem se está incentivando o consumo de grãos em quantidade suficiente para compor 60% das calorias (na verdade, pães foram classificados como alimentos processados e não são encorajados). Também não se recomenda comer a cada 3 horas. O critério maior para indicar o consumo é o fato de ser comida de verdade, plantas e bichos. (SOUTO, 2014b)

Reproduzo, a seguir, alguns pontos altos do guia:

- O efeito de nutrientes individuais foi se mostrando progressivamente insuficiente para explicar a relação entre alimentação e saúde. Vários estudos mostram, por exemplo, que a proteção que o consumo de frutas ou de legumes e verduras confere contra doenças do coração e certos tipos de câncer não se repete com intervenções baseadas no fornecimento de medicamentos ou suplementos que contêm os nutrientes individuais presentes naqueles alimentos.
- Padrões tradicionais de alimentação, desenvolvidos e transmitidos ao longo de gerações, são fontes essenciais de conhecimentos para a formulação de recomendações que visam promover a alimentação adequada e saudável. Esses padrões resultam do acúmulo de conhecimentos sobre as variedades de plantas e de animais que mais bem se adaptaram às condições do clima e do solo, sobre as técnicas de produção que se mostraram mais produtivas e sustentáveis e sobre as combinações de alimentos e preparações culinárias que bem atendiam à saúde e ao paladar humanos.
- Em paralelo ao crescente conhecimento de profissionais de saúde e da população em geral acerca da composição nutricional desbalanceada dos alimentos ultraprocessados, nota-se aumento na oferta de versões reformuladas desses produtos, às vezes denominadas *light* ou *diet*. Entretanto, com frequência, a reformulação não traz benefícios claros. Por exemplo, quando o conteúdo de gordura do produto é reduzido à custa do aumento no conteúdo de açúcar ou vice-versa. Ou quando se adicionam fibras ou micronutrientes sintéticos aos produtos, sem a garantia de que o nutriente adicionado reproduza no organismo a função do nutriente naturalmente presente nos alimentos.
- Hipersabor: com a "ajuda" de açúcares, gorduras, sal e vários aditivos, alimentos ultraprocessados são formulados para que sejam extrema-

mente saborosos, quando não para induzir hábito ou mesmo para criar dependência. A publicidade desses produtos comumente chama a atenção, com razão, para o fato de que eles são "irresistíveis".
- Calorias líquidas: no caso de refrigerantes, refrescos e muitos outros produtos prontos para beber, o aumento do risco de obesidade é em função da comprovada menor capacidade que o organismo humano tem de "registrar" calorias provenientes de bebidas adoçadas.
- A REGRA DE OURO: Prefira sempre alimentos in natura ou minimamente processados e preparações culinárias a alimentos ultraprocessados. (BRASIL, 2014)

O grande responsável pelo novo *Guia alimentar para a população brasileira*, material saudado pela imprensa internacional como revolucionário, tendo sido inclusive considerado o melhor e mais avançado do mundo[2], foi o médico Carlos Augusto Monteiro, da Universidade de São Paulo (USP). Monteiro trabalhava em saúde pública desde os anos 1970, com foco em desnutrição. Mas, a partir de 1995, começou a observar o fenômeno da transição nutricional, em que a desnutrição começou paulatinamente a dar lugar à obesidade[3].

Monteiro observou algo curioso. À medida que a população ficava mais obesa, havia uma redução paradoxal na compra de ingredientes para o preparo de alimentos, inclusive de coisas como açúcar e óleo – o que causava certo estranhamento: "se as pessoas estão consumindo menos açúcar e óleo, por que estão engordando?". A epifania veio quando o levantamento epidemiológico indicou o que estava sendo comprado no lugar dos ingredientes: comida pronta. Não apenas qualquer comida, mas comida pronta feita em fábricas e com ingredientes altamente processados. Ingredientes tão modificados, refinados e purificados a ponto de ser difícil precisar a sua origem. Em 2010, Monteiro publicou um artigo seminal com o título "Uma nova classificação de alimentos baseada na extensão e propósito do seu processamento"[4], no qual apresentava ao mundo o conceito de "alimentos ultraprocessa-

---
2. BELLUZ, 2015.
3. MARQUES, 2005.
4. MONTEIRO; LEVY; CLARO et al., 2010.

dos". A classificação passaria a ser conhecida como **nova**, e hoje é utilizada no mundo todo.

E foi o Núcleo de Pesquisas Epidemiológicas em Nutrição e Saúde (Nupens, da Faculdade de Saúde Pública da USP), liderado pelo professor Monteiro, o responsável pela elaboração do guia alimentar brasileiro de 2014 baseado nessa classificação **nova**.

Pois bem, é fato que muito do que já discutimos neste livro se sobrepõe à questão dos alimentos ultraprocessados. Por exemplo: uma dieta *low-carb* elimina muitos alimentos ultraprocessados, como salgadinhos, guloseimas açucaradas, biscoitos, cereais matinais, refrigerantes, sucos e achocolatados, para citar apenas alguns.

E é fato notório que boa parte dos alimentos ultraprocessados é pobre em proteínas – são basicamente combinações de amido, açúcar e óleos industriais (os insumos mais baratos que existem) cuidadosamente transformados em produtos com a quantidade certa de realçadores de sabor e textura para se tornarem "irresistíveis". As proteínas são, em geral, caras e conferem pouco "tempo de prateleira" – a antítese da lógica de mercado dessa categoria de produtos.

Assim, a questão que se coloca é a seguinte: será que os ultraprocessados são, em si, um problema, ou o problema é simplesmente o fato de que essa categoria de produtos alimentícios é composta basicamente de alimentos ricos em carboidratos refinados e com uma relação proteína:energia péssima? A diluição da proteína por si só é capaz de produzir um aumento do consumo calórico (Capítulo 5), e a alta quantidade de carboidratos refinados produz um ambiente de constante hiperinsulinemia, inibindo a lipólise, dificultando o uso da gordura como fonte de energia e reduzindo a disponibilidade de energia algumas horas após o seu consumo, aumentando o apetite, conforme vimos no Capítulo 3.

A verdade é que o conceito dos alimentos ultraprocessados como uma das causas da epidemia de obesidade seguia sendo apenas uma hipótese instigante. Afinal, era um conceito oriundo de epidemiologia nutricional – baseado na interpretação dos dados coletados em questionários aplicados à população. Por mais sentido que pudesse fazer (bioplausibilidade), e por mais reconhecimento internacional que o doutor Monteiro tenha alcançado (segundo a Faculdade de Saúde Pública da USP, ele é o quinto pesquisador brasileiro com maior número de citações na literatura científica mundial; nos dois campos de pesquisa em que mais atua, Alimentação e Nutrição e Saúde Pública, é, respectivamente, o primeiro e o segundo com maior número de citações[5]), a hipótese nunca tinha sido testada experimentalmente em um ensaio clínico randomizado, ou seja, um experimento de verdade.

Coube - mais uma vez! - a Kevin Hall, do NIH, colocar o conceito de alimentos ultraprocessados à prova[6]. E o estudo foi feito de forma bastante engenhosa (já falamos brevemente sobre esse assunto no Capítulo 4). Catorze voluntários foram mantidos em ala metabólica – confinados, sem contato com o mundo exterior, recebendo 100% dos alimentos por intermédio dos pesquisadores. Eles foram randomizados para uma dieta de alimentos ultraprocessados ou uma dieta de comida não processada (comida de verdade, como se costuma dizer), por catorze dias cada. Quem foi sorteado para uma dieta por catorze dias, consumia a outra nos catorze dias subsequentes. As dietas foram cuidadosamente preparadas de forma que a proporção de macronutrientes (gorduras, carboidratos, açúcar, proteínas e fibras), bem como a densidade calórica, fossem rigorosamente iguais. A única diferença entre as dietas oferecidas às pessoas era seu grau de processamento.

As dietas foram oferecidas *ad libitum*, isto é, as pessoas poderiam comer quanto quisessem. Mas foram orientadas a comer apenas até a saciedade, sem exageros. Os resultados foram muito impressionantes. Os voluntários sorteados para dietas ultraprocessadas consumiram 500 calorias a mais por dia do que os designados para dietas não processadas. Como a quantidade de proteína, gordura, açúcar, fibras e carboidratos era a mesma, a conclusão é que há algo especificamente relacionado ao grau de processamento que leva as pessoas a um consumo maior. Como se não bastasse, o grupo ultraprocessado engordou 900 g, enquanto o grupo não processado emagreceu 900 g em duas semanas.

5. BOLETINS DA FSP, 2020.
6. HALL; AYUKETAH; BRYCHTA *et al.*, 2019.

> Os voluntários sorteados para dietas ultraprocessadas consumiram 500 calorias a mais por dia do que os designados para dietas não processadas.

Um fato muito interessante observado foi que o maior consumo calórico do grupo ultraprocessado foi devido a carboidratos e gorduras, mas não proteínas, cuja quantidade absoluta foi igual em ambos os grupos:

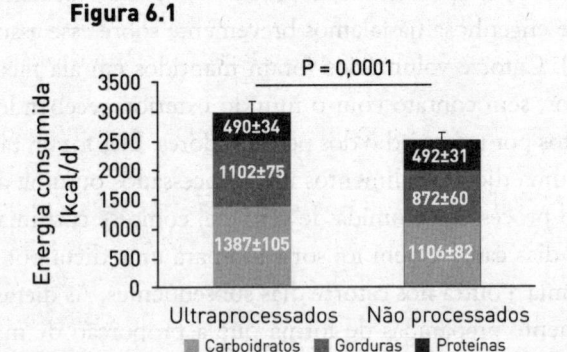

Figura 6.1

	Ultraprocessados	Não processados
Proteínas	490±34	492±31
Gorduras	1102±75	872±60
Carboidratos	1387±105	1106±82

Energia consumida (kcal/d); $P = 0{,}0001$

Elaborado com base em: HALL; AYUKETAH; BRYCHTA et al., 2019.

Isso sugere que é, de fato, difícil consumir proteína em excesso, e que a **hiperpalatabilidade** (ou hipersabor, para usar um termo do doutor Monteiro) parece ser um fenômeno predominante em alimentos nos quais se destacam carboidratos e gorduras. Na verdade, a combinação de carboidratos (em especial açúcares) e gorduras é a que mais induz ao consumo excessivo – basta pensar em exemplos como *pizza*, sorvete ou batata frita. O próprio autor do estudo comenta que é incrível quão similar foi o consumo proteico entre os grupos (veja a porção em cinza mais escuro do gráfico acima), e que isso reforça a teoria do alavancamento proteico (Capítulo 5): as pessoas acabam optando pelos alimentos processados mais saborosos (hiperpalatáveis); esses, porém, são os que contêm mais carboidratos e gorduras e menos proteína. Como a quantidade de proteína nesses doces, *pizzas*, pães e batatas fritas é pequena, as pessoas acabam comendo mais para compensar a falta de proteína. E, exatamente como prevê a teoria do alavancamento proteico, continuam comendo até atingir o alvo proteico (o que só acontece, nesse caso, após ultrapassar em muito o alvo calórico).

Outro resultado interessante e surpreendente é que os voluntários atribuíram os mesmos escores de familiaridade, satisfação, fome e saciedade para ambas as dietas. Ou seja, não parece que o estranhamento em relação à dieta não processada ou a insatisfação com o seu sabor expliquem o menor consumo. Uma diferença estatisticamente significativa foi o tempo para o consumo das refeições: as refeições ultraprocessadas foram consumidas mais rapidamente (afinal, são prontas para consumo, requerem menos mastigação e, muitas vezes, podem ser consumidas com as mãos).

Conforme vimos no Capítulo 4, um elemento muito importante que ajuda a explicar o efeito de diferentes dietas no ganho ou perda de peso é a densidade calórica, ou seja, quantas calorias estão presentes em cada grama de alimento. Dietas de comida de verdade tendem a ter densidade calórica mais baixa, afinal, os alimentos *in natura* (cenouras ou peixes, por exemplo) contêm muita água e, no caso dos vegetais, fibra em sua composição. No entanto, alimentos ultraprocessados (biscoitos recheados ou bombons, por exemplo) são desidratados e, em geral, desprovidos das fibras naturais, o que os torna caloricamente muito densos e de fácil sobreconsumo. Acontece que, no estudo de Hall, as duas dietas foram construídas de forma que a densidade calórica fosse a mesma e que a única diferença entre os grupos fosse o grau de processamento dos alimentos.

O mecanismo exato pelo qual uma dieta ultraprocessada leva ao consumo calórico excessivo, mesmo com todas as demais variáveis controladas, não está estabelecido. A mim parece que o motivo mais provável é a hiperpalatabilidade – o famoso ditado "é impossível comer um só!".

Mas o que explica essa atração fatal? Plantas frutíferas e animais coevoluíram, isto é, é do "interesse" da planta ser consumida por um animal para espalhar as sementes, e é interessante para o animal obter uma fonte saborosa e segura de calorias. Por isso, na natureza, quase tudo que é doce não é venenoso. Portanto, durante a evolução da espécie, alimentos doces representavam calorias e nutrição preciosas, e obter prazer com o gosto doce passou a ser um traço evolutivo vantajoso, nesse contexto específico. Isso também se aplica à gordura – uma importante fonte de calorias durante nossa evolução.

O fisiologista e cientista britânico John Yudkin (1910-1995) estudou profundamente a influência dos carboidratos (em especial a sacarose e a frutose) na gênese das doenças humanas. Muito à frente do seu tempo, desde 1957 Yudkin já afirmava que o açúcar era o maior responsável pela aterosclerose, pelo diabetes e pela obesidade. Em seu livro *Pure, White, and Deadly* [Puro, branco e mortal], de 1972, já constava todo o conceito de síndrome metabólica (não com esse nome, é claro), que só seria formalmente enunciado e adotado pela comunidade científica anos depois, em 1988, pelo endocrinologista norte-americano Gerald Reaven (1928-2018).

Nesse livro fascinante, há um trecho muito elucidativo, que traduzo de forma livre e transcrevo abaixo:

> O ser humano tornou-se cada vez mais hábil em separar desejo e necessidade, a tal ponto que a satisfação desenfreada do desejo se tornou desastrosa para o indivíduo e para a espécie. As pessoas sempre desejaram alimentos doces porque gostavam deles. E, enquanto os únicos alimentos doces a que tinham acesso eram frutas, ao satisfazer seu desejo pelo sabor doce, as pessoas automaticamente satisfaziam a sua necessidade de vitamina C e de outros tantos nutrientes. Porém, uma vez que o ser humano passou a fabricar a própria comida, sobretudo após o desenvolvimento da tecnologia para o refino do açúcar e a manufatura dos alimentos, adquiriu a capacidade de separar a doçura e o conteúdo nutricional. O que as pessoas desejam desvinculou-se do que elas precisam. (YUDKIN, 1988)

Acontece que a evolução calibrou os nossos sentidos, por milhões de anos, para a intensidade de estímulos que ocorriam naturalmente, mas **nada** nos preparou para a exploração comercial e verdadeiramente científica dessas nossas vulnerabilidades.

> O que as pessoas desejam desvinculou-se do que elas precisam.

O autor segue seu argumento de que o forte desejo evolutivo pelo doce, a forma como a evolução nos compeliu no passado a consumir frutas, foi sequestrado pela industrialização dos alimentos. Nunca comemos frutas porque eram saudáveis. Comíamos porque eram doces, tínhamos desejo de comer doces, e os únicos alimentos doces existentes por 2 milhões de anos eram as frutas. Subitamente, temos acesso ao açúcar refinado em quantidades ilimitadas, em "alimentos" sem nenhum valor nutricional. As pessoas então deixariam de comer porque faz mal? Claro que não, afinal, elas não comiam frutas porque faziam bem, e sim porque eram doces. A atração pelo doce é, como já dissemos, evolutiva. Uma característica intrinsecamente boa quando aplicada à comida de verdade, mas perniciosa quando aplicada ao mundo moderno.

A indústria alimentícia acrescenta quantidades industriais (desculpe o trocadilho) de açúcar a todo o tipo de alimento (veja os rótulos de alimentos diversos, de *ketchup* a pepinos em conserva). Outras características de nosso paladar foram identificadas e introduzidas nos alimentos processados. Há um termo para isso, denominado hiperpalatabilidade (ou "hipersabor"), isto é, a característica de um produto de apresentar uma intensidade de sabor muito além da presente na comida de verdade. Uma vez acostumados a consumir alimentos processados no nosso dia a dia, a comida de verdade começa a parecer sem gosto. Isso é muito perceptível nas crianças, que muitas vezes recusam os alimentos reais e só aceitam alimentos processados hiperpalatáveis, como papinhas prontas, biscoitos recheados, salgadinhos e guloseimas de todo o tipo.

A situação é análoga à das drogas. Nosso cérebro tem um "centro do prazer" ou "centro da recompensa", no chamado núcleo *accumbens*, que é ativado quando realizamos atividades prazerosas, incluindo sexo e alimentação. Obviamente a pressão evolutiva no caso do sexo é imensa, pois ter prazer com essa atividade está diretamente relacionado à chance de produzir descendentes. Isso também acontece no que se refere a alimentos com baixa toxicidade e com muitas calorias (como açúcares e gorduras). Drogas de abuso, como a heroína e o *crack*, ativam – desvinculadas de qualquer atividade fisiologicamente útil (como a reprodução) – direta e intensamente o centro do prazer. Assim como no caso da hiperpalatabilidade, em que o desejo por certo sabor acabou sendo desvinculado da necessidade de obter nutrição, a hiperestimulação do centro do prazer pelas drogas leva à desvinculação entre prazer e sua utilidade biológica, com resultados desastrosos.

O jornalista Michael Moss tem se dedicado ao estudo dos motivos pelos quais é tão difícil resistir ao canto da sereia dos ultraprocessados. Seus livros *Sal, açúcar, gordura: como a indústria alimentícia nos fisgou*, de 2013, e *Hooked: Food, Free Will, and How the Food Giants Exploit Our Addictions* [Fisgado: comida, livre-arbítrio e como os gigantes da indústria alimentícia exploram nossos vícios], de 2021, abordam com profundidade essa questão. Moss explica como nossos gatilhos neurológicos para comer são sequestrados pelos alimentos ultraprocessados de forma a nos fazer comer mais e com maior frequência. Cientistas fazem inúmeras modificações sutis nas receitas, utilizando painéis sensoriais com voluntários, até que se ative o núcleo *accumbens* da maioria das pessoas a ponto de sobrepujar os sinais normais, fisiológicos, de saciedade.

> Assim como no caso da hiperpalatabilidade, em que o desejo por certo sabor acabou sendo desvinculado da necessidade de obter nutrição, a hiperestimulação do centro do prazer pelas drogas leva à desvinculação entre prazer e sua utilidade biológica, com resultados desastrosos.

Moss explica ainda que assim como não é todo mundo que bebe que se torna alcoólatra e nem todo mundo que usa cocaína se torna dependente, nem todas as pessoas são igualmente vulneráveis ao hiperestímulo do centro da recompensa pelos alimentos ultraprocessados. Isso ajuda a explicar diferenças individuais. Mas, como sociedade, estamos sujeitos a um efeito pernicioso, que explora vulnerabilidades biológicas muito fortes, sem as restrições e as proteções legais que se aplicam às drogas ilícitas, ao álcool e ou cigarro. E não é só isso: permitimos que as crianças sejam vítimas desse processo.

A mim parece que esse estímulo suprafisiológico do centro do prazer e da recompensa induzido pelos alimentos ultraprocessados é o elemento que explica as 500 calorias a mais do estudo do doutor Kevin Hall. Como vimos em capítulos anteriores, a quantidade de carboidratos interfere em quanto comemos e nas respostas fisiológicas que nosso corpo tem à comida; a quantidade de proteína afeta muito o nosso apetite, por meio do mecanismo do alavancamento proteico, além de modular nossa taxa metabólica em repouso; e a densidade calórica afeta também a quantidade de energia que consumimos. Mas quando tudo isso está equalizado, o simples fato de se consumir uma dieta composta de alimentos ultraprocessados nos faz consumir 500 calorias a mais por dia. A indústria está de parabéns.

Um importante elemento que não pode ser deixado de fora nessa equação é o custo da alimentação. Embora não fosse esse seu objetivo primário, o estudo de Kevin Hall sobre alimentos ultraprocessados traz essa preciosa informação:

> O custo semanal dos ingredientes para preparar 2.000 kcal/dia de refeições ultraprocessadas foi estimado em US$ 106 contra US$ 151 para as refeições não processadas, calculado com base no custo dos ingredientes obtidos em uma filial local de uma grande rede de supermercados. (HALL *et al.*, 2019)

Em outras palavras, a comida de verdade, não processada ou minimamente processada, ficou, nesse estudo, 40% mais cara. Além disso, cozinhar os alimentos a partir de ingredientes frescos requer tempo e estrutura que podem não estar disponíveis para uma mãe solteira que trabalha em dois empregos, por exemplo.

No pensamento econômico, utiliza-se muito a figura dos incentivos como forma de guiar as escolhas coletivas para o caminho desejado. Os incentivos, no caso, não poderiam ser mais perversos. Os alimentos mais baratos são justamente os mais gostosos, que foram cientificamente desenvolvidos pela indústria alimentícia para pressionar todos os botões certos em nosso centro do prazer e da recompensa. Se você tem baixa renda, que sentido econômico faz pagar mais caro por alimentos que não vão colocar o mesmo sorriso no rosto dos filhos que um pacote de biscoito recheado?

E é por isso que, em todo o mundo, obesidade, diabetes e pobreza andam de mãos dadas. Foi isso que o professor Monteiro observou no Brasil a partir dos anos 1990: a "transição nutricional" na qual a desnutrição dá lugar à obesidade. Para muitas pessoas isso parece um paradoxo: quem ganha menos não deveria comer menos? A verdade é que calorias vazias, sobretudo farinha e açúcar, são muito baratas. O que custa caro não são calorias, são proteínas e boa nutrição em geral.

Existe uma base de dados do Ministério da Saúde chamada Vigitel (Sistema de Vigilância de Fatores de Risco e Proteção para Doenças Crônicas por Inquérito Telefônico). Os dados do Vigitel são bastante preocupantes: entre 2006 e 2018, a taxa de obesidade no país passou de 11,8% para 19,8%. A prevalência de obesidade entre os que têm de zero a oito anos de escolaridade é de 23,5% comparada a 14,9% para quem tem doze anos ou mais de escolaridade. Evidentemente escolaridade, aqui, é um marcador de renda. A diferença é ainda mais marcante quando se verifica a incidência de diabetes tipo 2 (doença essencialmente nutricional, como veremos adiante): a doença acomete 16,5% das pessoas com até oito anos de escolaridade *versus* 4,6% das pessoas com mais de doze anos de escolaridade. E, por óbvio, a escolaridade não afeta o funcionamento do pâncreas. Os alimentos ultraprocessados – misturas industriais de açúcar, amido e óleos vegetais – são, além de irresistíveis – simplesmente baratos. A transição nutricional, no Brasil, está completa.

Controvérsia

Heurística é

> um procedimento mental simples que ajuda a encontrar respostas adequadas, embora várias vezes imperfeitas, para perguntas difíceis. [...] Heu-

rísticas são processos cognitivos empregados em decisões não racionais, sendo definidas como estratégias que ignoram parte da informação com o objetivo de tornar a escolha mais fácil e rápida[7].

A classificação **nova** é uma heurística. Todos sabemos que um biscoito recheado é um alimento ultraprocessado e que uma fatia de salmão é um alimento *in natura*. Esses fatos são autoevidentes; não precisa pensar muito, e é para isso que uma heurística serve – uma regra fácil, intuitiva, útil para decisões espontâneas. A heurística "não coma produtos ultraprocessados e dê preferência a alimentos *in natura*", se seguida de forma automática, produzirá um número maior de acertos do que de erros: os biscoitos seriam evitados e o peixe seria consumido.

Entretanto, tenho visto cada vez mais equívocos e abusos dessa heurística. Há situações em que o alimento *in natura* ou minimamente processado é uma opção muito pior do que um ultraprocessado – mas para isso há que raciocinar, que é o oposto de usar uma heurística. Vamos pensar em um paciente diabético tipo 2, que esteja adotando o método *low-carb* para conseguir colocar a sua doença em remissão (Capítulo 9). Para esse paciente, um refrigerante sem açúcar (ultraprocessado) seria uma opção muito melhor do que um caldo de cana integral ou um suco de laranja. Um biscoito *low-carb* proteico à base de proteína do leite (um ultraprocessado que já se encontra no mercado) seria uma opção muito melhor do que um pão feito em casa com ingredientes integrais. E um *shake* de *whey protein* (obviamente ultraprocessado) seria muito melhor do que um mingau de aveia integral.

Acontece que o grau de processamento afeta os macronutrientes de forma distinta[8]. O processamento de gorduras e de proteínas parece não afetar seus efeitos metabólicos, bem como seus efeitos sobre o apetite. Já o grau de processamento dos carboidratos tem efeitos gigantescos sobre a saúde, o metabolismo e o apetite. Basta pensar na dife-

---

7. HEURÍSTICA. *In*: WIKIPÉDIA: a enciclopédia livre. Flórida: Wikimedia Foundation, 2023. Disponível em: https://pt.wikipedia.org/wiki/Heur%C3%ADstica. Acesso em: 10 jul. 2023.
8. ASTRUP; MONTEIRO, 2022.

rença abissal que existe entre comer maçã ou tomar suco de maçã; comer uva ou tomar suco de uva. Contudo, os efeitos metabólicos do consumo de uma proteína na forma de carne ou na forma de *beef protein* (proteína de carne em pó) são virtualmente os mesmos. O mesmo poderia ser dito de clara de ovo e de albumina em pó.

Uma forma de pensar o assunto à luz da teoria carboidrato-insulina seria o seguinte: o processamento de um alimento proteico tende a concentrar algo bom (pense em leite dando origem ao *whey*, sua proteína concentrada), enquanto o processamento de um alimento rico em carboidratos tende a concentrar algo problemático (é certamente mais saudável consumir milho do que amido de milho ou xarope de milho de alta frutose, seus derivados processados). Descartar todos os ultraprocessados jogaria fora o bebê junto com a água do banho (alimentos proteicos processados costumam ser boas opções); e consumir alimentos minimamente processados como suco de uva é uma péssima ideia (não raro essa bebida pode ter mais açúcar do que um refrigerante, e a molécula de açúcar é a mesma, independentemente de vir da cana ou da uva).

Outra questão importante é que o fenômeno observado por Kevin Hall de que pessoas comem 500 calorias a mais apenas devido ao grau de processamento dos alimentos foi demonstrado em um estudo de apenas catorze dias e em dietas de alto carboidrato. Mas talvez tal efeito se atenue com o decorrer das semanas (e isso é aparente quando olhamos as curvas que, após uma separação original, parecem convergir lentamente no decorrer dos catorze dias). Coisas como hiperpalatabilidade parecem regular agudamente o consumo de alimentos. Já a regulação do tecido adiposo pelos níveis de insulina parece ter um efeito regulatório em mais longo prazo. De fato, David Ludwig postula que a obesidade comum é um fenômeno que se desenvolve no decorrer de muitos anos, de tal maneira que um ganho extra de 1 a 2 g de gordura por dia seria suficiente para explicá-la. Acontece que um acúmulo (ou perda) de tão poucos gramas de gordura não é detectável com os métodos existentes em períodos de poucas semanas[9], motivo

---

9. LUDWIG; APOVIAN; ARONNE *et al.*, 2022.

pelo qual sua demonstração experimental em pacientes confinados é um desafio, afinal, quem vai querer ficar cinco meses confinado em um quarto de hospital pelo bem da ciência?

> [...] é o processamento dos carboidratos que, ao concentrar açúcares e amidos, multiplica seu índice e sua carga glicêmica e gera boa parte dos males atribuídos a essa categoria de produtos como um todo.

Parece-me que há uma influência inequívoca do consumo de ultraprocessados sobre o aumento de peso e o desenvolvimento de problemas metabólicos como esteatose e diabetes tipo 2. Mas, tudo indica, é o processamento dos carboidratos que, ao concentrar açúcares e amidos, multiplica seu índice e sua carga glicêmica e gera boa parte dos males atribuídos a essa categoria de produtos como um todo. O processamento por si só não é necessariamente ruim. De fato, o processamento pode oferecer ao consumidor conveniência, preços mais acessíveis, maior durabilidade dos produtos e menos desperdício de alimentos. E esse é o problema da heurística: ela é incapaz de enxergar que nem todos os ultraprocessados são iguais.

> Neste capítulo, abordamos a importância do grau de processamento dos alimentos. Há alta associação entre o consumo de alimentos ultraprocessados e obesidade. Mas será que o problema é o grau de processamento em si? Afinal, a maioria dos ultraprocessados é rica em carboidratos refinados (pense em salgadinhos, biscoitos, cereais matinais, refrigerantes, sucos e achocolatados, por exemplo). Será que o problema não seria apenas o excesso de carboidratos? Além disso, os alimentos ultraprocessados são flagrantemente pobres em proteínas. Não seria esse também outro problema? Um ensaio clínico randomizado conduzido pelo doutor Kevin Hall demonstrou que, mesmo quando você deixa todas essas va-

riáveis (gorduras, carboidratos, açúcar, proteínas e fibras) iguais entre os grupos, o grupo sorteado para alimentos ultraprocessados ainda assim consome cerca de 500 calorias a mais por dia. De fato, o grupo que consumiu os alimentos ultraprocessados ganhou peso, enquanto o grupo dos minimamente processados perdeu peso – e a única diferença foi o grau de processamento. Os motivos são complexos e não totalmente conhecidos, mas provavelmente incluem o hipersabor (hiperpalatabilidade), bem como o fato de que o ultraprocessamento dos carboidratos aumenta seu índice e sua carga glicêmica, bem como piora seu impacto metabólico. Para agravar a situação, esses alimentos tendem a ser mais baratos e acessíveis que a comida de verdade.

Albert Einstein disse que as coisas devem ser tornadas tão simples quanto possível, mas não mais simples do que isso. Seria muito bom se tudo pudesse ser reduzido a gramas de carboidrato e picos de insulina. Mas, como disse H. L. Mencken, para todo problema complexo existe sempre uma solução simples, elegante e completamente errada. E é assim, tentando manter o equilíbrio entre a simplicidade possível e a complexidade necessária, que avançamos para a Parte 2 deste livro.

PARTE 2
Low-carb: a ciência e a prática

7

O QUE DEVO COMER?

A estratégia de baixo carboidrato, ou *low-carb*, abreviatura em inglês que acabou ganhando popularidade, é um amplo guarda-chuva sob o qual se abriga uma variedade de formas de se alimentar. Na realidade, é um espectro que vai desde a dieta *very low-carb*, literalmente "muito baixo carboidrato", também conhecida como cetogênica, até uma *low-carb* moderada, que inclui carboidratos como tubérculos e frutas, excluindo apenas açúcar e farináceos.

Como veremos adiante, um importante determinante do grau de restrição de carboidratos necessário é a saúde de cada pessoa[1]. Quem se beneficia de restrições mais severas são pessoas obesas, diabéticas ou com resistência à insulina e/ou com síndrome metabólica (Capítulos 8 e 9). Já as pessoas saudáveis, fisicamente ativas e sem transtornos metabólicos não precisam restringir carboidratos na mesma proporção, embora qualquer ser humano possa se beneficiar de evitar açúcar, farinha, demais carboidratos refinados e alimentos ultraprocessados.

A maioria dos leitores deste livro (bem como do meu *blog*) se enquadra em dois grupos: excesso de peso e problemas metabólicos (resis-

---
1. SOUTO, 2015.

tência à insulina, síndrome metabólica, pré-diabetes ou diabetes tipo 2). Assim, começarei descrevendo uma versão mais restrita de *low-carb* e farei as devidas ressalvas no decorrer do texto.

Orientações gerais

Dê preferência a "comida de verdade". Comida de verdade é tudo o que você encontra no açougue, na peixaria, na feira. Como vimos na Parte 1, alimentos ultraprocessados são, de forma geral, contraproducentes e são ricos em carboidratos prejudiciais à saúde (açúcar e amidos refinados). Comida de verdade não costuma ter rótulo, e o alimento é seu próprio ingrediente. Por exemplo: carne, ovos, espinafre, couve, vagem, abacate etc.

Elimine o açúcar. Açúcar aqui é o açúcar branco refinado do açucareiro (sacarose), mas é também açúcar de maçã, açúcar de coco, açúcar mascavo, açúcar demerara, açúcar orgânico etc. Mel também é açúcar. Cuidado com a falácia naturalista "mas o mel é natural!". Todo açúcar é natural. O açúcar do açucareiro não foi sintetizado em uma fábrica, ele veio de uma planta (que pode ter sido cana-de-açúcar, mas pode ter sido beterraba-sacarina, milho, ou qualquer outro vegetal). A abelha não fabrica o açúcar do mel, ela coleta o açúcar em plantas e o concentra.

Obviamente, elimine também o açúcar contido em grande quantidade em produtos, como doces, molho *barbecue*, *ketchup* etc. (existem versões sem açúcar que, dependendo da composição, poderão ser consumidas, como veremos adiante).

Suco de fruta, mesmo que natural, integral e cujo rótulo apresente os dizeres "sem adição de açúcar", contém quantidades muito elevadas do açúcar da própria fruta. O seu típico suco de uva natural integral contém mais açúcar do que um refrigerante. Sob pena de ser repetitivo, não interessa de qual planta o açúcar veio – trata-se da mesma substância. Seu pâncreas é agnóstico quanto à origem do açúcar e secretará insulina da mesma maneira. Beber suco de uva ou caldo de cana, do ponto de vista metabólico, é a mesma coisa (limonada e suco de maracujá são exceções, visto que a quantidade de açúcar nessas frutas é pequena e que, devido à sua acidez, costumam ser diluídos em água para consumo).

Lembre-se: amido = glicose, mesmo não tendo gosto doce! Um dos erros mais comuns de quem inicia no mundo *low-carb* é achar que basta cortar o açúcar. O amido, como já explicamos, é feito de moléculas de glicose. **Amido é glicose.** Mas, na nossa cabeça, não computamos essa informação, pois associamos açúcares (glicose, frutose, sacarose) ao sabor doce. Como farinha de trigo ou amido de milho, por exemplo, não são doces, gera-se essa confusão. Assim, é preciso que fique claro: açúcares e amidos diferem em seus usos culinários. Mas, depois que passam pela boca, são basicamente a mesma coisa (açúcar é tecnicamente pior em alguns aspectos, por conter 50% de frutose, que é tóxica para o fígado acima de certa quantidade, como veremos adiante). Uma batata inglesa ou um pão francês elevarão a glicose no sangue em maior grau e mais rapidamente do que a quantidade equivalente de carboidratos na forma de açúcar do açucareiro – afinal, esses alimentos são ricos em amido, e amido, como insistimos em frisar, é glicose pura.

....
[...] açúcares e amidos diferem em seus usos culinários. Mas, depois que passam pela boca, são basicamente a mesma coisa.
....

Evite grãos (trigo, aveia, centeio, cevada), pois, além de eles serem importante fonte de amido, costumam ser consumidos em sua forma refinada. Estão presentes em boa parte dos alimentos ultraprocessados. Sua eliminação implica deixar de consumir tudo o que for preparado com eles: pães (integrais ou não), massas, biscoitos (não importa que sejam salgados ou integrais, o amido está lá!); barras de cereal, granola, biscoitos, salgadinhos, empadas, cerveja (conhecida como "pão líquido" não por causa do álcool, e sim pelo conteúdo de amido).

Existe uma relevante culinária *low-carb* de substituição, que pode tornar o processo de eliminação desses alimentos mais suave (há bons *blogs*, livros e *sites* sobre o assunto). É muito comum o emprego de farinhas alternativas (de amêndoas, de coco, de linhaça, de amendoim etc.) para o preparo de versões *low-carb* de diversos alimentos. É bom lembrar, contudo, que muitas receitas com farinhas *low-carb* costumam ter pouca proteína e muita energia (relação proteína:energia ruim), além de apresentarem, potencialmente, hipersabor, levando ao consumo exagerado, o que pode dificultar o processo de emagrecimento para algumas pessoas.

Trigo, centeio e cevada, além de carboidratos, são fontes de glúten. Quando se fala em glúten, a primeira coisa que nos vem à mente são as pessoas com doença celíaca – doença autoimune em que pessoas geneticamente suscetíveis (cerca de 1% a 2% da população) desenvolvem graves alterações na mucosa intestinal quando consomem glúten, mesmo que em quantidades mínimas. Existe uma discussão importante sobre a existência ou não da chamada intolerância não celíaca ao glúten: pessoas que efetivamente se sentem melhor ao remover essa proteína da sua dieta. E, por fim, existe uma teoria que propõe que a permeabilidade intestinal aumentada (*leaky gut*, em inglês) esteja por trás de várias doenças de natureza inflamatória e autoimune[2]. Assim, fica aqui a sugestão de que, para algumas pessoas, benefícios como melhora de cefaleias ou remissão de psoríase possam estar intimamente relacionados à eliminação completa desses grãos (há que pontuar, entretanto, que o nível de evidência científica para isso ainda é bastante baixo).

Evite outros alimentos ricos em amido, como arroz (todos os tipos), batata, milho, amido de milho, polvilho, tapioca, mandioca, batata-doce. Muitos ficam surpresos pelo fato de a tapioca e a batata-doce estarem nessa lista. E veja: a batata-doce é um excelente alimento; mas não se trata aqui de dizer se um alimento é bom ou ruim. A questão é que a batata-doce contém grande quantidade de amido e, a despeito do que você possa ter ouvido ou lido no passado, ela eleva excessivamente a glicemia de um diabético, por exemplo. *Low-carb* é baixo carboidrato. Assim, apesar de a batata-doce (ou qualquer outro alimento rico em amido) ser não processada e nutritiva, não é uma opção adequada para a versão mais estrita de uma dieta *low-carb*.

----
2. SOUTO, 2014a.

Leite contém cerca de 10 g de açúcar a cada 200 ml (um copo pequeno). Esse açúcar, chamado lactose, é composto de dois outros açúcares unidos: a glicose e a galactose. Esta última não eleva significativamente a glicose no sangue, de modo que a questão do leite é, de fato, a quantidade a ser consumida. Acrescentar 20 ml de leite a uma xícara de café significa 1 g de lactose (ou 0,5 g de glicose), o que é irrelevante. Outra coisa importante é que o leite sem lactose não é um leite sem açúcar! Como assim? O leite sem lactose é acrescido da enzima lactase, que quebra a molécula de lactose em glicose e galactose e evita, assim, os sintomas de quem tem intolerância à lactose (gases, cólicas, diarreia). Se um copo de 200 ml de leite tem 10 g de açúcar na forma de lactose, um copo de leite sem lactose terá 5 g de glicose e 5 g de galactose, ou seja, rigorosamente a mesma quantidade de açúcar (curiosidade: é por esse motivo que o leite sem lactose é adocicado: a glicose quimicamente isolada é mais doce do que a lactose).

Eu consigo escutar você se lamentando: "Mas **o que** eu vou comer, afinal de contas?". Calma, ninguém morre de fome na dieta *low-carb*. Aliás, umas das características definidoras dessa estratégia é justamente o seu poder de saciedade.

Vamos agora falar sobre o que se come em uma dieta *low-carb*. E olha que não é pouca coisa.

Folhas verdes e legumes (emprego aqui o significado usual de legumes na língua portuguesa; trataremos mais à frente das leguminosas, ou seja, aquilo que cresce dentro de vagens). Inclui hortaliças como couve-manteiga, espinafre, alface, brócolis, couve-flor, berinjela, abobrinha, pimentão, tomate, cenoura, cebola, couve-de-bruxelas etc. A beterraba costuma causar confusão, pois muito se fala do açúcar feito a partir dela. Acontece que a beterraba utilizada na Europa para a extração de açúcar é a beterraba-sacarina, uma variedade de coloração branca e que, de fato, é doce. A nossa beterraba familiar, roxa, contém cerca 10 g de carboidratos a cada 100 g, de modo que seu consumo moderado (alguns pedaços ou uma porção de beterraba ralada) não tem maior relevância. Alguns tipos de abóbora são mais doces, como a cabotiá (também chamada de moranga ou jerimum, dependendo da região do país). A quantidade de carboidratos por 100 g de abóbora cabotiá é semelhante à da mesma quantidade de beterraba: cerca de 10 g. Porém, a quantidade consumida costuma ser bem maior. Se você precisa de uma versão restritiva da dieta *low-carb* (que é o caso de diabéticos, por exemplo), consuma com moderação: por exemplo, carne moída com pedaços de cabotiá ou fatias pequenas; o que não pode é exagerar.

A categoria de folhas verdes e legumes é rica em nutrientes e em fibras (que colaboram para a saciedade), saborosa e quase desprovida de calorias. É curioso perceber que as pessoas têm uma ideia preconcebida de *low-carb* como uma mitológica "dieta da proteína", na qual se vive de linguiça, carne e queijo. Uma alimentação *low-carb* típica apresenta, não raro, mais vegetais do que a típica dieta ocidental padrão, baseada em lasanha de micro-ondas, arroz e batatas fritas.

Carnes. Entenda carne como uma categoria ampla, que inclui não apenas a carne vermelha, mas também peixes, aves, frutos do mar, porco, ovelha etc. – enfim, bichos. No Capítulo 12 vamos falar mais sobre os equívocos da epidemiologia nutricional, segundo a qual carnes (sobretudo a vermelha) fariam mal à saúde. Por ora, saiba que as carnes (de todas as cores e matizes) são não apenas saudáveis, mas uma das melhores fontes de proteínas de alto valor biológico e de nutrientes, sendo centrais para a construção de uma dieta *low-carb* saudável e saciante. Os muitos estudos – ensaios clínicos randomizados – que utilizam *low-carb* para tratar (e até mesmo colocar em remissão) diabetes tipo 2, síndrome metabólica e gordura no fígado, sem falar em emagrecimento, permitem carnes à vontade em sua formulação. Os nutrientes das carnes são altamente biodisponíveis, isto é, você é capaz de absorvê-los com muita eficiência, diferentemente do que acontece com alguns vegetais: o feijão, por exemplo, é rico em ferro, mas 98% desse ferro é eliminado pelas fezes. A maior e melhor fonte de ferro da dieta humana é a carne vermelha, que tem a sua cor justamente devido à riqueza desse elemento. Como vimos no Capítulo 5, a proteína é o grande freio do nosso apetite; portanto, melhorar a relação proteína: energia favorece o emagrecimento. Esse é mais um motivo pelo qual as carnes ocupam posição central na formulação de uma dieta *low-carb*. Porém, embora uma dieta *low-carb* vegetariana seja mais trabalhosa, ela é possível. Como as proteínas de origem vegetal costumam vir acompanhadas de muito carboidrato, seu emprego em uma dieta *low-carb* muitas vezes requer o uso de suplementos (proteína isolada de ervilha, arroz etc.). Para ovolactovegetarianos e aqueles que incluem peixes em sua dieta, o processo é muito facilitado.

> [...] a proteína é o grande freio do nosso apetite.

A quantidade a ser consumida é ditada pela sua fome. O tipo é ditado pela sua preferência. Quanto ao teor de gordura, depende de seus objetivos. Para fins de emagrecimento (e, portanto, também para a melhora de doenças metabólicas como diabetes tipo 2 e síndrome metabólica), cortes mais magros (ou pelo menos a remoção da gordura visível na hora de comer) podem ser mais interessantes. Falaremos mais desse assunto ainda neste capítulo.

Ovos. São interessantes as controvérsias a respeito do ovo. No Capítulo 12 falaremos sobre as concepções equivocadas que deram origem a essas controvérsias, mas no momento cabe dizer que os ovos, além de altamente saciantes, são verdadeiros multivitamínicos da natureza. Pense bem: tudo de que o embrião da galinha precisa para ir de uma única célula até um pinto recém-nascido está contido ali! Quantos ovos você pode comer por dia? Quantos quiser. O colesterol contido nos alimentos (e o ovo não é exceção) tem pouco impacto no colesterol do sangue. Uma coisa que costumo explicar a meus pacientes é que quando comemos um galeto em um restaurante, estamos consumindo algo que, cerca de três semanas antes, era um ovo. E nunca vi as pessoas contarem quantos galetos consumiram por esse motivo! Os ovos podem ser consumidos da forma que você preferir – cozidos, mexidos, como omelete e, sim, fritos. Basta não utilizar grande quantidade de gordura no preparo, para não comprometer a relação proteína:energia.

Frios e embutidos (salame, peito de peru, presunto, bacon etc.). Há certo consenso na literatura médica de que os embutidos são piores para a saúde do que as carnes frescas. Até mesmo isso é em parte questionável, como veremos no Capítulo 12. Mas partindo do pressuposto de que alimentos menos processados são melhores para a saúde, carnes frescas são preferíveis aos frios e embutidos. Também é fato que essa categoria de alimentos não deve ser a base da sua dieta. Eles servem principalmente para acrescentar sabor e variedade. A verdade é que, independentemente da sua alimentação (mesmo que você não siga nenhuma dieta em particular), quem consome esse tipo de alimento não o faz por ter a ilusão de que são o caminho para saúde, e sim como um petisco eventual ou um tempero do feijão – e isso não muda na *low-carb*. *Low-carb* não é uma dieta na qual se comem quantidades ilimitadas de bacon, ao contrário do que alguns dizem por aí.

Frutas. Você já deve ter escutado que as frutas não fazem parte de uma dieta *low-carb*, o que não poderia estar mais distante da realidade. Há dois motivos para isso. Primeiro, é preciso lembrar que, como já dissemos, a dieta *low-carb* é um espectro, e há pessoas que só precisam restringir açúcar e farináceos, mas que podem consumir frutas e tubérculos sem problemas. Em segundo lugar, existem muitas frutas que são pobres em carboidratos, para as pessoas que precisam de uma versão mais restritiva da dieta *low-carb*. É preciso lembrar que muitos itens que chamamos de legumes ou mesmo de salada na realidade, do ponto de vista biológico, são frutas. A maioria de nós sabe que o tomate é uma fruta. Mas você sabia que o pimentão, a berinjela, a abobrinha, o pepino, o chuchu, entre outros, também são frutas? Assim, se por um lado é verdade que as frutas são fontes ricas de nutrientes, por outro também é verdade que esses nutrientes não estão presentes exclusivamente nas frutas doces. Um pimentão tem mais vitamina C do que uma laranja. Um abacate tem mais potássio do que uma banana. Repetindo: ter açúcar não é uma prerrogativa necessária para que uma fruta tenha nutrientes, e muitas das frutas mais nutritivas são pobres em açúcar (incluindo aquelas que estão presentes nas saladas e que muitos de nós nem sabíamos que eram frutas).

....

Repetindo: ter açúcar não é uma prerrogativa necessária para que uma fruta tenha nutrientes, e muitas das frutas mais nutritivas são pobres em açúcar.

....

Feitas todas essas ressalvas, é fato que as frutas podem, sim, ser fonte de excesso de açúcar. Há dois motivos para isso. O primeiro é a ideia equivocada de que, se fruta é saudável, uma grande quantidade também o será. O segundo é o fato de que as frutas cultivadas são muito diferentes das frutas silvestres que lhes deram origem. Nossos antepassados fizeram um excelente trabalho em selecionar variedades que são cada vez mais doces, cada vez maiores, com menos fibra e, muitas vezes, até mesmo sem sementes. Assim, frutas doces devem ser vistas como sobremesas, como uma indulgência. E embora elas sejam uma forma mais natural e saudável de consumir açúcar, segue sendo açúcar. Por isso, no contexto de uma dieta baixa em carboidratos, damos preferência às frutas de baixo açúcar consumidas em sua forma natural (comer alguns morangos é diferente de comer potes de salada de frutas). A ordem em que se consomem as frutas na refeição também importa. Estudos mostram que o impacto glicêmico do consumo de uma fruta doce será menor se ela for consumida no final de uma refeição contendo proteína. Isso ocorre porque a proteína retarda o esvaziamento gástrico, fazendo com que o açúcar entre mais lentamente na corrente sanguínea. Em suma, frutas baixas em carboidratos podem fazer parte do cardápio diário de uma alimentação *low-carb*. Quanto às frutas mais doces, quantidade e frequência importam, assim como a situação da pessoa: um diabético terá mais benefícios ao restringir frutas doces do que uma pessoa saudável e com peso adequado, por exemplo (mais sobre isso no Capítulo 9).

> [...] um diabético terá mais benefícios ao restringir frutas doces do que uma pessoa saudável e com peso adequado.

As frutas ideais para *low-carb* (além, é claro, das frutas que tratamos como saladas, como o tomate, o pimentão, a abobrinha etc.) são as frutas silvestres (conhecidas em inglês como *berries*) – como morango, mirtilo, framboesa, amora etc. – e as frutas com maior teor de gordura, como coco e abacate (as azeitonas são outro exemplo dessa categoria). Goiaba, maracujá e limão também são frutas de baixo açúcar.

Há um conjunto relevante de frutas que têm mais açúcar do que as anteriores, mas cujo consumo moderado, como sobremesa, pode ser encaixado em uma dieta *low-carb* (exceto nos casos que requerem uma versão bem restritiva, como veremos em capítulos subsequentes; nesses casos, é melhor ficar com a lista do parágrafo anterior). Aqui se incluem ameixa, nectarina, pêssego, uma maçã pequena, *kiwi*, um pouco de mamão, melão ou abacaxi (pedaços), laranja (para comer, não espremer). No caso de frutas pequenas (ameixa, *kiwi*), a unidade é uma boa quantidade. No caso de frutas grandes (mamão, abacaxi), obviamente a porção não deverá ser muito grande, se a restrição de carboidratos for necessária.

Frutas tropicais costumam ser grandes e excepcionalmente doces. Por isso, frutas como banana madura, caqui, manga etc. precisam ser consumidas moderadamente (caso você necessite da versão mais restritiva de uma abordagem *low-carb*).

Oleaginosas (castanha, amêndoa, macadâmia, pistache, avelã, noz, amendoim). O amendoim, a rigor, é uma leguminosa, ou seja, pertence ao mesmo grupo do feijão, o que pode ter implicações para pessoas com doenças autoimunes, segundo a teoria do intestino permeável. Mas, para fins didáticos no contexto da *low-carb*, pode ser colocado no mesmo grupo que as demais oleaginosas de baixo carboidrato. As oleaginosas costumam ser consideradas boas opções de lanche, mas há dois poréns: são hiperpalatáveis, isto é, muito saborosas; e contêm mais gordura do que proteína, ou seja, têm alta densidade calórica, o que pode favorecer o consumo excessivo e dificultar a perda de peso. Suas farinhas, muito empregadas na culinária *low-carb* de substituição para fazer pães, confeitos e doces, também aumentam o risco do consumo calórico excessivo. No entanto, de fato têm baixo impacto glicêmico. Assim, a necessidade de moderar ou não o seu consumo está mais relacionada à necessidade ou não de perda de peso. Pessoas que, mesmo seguindo a estratégia *low-carb*, têm dificuldade em emagrecer, em geral voltam a ter sucesso ao limitar as oleaginosas e os laticínios gordos, e pelo mesmo motivo: ambos têm mais gordura do que proteína e são alimentos que ou são hiperpalatáveis por si sós ou participam de receitas irresistíveis. Você não precisa estar com fome para, por exemplo, comer uma *cheesecake* com crosta de farinha de amêndoas e recheio de *cream cheese* adoçada com xilitol ou eritritol. Importante lembrar que entre essa *cheesecake* e uma com açúcar e farinha de trigo, com certeza a versão *low-carb* será a melhor opção. E se o motivo dessa dieta baixa em carboidratos for controlar os níveis de glicose no sangue, ainda assim a versão *low-carb* da *cheesecake* será muito superior.

Leguminosas. No nosso idioma, usamos o termo "legume" como sinônimo de salada. Se você pedir legumes na manteiga em um restaurante, é provável que receba uma mistura de brócolis, couve-flor, cenouras, vagens e abobrinhas. Já no inglês, a palavra *"legume"* indica um grupo botânico, o das leguminosas. Cuidado com as traduções malfeitas, já vi muitas vezes *legume* ("leguminosa") ser traduzido como "legumes". As leguminosas caracterizam-se, para fins práticos, por coisas que crescem em vagens. Pertencem a esse grupo, por exemplo, o feijão, a lentilha, a ervilha, o grão-de-bico, o amendoim e a soja. Entre os produtos de origem vegetal, esse grupo é o único que contém quantidades maiores de proteína (muito embora a biodisponibilidade e as quantidades relativas dos diversos aminoácidos sejam por vezes subótimas). Amendoim e soja são pobres em carboidratos, mas os demais (feijão, lentilha, grão-de-bico, ervilha) são fonte de carboidratos. O feijão, por exemplo, chega a ter 70% de amido em sua composição. É bem verdade que o tipo de amido predominante no feijão, na lentilha e no grão-de-bico é constituído de polímeros lineares chamados amilose, cuja digestão é, efetivamente, mais lenta. Aliás, é justamente por isso que há tantas piadas sobre feijão e gases: por sua digestibilidade ruim, o amido do feijão acaba chegando ao cólon, onde é fermentado e produz esse efeito. Em uma dieta *low-carb* mais restritiva, evitam-se feijão, lentilha e grão-de-bico. Em um diabético, o impacto glicêmico pode ser substancial. Há ainda a preocupação de que aumentem a permeabilidade intestinal (embora em menor grau do que os grãos que contêm glúten), o que poderia, em tese, ser ruim para pessoas com doenças autoimunes (mais uma vez, baixo nível de evidência científica). Para as pessoas saudáveis e que não precisam de uma dieta *low-carb* restritiva, o consumo de leguminosas pode ser uma opção adequada. Não é razoável colocar feijão no mesmo balaio que bisnaguinhas ou rapaduras. Por fim, vale salientar que as vagens, em si, são pobres em carboidratos e podem ser consumidas sem problemas mesmo em uma dieta *low-carb* restritiva. De forma geral, as formas verdes (no sentido de não maduras) dos vegetais são pobres em carboidratos. O teor de carboidratos aumenta com a maturação.

Bebidas não alcoólicas. A *água*, com ou sem gás, é, por óbvio, a opção primordial para hidratação em qualquer tipo de dieta. *Sucos de frutas* doces estão completamente descartados por seu alto teor de açúcar (e alegações como "sem açúcar adicionado" são ridículas nesse contexto, pois seria como dizer isso de um caldo de cana: não foi adicionado açúcar porque nele já há quantidades absurdas desse elemento). Exceções aqui são os *sucos de limão* ou *de maracujá* (com ou sem adoçantes, sobre os quais falaremos mais adiante), visto que são frutas de baixo teor de açúcar e que, devido a sua acidez, seu suco costuma ser diluído em água: você faz um litro e meio de limonada com um limão, mas precisa de três ou quatro laranjas inteiras para fazer um copo de suco. *Chás* de todos os tipos são ótimos. É óbvio que me refiro a infusões – folhas e caules colocados em água quente (tanto faz se dentro de um saquinho ou não). Não me refiro aos abomináveis "chás" granulados, nos quais há grande quantidade de maltodextrina (que é uma forma de amido) ou de açúcar. *Café*, que não deixa de ser uma infusão, também é totalmente *low-carb*. E, com as devidas ressalvas, pois sabemos que não se trata da opção mais saudável, *refrigerantes zero açúcar* podem ser utilizados tanto por quem faz *low-carb* para perda de peso quanto por quem o faz para controle do diabetes. A despeito do que você pode ter visto na internet, ensaios clínicos randomizados (que são os estudos com maior nível de evidência) indicam que esses produtos não interferem no emagrecimento no contexto de uma dieta *low-carb*, e qualquer pessoa com acesso a um aparelho de medir glicose **sabe** que eles não afetam a glicemia. Agora, o bom senso sugere que o consumo frequente de produtos coloridos, saborizados e adoçados artificialmente pode ser ruim para a saúde: há uma diferença entre **poder** consumir e **dever** consumir.

Bebidas alcoólicas. O álcool é uma toxina. Eu suponho que, a essas alturas do século XXI, ninguém alegue que consome álcool para ficar mais saudável. O álcool é uma droga socialmente aceita, com potencial de abuso, tolerância e dependência. Seu consumo habitual está associado a risco aumentado de vários tipos de câncer e seu abuso é uma das principais causas da cirrose hepática. Mas, obviamente, é uma questão de quantidade. E, para quem opta por beber a despeito dos conhecidos efeitos do álcool sobre a saúde, cabe informar que ele, em si, não eleva a glicemia. Aliás, pelo contrário, o etanol interfere na produção de glicose pelo fígado, e seu consumo exagerado pode até mesmo produzir hipoglicemia. O problema de muitas bebidas alcoólicas, no que se refere à dieta *low-carb*, é a presença de açúcar ou de amido. O *vinho seco* e o *espumante brut*, por exemplo, são muito pobres em açúcar. Isso se dá por causa da fermentação, na qual as leveduras transformam o açúcar natural da fruta em álcool. Por isso, o suco de uva está fora de uma dieta *low-carb*, mas o vinho e o espumante não. Já as versões "suaves" desses produtos (leia-se: doces) estão fora, pois existe acréscimo de açúcar pelo fabricante após a fermentação. Todos os destilados (*vodca, cachaça, uísque, gim* etc.) são naturalmente isentos de carboidratos. Em uma caipirinha, o problema em termos de impacto glicêmico não é nem a cachaça nem o limão, e sim o açúcar (que pode ser substituído, como veremos).

As leveduras, como vimos, são capazes de converter açúcar em álcool. Porém, falta a elas a enzima que as permitiria digerir o amido. Por isso os grãos cereais, antes de poderem ser fermentados para criar a *cerveja*, precisam ser maltados, isto é, é necessário que haja o começo da germinação desses grãos. Nesse processo de germinação, enzimas presentes na semente convertem parte do amido em açúcar, e é esse açúcar que é convertido em álcool na produção da cerveja. Porém, uma boa quantidade do amido originalmente presente no grão persiste no produto final, e é esse amido que faz com que a cerveja não seja pobre em carboidratos, diferentemente do que ocorre com os vinhos e espumantes. Por isso emprega-se jocosamente o termo "pão líquido" para se referir à cerveja: há, de fato, alguma verdade nessa descrição.

Observe, ainda, que cervejas sem álcool não são cervejas *low-carb*. Para que uma cerveja seja *low-carb*, é necessário que, no processo de fabricação, tenha sido acrescentada a enzima amilase, a fim de converter a maior parte do amido em açúcar, permitindo assim que a levedura faça uma fermentação mais completa dos carboidratos presentes na mistura. Já existem algumas opções assim no mercado.

Adoçantes

Se existe um assunto que é controverso no mundo *low-carb*, esse assunto é o uso de adoçantes. Para essa finalidade, nos interessam adoçantes, sejam eles naturais ou artificiais, calóricos ou não calóricos, que ofereçam adoçamento sem que haja impacto glicêmico ou insulinêmico significativos.

Afirmações do tipo "adoçantes são piores do que açúcar" ou "adoçantes engordam porque o sabor doce aumenta a insulina", embora estejam completamente equivocadas, são muito comuns nas redes sociais. Você deve lembrar que, conforme abordamos em detalhes no Capítulo 4, a versão simplificada da teoria carboidrato-insulina (qualquer coisa que eleve a insulina engorda e basta reduzir a insulina para que o emagrecimento magicamente ocorra) já foi refutada do ponto de vista científico, de modo que a questão de um eventual efeito dos adoçantes sobre os níveis pós-prandiais desse hormônio é, de fato, irrelevante.

De onde vem, então, essa polêmica? Como acontece com boa parte das outras confusões científicas do mundo da nutrição, a dúvida é suscitada por estudos observacionais, isto é, aqueles nos quais se comparam pessoas que usam adoçantes com pessoas que não usam adoçantes no dia a dia. O problema com esse tipo de estudo é que não se trata de um **experimento**, no qual as pessoas são **aleatoriamente alocadas** para um dos grupos e orientadas a usar adoçantes ou açúcar, e sim da observação pura e simples de indivíduos que **optam** ou não por utilizar adoçantes. Acontece que os usuários de adoçantes são diferentes das pessoas que habitualmente não os utilizam em **outros** aspectos que podem impactar na sua saúde. Por exemplo, nós sabemos que a obesidade é um fator de risco para o desenvolvimento de diabetes. E quem você acha que tem maior probabilidade de usar adoçantes em vez de açúcar: pessoas que estão no seu peso ideal ou pessoas obesas? É claro que são as pessoas obesas, e o motivo é fácil de entender: são pessoas que estão tentando diminuir o peso. Dessa forma, quando você compara usuários habituais com pessoas que nunca usam adoçantes e conclui que as pessoas que usam adoçantes apresentam um risco maior de desenvolver diabetes, você não pode afirmar que os adoçantes causam diabetes. Afinal, os adoçantes podem simplesmente ser um **marcador** de uma população menos saudável. Esse fenômeno é chamado de "causalidade reversa", ou seja, é a obesidade (que predispõe ao diabetes) que "causa" o uso de adoçantes, e não os adoçantes que causam diabetes. No entanto, você encontrará na mídia e em consultórios pessoas afirmando que "adoçantes aumentam o risco de diabetes". Discutiremos mais detalhadamente os aspectos metodológicos (desastrosos) da epidemiologia nutricional no Capítulo 12, mas por ora cabe salientar que os estudos que realmente podem nos informar sobre causa e efeito são os ensaios clínicos randomizados: experimentos verdadeiros nos quais as pessoas são sorteadas para usar os adoçantes, evitando o viés da causalidade reversa.

Quando avaliamos o conjunto das evidências, ou seja, as revisões sistemáticas (revisões bibliográficas que empregam metodologia rigorosa) e as metanálises (revisões que agregam matematicamente os resultados de vários estudos), o que se observa é o seguinte: adoçantes não calóricos favorecem a perda de peso quando substituem o açúcar[3] e não produzem elevações significativas da glicose sanguínea (o que deveria ser óbvio) nem da insulina[4, 5]. Existem alguns estudos que sugerem que o sabor doce dos adoçantes poderia elevar a insulina por causa da chamada "fase cefálica" da secreção desse hormônio. Afinal, é sabido que até mesmo o estímulo visual provocado por enxergar um alimento

---
3. MILLER; PEREZ, 2014.
4. SOUTO, 2021a.
5. GREYLING; APPLETON; RABEN *et al.*, 2020.

doce é capaz de provocar alguma secreção de insulina. A questão é: isso é relevante? A resposta é não. Veja, se nem mesmo a secreção significativa de insulina provocada pelo efetivo consumo de carboidratos é suficiente em si mesma para provocar ganho de peso (reveja a discussão desse assunto no Capítulo 4), é autoevidente que a mínima secreção de insulina provocada pelo sabor doce não é capaz de impedir os efeitos de uma dieta baixa em carboidratos, seja para o emagrecimento, seja para o tratamento de diabetes, de resistência à insulina ou de síndrome metabólica[6].

A opção por utilizar ou não adoçantes em uma dieta *low-carb* é de natureza totalmente pessoal. Para alguns, poder consumir algo doce serve de válvula de escape em uma dieta na qual a doçura é naturalmente escassa. Um docinho *low-carb*, um quadradinho de chocolate 80% cacau, matam a vontade de doce e ajudam a se manter na linha. Para outros, porém, o sabor doce é desencadeador de compulsão. Essas pessoas, por tentativa e erro, chegaram à conclusão de que, assim como um alcoólatra não consegue beber apenas um copo, a primeira mordida de uma torta *low-carb* pode levar a uma espiral de consumo de coisas doces – nem todas *low-carb*. O segundo grupo prefere evitar o uso de adoçantes, habituando o paladar a outros tipos de prazeres.

Para aqueles que preferem fazer uso de adoçantes no contexto de uma dieta de baixo carboidrato, algumas informações são importantes. Adoçantes podem ser classificados em alta e baixa intensidade, naturais e artificiais, calóricos e não calóricos. Sim, o assunto pode ser bastante complexo, mas, na minha opinião, o que você precisa saber a fim de fazer suas escolhas é relativamente simples.

Primeiro, ser natural ou artificial é, do ponto de vista científico, irrelevante. Sou coautor com Sarita Fontana de um *e-book* chamado *Guia de adoçantes*[7], no qual cada adoçante é avaliado individualmente, com as respectivas referências bibliográficas, justificando essa afirmativa.

---

6. Outra alegação comum é a de que os adoçantes, sobretudo os artificiais, seriam prejudiciais por modificar o microbioma intestinal. Para uma discussão mais aprofundada a respeito desse tema, veja SOUTO, 2021b.
7. FONTANA; SOUTO, 2021.

Mas a descrição individual de cada adoçante foge do escopo deste livro. Assim, em termos de alimentação *low-carb*, a opção entre estévia (natural) ou sucralose (artificial), por exemplo, é puramente uma questão de preferência pessoal.

> [...] ser natural ou artificial é, do ponto de vista científico, irrelevante.

Segundo, é importante saber a diferença entre adoçantes de alta intensidade (ciclamato, sacarina, sucralose, estévia, aspartame, acessulfame, taumatina etc.) e os de baixa intensidade, representados por polióis (xilitol, eritritol, sorbitol, isomalte ou maltitol) e pela alulose. Os polióis são moléculas de ocorrência natural e com estrutura química semelhante à do açúcar. A alulose é um "açúcar raro", com características muito interessantes, mas que ainda não está disponível no Brasil no momento em que escrevo estas linhas.

Adoçantes de alta intensidade (artificiais ou naturais, tanto faz) são, via de regra, vendidos em forma diluída. Afinal, são trezentas a seiscentas vezes mais doces que o açúcar, de modo que seu uso na forma pura é pouco prático. Os adoçantes em **gotas** são sempre adoçantes de alta intensidade diluídos em água (em geral com algum poliol). Assim, a primeira regra fácil é: **todos os adoçantes líquidos podem ser utilizados em *low-carb* sem problemas.** Nos adoçantes em pó, na forma de "sachês", também ocorre diluição, afinal a sucralose, por exemplo, é necessária em quantidade de miligramas, e não seria viável manipular uma quantidade tão pequena em sua forma pura. Portanto, os adoçantes de alta intensidade estarão misturados (diluídos) em algum outro pó comestível nesses sachês – e tal pó é sempre um carboidrato, em geral maltodextrina ou lactose. Acontece que o volume total de pó dentro de um sachê típico é de menos de 1 g, de modo que a quantidade de carboidrato é irrelevante. **Há, porém, uma grande "pegadinha": os adoçantes culinários, ou "de forno e fogão".** Esses produtos são basicamente amido (maltodextrina, ou seja, glicose pura) adoçado artificialmente (ou naturalmente, quando o adoçante é estévia, por exemplo). Assim, embora sejam comercializados para diabéticos,

90% a 98% de sua composição são carboidratos. Exploram a boa-fé das pessoas que, de forma geral, não sabem que zero açúcar não é sinônimo de zero carboidrato. Esse tipo de adoçante elevará a glicemia de um diabético e elevará bastante a insulina de quem o consumir. É uma aberração da legislação, um verdadeiro crime contra o consumidor (embora a legislação vigente o permita).

> [...] todos os adoçantes líquidos podem ser utilizados em *low-carb* sem problemas.
> Há, porém, uma grande "pegadinha": os adoçantes culinários, ou "de forno e fogão".

A segunda regra é que todos os polióis (xilitol, eritritol[8], sorbitol e isomalte) podem ser utilizados em uma dieta *low-carb*, mas **é preciso** ter cuidado com o maltitol, pois entre todos os poliois ele é o que tem maior impacto glicêmico. Em alguns doces industrializados, o maltitol é o primeiro ou o segundo ingrediente (a ordem dos ingredientes no rótulo indica a sua quantidade no produto). Uma goiabada ou uma "Nutella" *low-carb*, por exemplo, frequentemente têm maltitol como principal ingrediente, não sendo, portanto, adequados para uma dieta baixa em carboidratos.

Para lembrar mais facilmente desses nomes, costumo sugerir às pessoas o seguinte mnemônico: evite o que começa com **mal**: **mal**todextrina, **mal**titol.

---

8. Recentemente, foi publicado um artigo que levanta dúvidas sobre a segurança do eritritol, sugerindo que ele pudesse estar associado a um risco maior de eventos cardiovasculares. O artigo era composto de um estudo de epidemiologia nutricional (com todas as suas grandes limitações, ver Capítulo 12) e de estudos *in vitro* e em roedores sugerindo uma maior agregação das plaquetas. Contudo, não sabemos ainda se esse mesmo fenômeno ocorre em humanos e tampouco sabemos se o que foi medido no estudo epidemiológico era o eritritol consumido, visto que essa substância também é produzida pelo corpo humano em pequenas quantidades, e justamente em situações de maior *stress* oxidativo (que, elas próprias, indicam risco cardiovascular aumentado). Assim, é possível que pessoas com maior risco cardiovascular produzam mais eritritol no organismo, e não que o eritritol consumido seja o fator que determina esse aumento de risco. Disponível em: https://www.lowcarb-paleo.com.br/2023/02/eritritol.html. Acesso em: 30 abr. 2023.

Em suma:
1) Adoçantes em gotas são todos adequados para dietas *low-carb* (se preferir os naturais, opte por estévia, taumatina ou *monk fruit*).
2) Adoçantes em sachês contêm carboidratos, mas como o peso líquido total de cada sachê é de menos de 1 g, podem ser utilizados também.
3) Maltodextrina é glicose pura (na forma de polímero) e é o principal constituinte dos adoçantes culinários em pó – mantenha distância!
4) Os polióis (xilitol, eritritol, sorbitol e isomalte) são adequados para *low-carb*.
5) O maltitol é o único poliol que precisa ser visto com cuidado, pois, dependendo de sua forma química, pode ter até 75% do impacto glicêmico que o açúcar teria. Se for um ingrediente presente em quantidades maiores no alimento, não consuma.

Lista para iniciantes

Uma vez entendidos os princípios de uma dieta baixa em carboidratos – evitar açúcares e amidos e dar preferência a alimentos *in natura* e pouco processados – seguir esse estilo de vida passa a ser intuitivo. Não há necessidade de um cardápio prescritivo ou de contagem de calorias, que são coisas que dificultam a adesão no longo prazo e em situações de vida real: pense, por exemplo, em viagens ou férias.

Dito isso, para quem está iniciando, uma lista de alimentos pode ser útil. Tenha em mente que essa lista deve servir apenas de referência e não tem como objetivo incluir todos os alimentos possíveis, apenas demonstrar exemplos. Perceba, ainda, que determinados alimentos poderiam mudar de lugar nesta lista dependendo do objetivo do indivíduo. Por exemplo: queijos gordos e laticínios devem ser moderados por quem tem emagrecimento como objetivo (sobretudo por pessoas que têm dificuldade para emagrecer), mas os mesmos laticínios gordos podem ser consumidos livremente se o objetivo for apenas não elevar a glicemia de um paciente diabético que não precise mais emagrecer.

Alimentos permitidos

Carnes
- Carnes de todos os tipos e cortes (bovina, suína, ovina e de aves, bem como charque e carne de sol)
- Peixes e frutos do mar (camarão, polvo, lagosta, lula, marisco etc.)
- Vísceras (coração, fígado, moela, mondongo etc.)

Ovos
- De todos os tipos (de galinha, pato, codorna etc.)

Vegetais
- Abobrinha
- Alcaparras
- Alface
- Agrião
- Alho
- Alho-poró
- Berinjela
- Beterraba[9]
- Brócolis
- Cebola
- Cenoura[9]
- Chicória
- Chuchu
- Couve-de-bruxelas
- Couve-chinesa
- Couve-flor
- Couve-manteiga
- *Edamame* e soja
- Escarola
- Espinafre
- Ervilha torta
- Folhas em geral
- Jiló
- Mostarda
- Nabo
- Palmito
- Pepino
- Pimentão
- Pupunha
- Quiabo
- Repolho branco
- Repolho roxo
- Tomate
- Vagem

---

9. Em pacientes diabéticos de difícil controle, convém moderar e dar preferência ao consumo desse alimento cru.

Cogumelos
- Cogumelos (todos os comestíveis)

Laticínios
- Iogurte natural[10] contendo apenas leite e fermento lácteo, não adoçado e sem frutas

Frutas
Algumas frutas[10] dessa lista, como abacate, coco, morango, mirtilo, framboesa e amora, são realmente muito baixas em carboidratos e podem fazer parte de versões mais restritivas de uma dieta *low-carb*. Outras, como o *kiwi*, podem ser adequadas para a maioria das pessoas (em consumo moderado), mas podem ter impacto maior em diabéticos de difícil controle. Nesse caso, como explicado no Capítulo 9, o correto é medir o impacto na glicemia (preferencialmente com o uso de um monitor contínuo de glicose) para entender quais são as melhores opções e as quantidades adequadas de forma individualizada.

- Abacate
- Acerola
- Açaí puro (sem xarope, não adoçado)
- Amora
- Azeitona
- Coco
- Framboesa
- Goiaba
- Jabuticaba
- *Kiwi*
- Limão
- Maracujá
- Mirtilo
- Morango
- Pitanga
- Pitaya

Temperos
- Alecrim
- Adobo
- Canela
- Cravo
- Cúrcuma
- *Curry*

---

10. Em pacientes diabéticos de difícil controle, convém moderar o consumo e observar o impacto glicêmico diretamente no glucosímetro (ver Capítulo 9).

- Gengibre
- Hortelã
- Manjericão
- Manjerona
- Orégano
- Páprica
- Pimentas
- Sal
- Sálvia

Bebidas
- Água com ou sem gás
- Chás (exceto os granulados, cheios de açúcar e maltodextrina)
- Café
- Leite de amêndoas, de castanhas ou de coco (mas **não** de aveia ou de arroz); **importante:** tenha muito cuidado com os rótulos (não pode conter açúcar, amido, aveia ou arroz misturados). As versões caseiras podem ter vantagens
- Refrigerantes sem açúcar
- Sucos de limão e de maracujá sem açúcar

Adoçantes
DE ALTA INTENSIDADE
Naturais:
- Estévia
- Monk *fruit*
- Taumatina

Artificiais:
- Acessulfame-K
- Aspartame
- Ciclamato
- Sacarina
- Sucralose

DE BAIXA INTENSIDADE (POLIÓIS)
- Eritritol (ver nota 8 deste capítulo)
- Xilitol

Não consuma os adoçantes de forno e fogão para uso culinário que sejam diluídos em maltodextrina ou outros tipos de amido.

Ingredientes culinários
- Chia
- Farinha de coco
- Farinhas de baixo carboidrato (de coco, de linhaça, de oleaginosas como amêndoas, castanhas ou amendoim, por exemplo)[11]
- Fermento químico ou biológico
- Gelatina sem açúcar
- Gomas
- *Psyllium*

Alimentos a serem evitados

Açúcar
- De todos os tipos e fontes, incluindo doces em geral
- Adoçantes como maltitol ou que contenham maltodextrina
- Mel e xarope (inclusive de agave)
- Frutose (em pó ou xarope)

Grãos (integrais ou não)
- Amaranto
- Arroz (todos os tipos)
- Aveia (farelo e farinha)
- Centeio
- Cevada
- Feijão (todos os tipos)[12]
- Grão-de-bico
- Lentilha
- Milho
- Quinoa
- Trigo

---

11. Observe, porém, que as receitas com essas farinhas tendem a ser altamente calóricas, pobres em proteínas e hiperpalatáveis; portanto, elas devem ser consumidas com moderação quando o objetivo for a perda de peso.
12. Leguminosas – grãos que crescem dentro de vagens, como o feijão, a lentilha e o grão-de-bico, têm um impacto glicêmico menor do que os dos grãos cereais e o dos tubérculos, por exemplo. Assim, em pessoas que não necessitam de versões muito restritivas de *low-carb*, podem ser incluídos com moderação.

Raízes (tubérculos e amiláceos afins)
- Batatas (todas)
- Mandioca (aipim ou macaxeira)
- Inhame
- Pinhão
- Polvilho
- Tapioca

Frutas doces

O grau de restrição de carboidratos necessário é individual. Uma pessoa saudável e com percentual de gordura corporal adequado não precisa restringir frutas e tubérculos. Já um diabético terá melhores resultados com as frutas da lista dos permitidos. As frutas abaixo são mais ricas em açúcar (sabemos, até pelo paladar, que uma manga madura tem mais açúcar do que um morango). Observe, porém, que o consumo eventual de quantidades modestas destas frutas mais doces (*in natura*, nunca como sucos ou como salada de frutas) como sobremesa pode, sim, ser conciliado com uma dieta *low-carb*.

- Abacaxi
- Banana
- Caqui
- Frutas cristalizadas, desidratadas e em passa (todas)
- Melancia
- Manga
- Uva

Bebidas
- Água de coco
- Cerveja
- *Drinks* com açúcar e/ou xaropes
- Licor (de qualquer tipo)
- Refrigerantes com açúcar
- Sucos de frutas doces (concentrados, industrializados ou naturais). Evitar sucos de frutas. É sempre preferível comer a fruta inteira.

Gorduras
- Margarina

Alimentos a serem consumidos com moderação

Gorduras
(usar apenas as quantidades necessárias para o preparo dos alimentos)
- Azeite de oliva
- Banha de porco
- Manteiga
- Óleo de coco
- Óleos vegetais (milho, soja, arroz etc.)[13]
- Maionese

Carnes processadas e embutidos
As carnes processadas e os embutidos podem ser consumidos em dietas *low-carb*, mas não são as melhores opções para a saúde. Por esse motivo, encontram-se na lista da moderação.
- Bacon
- Copa
- Linguiça
- Presunto
- Salame
- Torresmo

Laticínios
Laticínios gordos são pobres em carboidratos e têm efeitos negligenciáveis sobre a glicemia; entretanto, costumam ser bem mais ricos em gordura do que em proteína, apresentam alta densidade calórica e são hiperpalatáveis. Para pessoas com dificuldade em perder peso, seu consumo precisa ser moderado. Já o leite contém cerca de 11 g de açúcar em cada 200 ml, o que faz com que ele deva ser consumido com moderação.
- *Cream cheese*
- Queijos sem amido em geral
- Requeijão sem amido
- Creme de leite
- Leite em pequena quantidade (cerca de 50 ml para misturar ao café preto, por exemplo)
- Manteiga
- Nata

---

13. O consumo desse tipo de gordura é tremendamente controverso entre autores que publicam sobre dietas de baixo carboidrato. Meu viés pessoal é o de preferir sempre o azeite de oliva como gordura culinária. Entretanto, discordo das interpretações que consideram tóxicos os óleos extraídos de sementes. Convido o leitor que quiser saber mais sobre o assunto a ler o texto disponível em: https://www.lowcarb-paleo.com.br/oleos-vegetais. Acesso em: 8 maio 2023.

Oleaginosas
As mesmas considerações feitas anteriormente sobre os laticínios se aplicam às oleaginosas, motivo pelo qual estão na lista de consumo moderado.
- Amêndoa
- Amendoim
- Avelã
- Castanha-do-pará
- Castanha-de-caju
- Farinhas das oleaginosas
- Macadâmia
- Nozes

Vegetais
Algumas ervilhas em uma salada ou em um prato de língua não costumam ser um problema. Da mesma forma, um picadinho de carne com pedaços de abóbora cabotiá é uma boa refeição *low-carb*. Porém a abóbora muitas vezes é consumida isoladamente em quantidade bem maior, ou mesmo na forma de purê (com direito a repetição). Na mesma toada, consumir grande quantidade de creme de ervilhas (ou mesmo de ervilhas em conserva) terá um impacto significativo na glicemia. Por esse motivo, esses alimentos estão em uma lista de moderação. Beterraba e cenoura tendem a ser consumidos em menor quantidade, mas seu excesso também pode afetar a glicemia de um diabético.
- Abóbora
- Ervilhas em grão
- Cenoura ou beterraba cozidas (e em maiores quantidades)

Frutas
Em dietas *low-carb*, damos preferência às frutas mais baixas em açúcar (ver lista das frutas permitidas). Entretanto, frutas com quantidades intermediárias de açúcar como as da lista a seguir, se consumidas com moderação e após uma refeição contendo proteína e gordura, podem ter baixo impacto glicêmico. Certamente, em um *buffet* livre, é melhor comer uma ou duas fatias de mamão como sobremesa do que o pudim ou o pavê. No caso de diabéticos, o uso de um monitor contínuo de glicose (ver Capítulo 9) pode ajudar a determinar se essas frutas são ou não opções adequadas.
- Bergamota
- Cereja
- Figo
- Laranja

- Maçã
- Mamão
- Melão
- Pera

Bebidas alcoólicas

Como explicado anteriormente, o álcool é uma toxina, portanto seu consumo deve ser sempre moderado. Isto posto, as seguintes opções são pobres em carboidratos:

- Destilados sem adição de açúcar (cachaça, vodca, uísque, gim.,.)
- Espumante *brut* e *nature*
- Vinho seco
- Cervejas de baixo carboidrato (não confundir com cervejas sem álcool ou cervejas sem glúten ou puro malte)

Gorduras

- Óleos vegetais (milho, soja, arroz etc.)

Outros

- Chocolate a partir de 70% cacau
- Doces, confeitos, pães e sobremesas *low-carb*[14]

> Neste capítulo abordamos o que constitui, de fato, uma dieta de baixo carboidrato. Definimos que carboidratos são açúcares e amidos. Que os açúcares estão presentes não apenas no açucareiro, mas também em sucos de frutas naturais e

---

14. Essa categoria requer cuidados por dois motivos. Primeiro, é muito comum que coisas sejam rotuladas como *low-carb* mas que na realidade contenham grandes quantidades de carboidratos que o autor da receita ou o fabricante consideram mais "saudáveis". Exemplos são o adoçamento com açúcar demerara ou mascavo, sucos de fruta ou frutas secas, como tâmaras. Também é muito comum que o produto não contenha açúcar, mas contenha amido (tapioca, polvilho, aveia, maltodextrina etc.). **Entretanto, o consumo de alimentos dessa categoria precisa ser moderado (quando o objetivo da dieta é o emagrecimento) até mesmo quando o produto é, de fato, pobre em carboidratos.** Os motivos incluem a hiperpalatabilidade (hipersabor), a baixa relação proteína:energia e a alta densidade calórica.

em muitos produtos industrializados. Além disso, que a origem do açúcar (se oriundo da cana-de-açúcar, do coco ou da maçã, por exemplo) ou seu grau de refinamento (açúcar branco, mascavo ou demerara) não fazem diferença, do ponto de vista metabólico. Definimos ainda que o amido é glicose, ou seja, passa a ser açúcar imediatamente após ser digerido. Grãos cereais como trigo, aveia, centeio, cevada, arroz e milho – independentemente de serem ou não integrais – são fonte importante de amido, bem como tubérculos amiláceos como batata, batata-doce e mandioca, entre outros. Esses alimentos devem ser evitados por quem opta por adotar a estratégia *low-carb* como forma de emagrecimento ou de controle de doenças metabólicas (como síndrome metabólica ou diabetes).

Vimos ainda que há certas diferenças na forma de seguir uma dieta *low-carb*, dependendo dos objetivos. Para fins de emagrecimento, o foco em proteínas magras é o mais eficiente. Isso permite melhorar a relação proteína:energia, o que favorece a obtenção de saciedade com menos calorias (menos energia), a fim de criar um déficit calórico espontâneo. Como o emagrecimento é parte-chave da melhora da resistência à insulina e da síndrome metabólica, proteínas mais magras, folhas verdes e legumes seguem sendo uma boa estratégia. É necessário ter especial atenção com os laticínios e as oleaginosas, por serem hiperpalatáveis (muito saborosos), caloricamente densos e terem mais energia (calorias) do que proteínas. Não estão proibidos em *low-carb*, mas podem prejudicar o processo de emagrecimento se consumidos sem moderação. Já para diabetes, a ênfase recai mesmo sobre o impacto glicêmico dos alimentos. A necessidade ou não de emagrecimento é o que ditará se haverá mais ou menos laticínios e oleaginosas. E a dificuldade de controle da glicemia vai determinar quão baixa em carboidratos deverá ser a dieta.

8

DIETA *LOW-CARB* E EMAGRECIMENTO

No Capítulo 3 deste livro, vimos que a restrição de carboidratos vem sendo utilizada pelo menos desde o século XIX com o objetivo de emagrecimento. Importante lembrar que o primeiro *best-seller* de emagrecimento foi *Carta sobre a corpulência*, de William Banting, publicado em 1864, que Tolstoi já falava sobre evitar carboidratos como estratégia para manter seu peso baixo no romance *Anna Karenina*, também no século XIX, e que o maior *best-seller* de todos os tempos no que tange ao emagrecimento, A *dieta revolucionária do dr. Atkins*, dos anos 1970, nada mais é do que uma dieta *low-carb* para as massas. Mas nada disso é ciência. Um sem-número de práticas sem eficácia e sem nenhum fundamento persistiu por muitos e muitos séculos. Durante toda a Idade Média, acreditava-se que as doenças eram causadas por um desequilíbrio nos fluidos (ou "humores") do corpo – o que justificaria a sangria para drenar as "toxinas" bem como o uso de sanguessugas. Tais crenças perduraram por tanto tempo que se incorporaram à linguagem, e até hoje utilizamos expressões como "mal-humorado" para alguém que não está bem, assim como "malária" para designar uma doença que hoje sabemos ser causada por um protozoário transmitido por mosquitos, mas que à época se acreditava ser causada pelo "ar ruim". Com isso, quero dizer que não basta uma estratégia ou uma intervenção ter a "fama" de funcionar. É importante averiguar se existe fundamento científico.

Nos capítulos que se seguiram, abordamos os diversos mecanismos propostos para explicar a eficácia da estratégia *low-carb* no emagrecimento: teoria carboidrato-insulina, teoria do alavancamento proteico, teoria da redução de alimentos ultraprocessados. Mas todos são **mecanismos**. E o problema é que **mecanismos pavimentam o caminho para o inferno**. Como assim?

É provável que você já tenha escutado essa frase: "Os besouros não deveriam conseguir voar – é matematicamente impossível. E, não obstante, eles voam!".

Por que será que todas as melhores histórias são lendas? Essa, infelizmente, é mais uma delas. Nenhum cientista de verdade diz essa bobagem, e esse tipo de coisa só dá cria nas redes sociais. Mas, como lenda urbana, serve de argumento.

Parece que, efetivamente, houve um livro de entomologia de 1934 chamado *Le vol des insectes* [O voo dos insetos], de Antoine Magnan, no qual o autor de fato relatou que, segundo seu amigo e matemático André Sainte-Laguë, as asas tinham uma superfície muito pequena para fornecer sustentação aos insetos, dados sua superfície, seu volume, seu peso e sua velocidade.

Suponhamos que você seja o entomologista Antoine Magnan e que estude e catalogue insetos há vinte anos. Você consegue identificar diferentes espécies, na natureza, apenas pela forma como voam, de modo que seu voo é, para você, uma realidade cotidiana. De repente, você recebe uma carta (estamos nos anos 1930, afinal) de seu amigo e matemático André Sainte-Laguë afirmando, após umas três páginas de cálculos inescrutáveis, que o voo dos besouros é **impossível**. As leis da aerodinâmica provam isso.

E então, o que acontecerá a seguir?

Você (e todo o Universo) subitamente se dão conta de que o voo dos besouros é impossível e, como num passe de mágica, todos os besouros voadores caem do céu e passam a caminhar como se formigas fossem?

Você sabe que os besouros voam. Aliás, todo mundo sabe, inclusive seu amigo André, que de parvo não tem nada. Ou seja, sabendo que os besouros voam, você e André **sabem** que os cálculos estão errados, incompletos ou baseados em modelos inválidos para essa situação específica.

A primeira opção significaria colocar os mecanismos acima da realidade; a segunda opção é a admissão de que a realidade tem primazia sobre os mecanismos. Afinal, o fato é que eles voam.

> [...] a realidade tem primazia sobre os mecanismos.

Mas isso nem sempre foi assim. Durante a Idade Média, os mecanismos tinham prioridade sobre a realidade. Se você queria saber algo sobre a realidade, você não fazia experimentos, você consultava a opinião dos sábios do passado. E o maior deles era Aristóteles, que acreditava que uma pedra de 2 quilos cairia duas vezes mais rápido do que uma pedra de 1 quilo. Afinal, ela pesava duas vezes mais – faz todo o sentido, não é mesmo? Apenas um tolo duvidaria dessa verdade autoevidente e matematicamente demonstrável.

Aristóteles, assim como muitos filósofos gregos, acreditava que a filosofia, o pensamento abstrato em si, era a melhor forma de construir o conhecimento. Nunca ocorreu a ele **testar** a sua hipótese lançando duas pedras de pesos diferentes para ver o que ocorria. No pensamento aristotélico, a coerência interna, a lógica – que era o equivalente à álgebra no mundo das ideias – e a beleza de uma teoria bastavam. Sujar as mãos com pedras era uma espécie de rebaixamento intelectual.

Eis que, por 2 mil anos, as mentes curiosas do mundo civilizado que indagassem sobre a queda de corpos de diferentes massas receberiam a mesma resposta: quanto mais pesado o corpo, mais rápida a sua queda. Aristóteles explicou o mecanismo, portanto, tinha de ser assim.

Então surgiu Galileu Galilei, que acreditava que corpos de diferentes massas cairiam com a mesma velocidade, pois sofrem a mesma **aceleração**.

A seguir, reproduzo um trecho da Wikipédia:

> Dois mil anos antes, o filósofo grego Aristóteles tinha afirmado que uma pedra com o dobro do peso de outra cairia duas vezes mais depressa que esta última. Os outros professores da Universidade de Pisa, onde Galileu lecionava, mantinham que como Aristóteles era sábio e bom, ninguém devia duvidar dos seus ensinamentos.
> Galileu insistiu calorosamente em que os homens deveriam acreditar no que viam. Segundo reza a lenda [...], Galileu teria convencido os professores a acompanhar suas experiências, levando-os à torre inclinada de Pisa, local em que deixou cair uma grande pedra junto com outra pequena do balcão mais alto da torre.
> Elas chegaram juntas ao solo "o seu impacto soou como o toque de finados da autoridade pela fama, em Física". Desde então nós aprendemos a nos apoiar cada vez mais na experiência e a fazer experiências para descobrir a verdade. A experiência de Galileu marca o nascimento da Física moderna.[1]

Como você sabe, a história não terminou assim. Galileu foi condenado pela Igreja por heresia e só não foi executado na fogueira porque renegou suas ideias, sendo agraciado com o benefício da prisão domiciliar. Só em 2000 o papa João Paulo II perdoou Galileu. A Igreja definitivamente tem um pendor por mecanismos em detrimento da realidade.

Então o fato de Aristóteles ter postulado que uma pedra de 2 quilos cairia duas vezes mais rápido do que uma pedra de 1 quilo faz com que isso realmente aconteça? É claro que não. A realidade tem primazia sobre os mecanismos. E é por isso que, em 1971, quando um astronauta da Apollo 15 demonstrou que uma pluma e um martelo caíam à mesma velocidade na Lua (onde não há resistência do ar), ele prestou homenagem nominalmente a Galileu, e não a Aristóteles. Se o homem chegou à Lua e se você está lendo estas linhas em um dispositivo eletrônico, foi por causa do legado de gente como Galileu, que compreendeu que a realidade tem primazia sobre os mecanismos.

Isso significa que mecanismos não têm nenhuma importância? Não, claro que eles são importantes. O que precisa ficar evidente é que

---

1. LEI DA QUEDA DOS CORPOS. *In*: WIKIPÉDIA: a enciclopédia livre. Flórida: Wikimedia Foundation, 2021. Disponível em: https://pt.wikipedia.org/wiki/Lei_da_queda_dos_corpos. Acesso em: 14 fev. 2023.

mecanismos não **determinam** a realidade. Mecanismos são postulados teóricos que ajudam a explicar uma realidade e a postular hipóteses. Mas a realidade **sempre** terá a última palavra. Se uma hipótese, amparada em um mecanismo qualquer, produzir resultados diversos do que se observa no mundo real, não é o mundo real que está errado! Os besouros continuarão a voar; é você que precisa rever seus postulados para descobrir onde está o erro.

....

> Se uma hipótese, amparada em um mecanismo qualquer, produzir resultados diversos do que se observa no mundo real, não é o mundo real que está errado!

....

Renasce o interesse científico pela dieta *low-carb*

Voltando ao tema da obesidade, é muito interessante – bonito mesmo – especular sobre os mecanismos por meio dos quais uma dieta pobre em carboidrato deveria funcionar, mas, ao fim e ao cabo, interessa saber se funciona ou não. E para isso são necessários experimentos: os famosos ensaios clínicos randomizados.

Nesse tipo de estudo (falaremos mais a esse respeito no Capítulo 12), as pessoas são sorteadas ("randomizadas") para um tratamento (ou, no caso, uma dieta) a ser testado em comparação com outro com o objetivo de aferir se, de fato, um deles funciona melhor.

E foi apenas no início dos anos 2000 que a dieta *low-carb*, então já amplamente utilizada por pelo menos 150 anos, foi colocada à prova por pesquisadores com métodos modernos, entre eles o jovem professor de medicina da Duke University, na Carolina do Norte, Eric Westman, de quem falamos brevemente no Capítulo 3.

Westman conta que, certa vez, atendeu, no intervalo de uma única semana, dois pacientes que haviam conseguido perder mais de 20 quilos e melhorar várias condições crônicas de saúde – algo bastante incomum em sua experiência. Quando lhes perguntou como conseguiram essa façanha, os pacientes disseram que estavam seguindo a dieta do doutor Atkins. Westman, em vez de desqualificar os relatos como apenas casos anedóticos de pessoas leigas que seguiam conselhos de um "médico picareta", ficou intrigado com aquela mistura de curiosidade e ceticismo que caracteriza os verdadeiros cientistas. O que ele fez em seguida mudou o curso da história. Ele escreveu uma carta para o doutor Atkins. O ano era 1998.

Já contamos, no Capítulo 3, a história do doutor Atkins, médico que emagreceu utilizando uma estratégia *low-carb*, passou a tratar seus pacientes com essa estratégia e ficou muito famoso nos anos 1970 após a publicação de seu *best-seller*. Sua fama e sua posição francamente antagonista, desafiadora e midiática atraíram à fúria do *establishment* à época. Embora em 1998 já fizesse 26 anos desde o furor originalmente causado pelo livro, a atitude do doutor Eric Westman de tentar estabelecer uma ponte entre o mundo acadêmico e a clínica do doutor Atkins é ao mesmo tempo espantosa e louvável. Não fosse isso, talvez você nem estivesse lendo este livro.

Atkins recebeu a carta do jovem Westman em 1998 e respondeu com um telefonema, que este relembra em um *podcast* recente. Westman disse "li o seu livro, e a sua abordagem parece funcionar". "Sim, eu sei, venho fazendo isso há trinta anos", respondeu Atkins. Westman disse "OK, mas e as evidências científicas?", ao que Atkins respondia "Meu livro e mais de trinta anos de experiência são toda a evidência de que eu preciso".

Atkins não era um acadêmico, era um médico que estava interessado em assistência e em resultados. Na sua cabeça, seus resultados falavam por si. Westman, por sua vez, era um pesquisador, um professor universitário, e sabia que para convencer seus colegas médicos na Duke University e, mais ainda, para convencer o mundo acadêmico como um todo, isso não bastava[2]. Seria necessário conduzir estudos científicos formais.

---
2. Impossível não estabelecer um paralelo com a história, contada no Capítulo 3, sobre a dieta do doutor Blake Donaldson, que tratara milhares de pessoas mas que não havia publicado seus resultados, e que influenciou o doutor Alfred Pennington, que era um acadêmico e publicou seus resultados em periódicos de alto impacto.

Westman decidiu, então, visitar a clínica Atkins em Nova York e ficou impressionado. Era caso após caso de pessoas que tinham, em geral, um nível de sucesso que ele nunca obtinha quando orientava as pessoas a simplesmente comer menos e fazer mais exercício. O mundo precisava saber que havia algo especial – e legítimo – que funcionava muito melhor do que a recomendação padrão dos anos 1990: "corte a gordura e passe fome".

> O mundo precisava saber que havia algo especial – e legítimo – que funcionava muito melhor do que a recomendação padrão dos anos 1990: "corte a gordura e passe fome".

De volta à Duke University, Westman passou a sistematizar o método na clínica da universidade. Em 2002, publicou sua primeira série de casos com 51 pessoas colocadas em dieta Atkins, sem restrição calórica, por seis meses[3], na qual os pacientes perderam em média 10% do peso corporal, com melhora em vários parâmetros, incluindo colesterol, triglicerídeos e HDL. Dois anos depois, seu grupo publicava um ensaio clínico randomizado, com 120 pessoas com duração de 24 semanas, no prestigioso periódico científico *Annals of Internal Medicine*[4]. Westman e colaboradores compararam uma dieta de baixa gordura (*low-fat*) com restrição calórica de 500 a 1.000 calorias por dia com uma dieta Atkins na qual se podia comer à vontade. Ao final das 24 semanas, o grupo *low-carb*, muito embora pudesse comer à vontade, perdeu o dobro do peso (12,9% do peso corporal) quando comparado ao grupo *low-fat* (6,7%). No mesmo período (2003-2004), quatro outros ensaios clínicos foram publicados. A estratégia *low-carb* não era mais anedótica, havia agora evidência de alto nível demonstrando eficácia e segurança ao menos pelo tempo de duração dos estudos (até seis meses, à época).

---

3. WESTMAN; YANCY; EDMAN *et al.*, 2002.
4. YANCY JR.; OLSEN; GUYTON *et al.*, 2004.

A época de ouro dos estudos sobre *low-carb*

Um único ensaio clínico randomizado não faz verão: é necessário replicar os resultados para ter certeza de que o que se observou não foi um ponto fora da curva, um produto do acaso. Isso se aplica às drogas também. O FDA (Food and Drug Administration, órgão norte-americano equivalente à nossa Anvisa), por exemplo, exige dois ensaios clínicos randomizados demonstrando eficácia e segurança antes de aprovar o lançamento de um novo fármaco no mercado.

Os estudos de 2002-2004 e seus impressionantes resultados desencadearam uma série de novos ensaios clínicos randomizados conduzidos por diversos grupos mundo afora. Em praticamente todos (e estamos falando em mais de sessenta estudos), o método *low-carb* foi superior para perda de peso. Em nenhum deles a estratégia de restrição de gordura (*low-fat*, que era a abordagem proposta desde os anos 1970) foi superior à *low-carb* para perda de peso. Uma organização sem fins lucrativos chamada Public Health Collaboration, no Reino Unido, apresenta uma compilação desses estudos[5]; outra organização que também compila esses estudos é a Nutrition Coalition[6], sediada em Washington D.C.

Um dos mais impressionantes estudos sobre o assunto foi publicado no periódico científico mais respeitado do mundo em 2008, o *New England Journal of Medicine* (NEJM)[7]. O estudo foi chamado de DIRECT, acrônimo de *dietary intervention randomized controlled trial*, ou "ensaio clínico randomizado de intervenção dietética" (não confundir com outro estudo chamado DiRECT, mais recente, sobre o qual falaremos no Capítulo 9). Além do tipo de estudo (ensaio clínico randomizado), outros detalhes salientam por que esse em particular foi um dos mais importantes já realizados para determinar a adequação da abordagem *low-carb* para perda de peso: teve mais de trezentos participantes, durou **dois** anos e foi extremamente bem conduzido (o almoço

---

5. PUBLIC HEALTH COLLABORATION, 2022.
6. Low-Carb Diet Studies. Disponível em: https://docs.google.com/spreadsheets/d/1Ucfpvs2CmKFnae9a8zTZS0Zt1g2tdYSIQBFcohfa1w0/edit#gid=547985667. Acesso em: 30 jun. 2023.
7. SHAI; SCHWARZFUCHS; HENKIN *et al.*, 2008.

foi fornecido pelo próprio estudo na cafeteria do local de trabalho de todos os participantes, ou seja, ao menos essa refeição nós sabemos que foi correta, o que também ajudava as pessoas a entender como deveriam comer fora do trabalho).

Os participantes foram sorteados para um de três grupos, a saber: dieta *low-fat*, da forma que era recomendada pela Associação Americana de Cardiologia, com restrição compulsória de calorias (1.500 kcal para mulheres e 1.800 kcal para homens); dieta mediterrânea, nos moldes do livro popular escrito por Walter Willett, de Harvard, com restrição compulsória de calorias (1.500 kcal para mulheres e 1.800 kcal para homens); dieta *low-carb*, baseada no livro A *nova dieta revolucionária do dr. Atkins*, **sem** restrição de calorias.

Por que os autores fizeram dessa forma? Alegadamente, isso se devia ao fato de que se estava seguindo os livros em que se baseavam. Atkins deixava claro que não havia necessidade de controle voluntário de calorias – diferentemente da dieta *low-fat* e da dieta mediterrânea. Eu penso que havia outro motivo por trás dessa decisão.

Nossa sociedade dá valor ao trabalho duro, ao esforço. Expressões como "não existe almoço grátis" ou *"no pain, no gain"* (sem dor, sem ganhos) cristalizam a ideia de que bons resultados são o produto de muito esforço e, por vezes, até mesmo de dor e sofrimento. Conquistar resultados que deveriam ser difíceis de forma "fácil" é, portanto, visto com desconfiança. Mais do que isso, as pessoas que propagam soluções aparentemente fáceis para problemas difíceis são vistas – não sem motivo – como mercadores de ilusões: picaretas, malandros, o tipo de gente que você assiste nos duvidosos canais de infomerciais da TV paga. Durante toda a segunda metade do século XX predominou a ideia de que o emagrecimento era o produto de uma combinação de passar fome e exercitar-se a fim de criar um déficit calórico a qualquer custo. A linguagem utilizada beirava, de fato, a religiosa: a obesidade era produto de dois pecados capitais – gula e preguiça. Estava acima do peso? A culpa era sua, e esperava-se a remissão dos pecados por meio da penitência. Passar fome é ruim? Sente dores no corpo e cansaço na esteira? Quem mandou comer demais e ser preguiçoso? Quer ficar mais magro? Sofra, se esforce.

> A linguagem utilizada beirava, de fato, a religiosa: a obesidade era produto de dois pecados capitais – gula e preguiça. Estava acima do peso? A culpa era sua, e esperava-se a remissão dos pecados por meio da penitência. Passar fome é ruim? Sente dores no corpo e cansaço na esteira? Quem mandou comer demais e ser preguiçoso? Quer ficar mais magro? Sofra, se esforce.

Mas aí aparece esse médico de Nova York que diz que você não precisa passar fome nem se sacrificar horas na academia. Mais do que isso, ele afirma que é possível emagrecer comendo "refeições deliciosas" à vontade – incluindo alimentos condenados como costelinhas de porco. Como ele ousa?!

É importante salientar que a personalidade de Robert Atkins também contribuiu para que muitos não gostassem dele. Era um grande marqueteiro, participava de todo tipo de programa popular de entrevistas na televisão. Sua linguagem, ao menos publicamente, não tinha muitas nuances: "Coma toda a proteína e gordura que desejar e emagreça" era o tipo de coisa que parecia desenhada para desafiar tanto a fobia da gordura dietética em voga nos anos 1970 como a ética judaico-cristã e protestante que enaltece a obtenção de resultados por meio do trabalho duro e, por que não dizer, do sofrimento.

Voltando ao estudo DIRECT, minha impressão pessoal é de que os autores, no fundo, desejavam que a dieta Atkins fracassasse. Queriam, talvez, desmascarar essa "dieta da moda". Afinal, não consta em nenhum lugar do estudo publicado (nem mesmo nos apêndices *on-line* do *NEJM*) o motivo pelo qual as dietas *low-fat* e mediterrânea fossem restritas em calorias e apenas a *low-carb* tivesse liberdade para "comer quanto quisesse". Seria como se, em uma corrida, um dos competidores partisse de uma posição 50 metros atrás dos demais, dando aos outros dois uma vantagem injusta. No entanto, Atkins dizia que, em sua dieta, seria possível comer de forma ilimitada, não é mesmo?

Sobre os motivos dos autores israelenses do estudo DIRECT só posso especular, mas seus resultados falam por si:

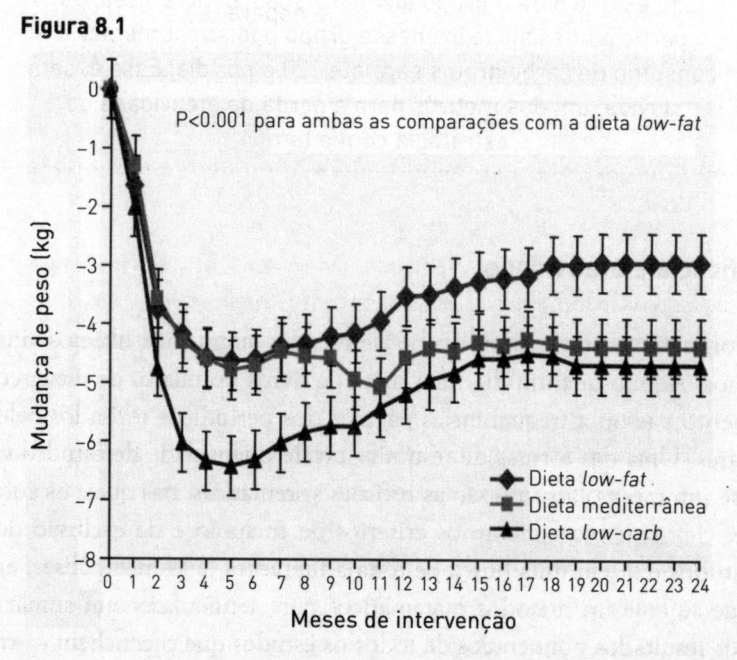

Figura 8.1

[Gráfico: Mudança de peso (kg) vs. Meses de intervenção (0 a 24). P<0.001 para ambas as comparações com a dieta *low-fat*. Três curvas: Dieta *low-fat*, Dieta mediterrânea, Dieta *low-carb*.]

Elaborado com base em: SHAI; SCHWARZFUCHS; HENKIN et al., 2008.

O grupo *low-carb* perdeu mais peso, sobretudo nos primeiros seis meses. Em torno de um ano, os resultados de Atkins e mediterrânea haviam convergido, mas *low-fat* (a dieta defendida pelas diretrizes nutricionais e ensinada até hoje por nutricionistas à maioria de seus pacientes) seguia sendo a menos eficaz das três. É importante salientar que os autores indicavam o consumo de menos de 20 g de carboidratos nos primeiros dois meses do estudo para o grupo *low-carb*, mas, depois disso, os participantes alocados nesse grupo podiam aumentar o consumo de carboidratos para até 120 g por dia. Esse é, sem dúvida, um dos motivos para a perda de efetividade da estratégia com o tempo. Mas não é o único. Falaremos, adiante, sobre a questão do *compliance* (adesão, conformidade ou observância das orientações).

> É importante salientar que os autores indicavam o consumo de menos de 20 g de carboidratos nos primeiros dois meses do estudo para o grupo *low-carb*, mas, depois disso, os participantes alocados nesse grupo podiam aumentar o consumo de carboidratos para até 120 g por dia. Esse é, sem dúvida, um dos motivos para a perda de efetividade da estratégia com o tempo.

Eficácia e efetividade

Como vimos, um grande corpo de estudos surgiu nos últimos vinte anos. Aquilo que um dia foi a dieta de livros populares de emagrecimento passou a frequentar as páginas dos periódicos revisados pelos pares. Uma das formas de resumir grande quantidade de estudos sobre um mesmo assunto são as revisões sistemáticas, nas quais os autores definem previamente os critérios de inclusão e de exclusão dos estudos e fazem uma busca de toda a literatura, e as metanálises, em que se aplicam métodos matemáticos para tentar fazer um sumário dos resultados ponderados de todos os estudos que preenchem os critérios. Várias metanálises sugerem uma ligeira superioridade das dietas de baixo carboidrato na redução de peso quando comparadas com outras estratégias, especialmente às dietas de baixa gordura (*low-fat*), mas quase sempre tal superioridade vai diminuindo com o tempo, até desaparecer em torno de doze meses[8, 9, 10, 11]. O que explica isso?

Primeiramente, a definição de *low-carb*. Diversos estudos definem *low-carb* como uma dieta em que no máximo 40% das calorias são oriundas de carboidratos. Uma dieta *low-carb* moderada como essa, na qual se evitam açúcar e farináceos mas se permite o consumo liberal de tubérculos (como batata, batata-doce, mandioca) e frutas doces, pode

---
8. CHAWLA; SILVA; MEDEIROS *et al.*, 2020.
9. CHOI; JEON; SHIN, 2020.
10. MANSOOR; VINKNES; VEIEROD *et al.*, 2015.
11. NAUDE; BRAND; SCHOONEES *et al.*, 2022.

ser adequada para pessoas saudáveis e que estão próximas ao seu peso ideal, mas são simplesmente pouco eficazes como estratégias terapêuticas para o tratamento do sobrepeso ou de condições como síndrome metabólica e diabetes (ver Capítulo 9). Assim como a dose de um medicamento precisa ser alinhada à gravidade da situação, uma dieta para reversão de condições ou doenças precisa ser mais restritiva do que quando o objetivo é meramente a manutenção da saúde. Misturar, em uma mesma revisão, estudos que usam dietas com menos de 40 g ou menos de 20 g de carboidratos por dia com outras que aceitam até 40% das calorias na forma de carboidratos (o que equivale a 200 g de carboidratos em uma dieta de 2 mil calorias) é uma forma de diluir o efeito nos resultados[12].

> Assim como a dose de um medicamento precisa ser alinhada à gravidade da situação, uma dieta para reversão de condições ou doenças precisa ser mais restritiva do que quando o objetivo é meramente a manutenção da saúde.

Em segundo lugar, vem a questão das dietas isocalóricas. O estudo DIRECT, mencionado acima, é um teste de algo mais parecido com o mundo real: *low-carb* sem restrição calórica voluntária e demais dietas com restrição calórica imposta. Segundo a tabela 2 do estudo, todos os grupos tiveram uma redução em seu consumo calórico – a diferença tendo sido o motivo: em *low-carb*, as pessoas comiam menos por maior saciedade, e nas outras dietas elas comiam menos por decreto. Mas e se eu desenhar um estudo no qual as calorias são exatamente iguais nos dois grupos? Vários estudos assim foram feitos, e os resultados são precisamente os que você imagina: ambos os grupos perdem a mesma quantidade de peso. A inclusão desse tipo de estudo – chamado de isocalórico – nas revisões e metanálises é outra forma de diluir a eficácia da estratégia *low-carb*, fazendo com que todas as dietas tenham resultados semelhantes.

---
12. SCHER, 2020.

> A inclusão desse tipo de estudo – chamado isocalórico – nas revisões e metanálises é outra forma de diluir a eficácia da estratégia *low-carb*, fazendo com que todas as dietas tenham resultados semelhantes.

Na verdade, o que houve foi uma sutil evolução da narrativa sobre a estratégia *low-carb* por parte da ortodoxia nutricional. Primeiro, afirmava-se que se tratava de simples picaretagem. Era "aquela dieta da proteína, aquela do doutor Atkins". Tal argumentação não se sustentava mais após a sequência de ensaios clínicos publicados em periódicos de alto impacto nos anos 2000. Então, aos poucos, a mensagem mudou e passou a ser "a dieta *low-carb* não é **tão boa** assim". Afinal, em estudos nos quais as calorias eram artificialmente mantidas fixas, os resultados eram iguais (nada mais óbvio). Mas – perceba – tal afirmação contém em si mesma a admissão tácita de que a dieta *low-carb* funciona. Ou seja, não é mais "picaretagem", ilusão, modinha. É "apenas" algo que não seria **melhor** do que as estratégias tradicionais. Será?

É interessante, na mesma linha de raciocínio, ver pessoas que, quando confrontadas com esses fatos, rebatem com "sim, mas a dieta *low-carb* emagrece 'apenas' porque se come menos"? É mesmo, Einstein? Se não fosse assim, seria como então? Por lipoaspiração? Aqui vemos mais uma vez a evolução da narrativa ortodoxa. De "não funciona" para "não funciona melhor que as demais"; e de "não funciona melhor que as demais" para "só funciona melhor que as demais porque as pessoas comem menos". Mas isso não é uma coisa boa? Bilhões de dólares são gastos em pesquisas para identificar drogas que reduzem o apetite. Se uma dieta é boa "apenas" porque reduz o apetite, isso não é maravilhoso? Em vez de usar medicamentos, com seus potenciais efeitos colaterais e custos, poder comer comida de verdade, adquirida na feira, na peixaria e no açougue e sentir menos fome no processo?

Mas voltando aos tais estudos isocalóricos. Imagine que eu propusesse uma corrida entre um Fusca e uma Ferrari. Seria um teste desnecessário, já sabemos quem chegará na frente. Mas... e se eu estipulasse uma regra: a velocidade máxima permitida é 30 km/h. Nesse caso, é provável que ambos atingissem juntos a linha de chegada. E o que isso prova? Que Ferrari e Fusca são iguais? Vou propor aqui outro experimento. Sabemos que uma das drogas mais eficientes para o emagrecimento é a semaglutida. Um estudo recente, publicado no NEJM[13], mostrou que a droga produz uma perda média de 12,8% do peso corporal, quando comparado com placebo (que produziu apenas 2,8% de perda de peso). Que tal se fizéssemos o seguinte: semaglutida *versus* placebo, mas com uma regra: todos teriam de comer exatamente 1.500 calorias por dia? Ao final do estudo, a perda de peso média seria a mesma nos dois grupos. Seria justo concluir que a semaglutida e o placebo são iguais? Ou ainda: "semaglutida até funciona, mas apenas e tão somente porque quem usa come menos"[14]. Mas comer menos não é justamente a característica definidora do sucesso dessa droga? Se você impede um grupo de comer menos do que o outro, anula completamente a possibilidade de avaliar qualquer coisa. É, pois é. O mesmo acontece nos estudos isocalóricos de dietas no qual o desfecho é emagrecimento. E, não obstante, tais estudos são contabilizados em várias metanálises, diluindo assim os bons resultados de estudos como o DIRECT.

Recapitulando, já vimos que o efeito da dieta *low-carb* para emagrecimento parece menor nas metanálises do que em estudos como o DIRECT por: 1) inclusão de estudos em que a restrição de carboidratos é insuficiente; e 2) inclusão de estudos isocalóricos. Mas há um terceiro motivo pelo qual os efeitos de dieta *low-carb* (e de todas as dietas) nas metanálises tende à nulidade: a questão do *compliance*, termo em inglês que significa conformidade ou observância das orientações. Vamos traduzi-lo aqui por "adesão".

O melhor plano do mundo não funcionará se você não segui-lo, diz o ditado. Quando falamos sobre "o melhor plano", estamos nos referindo à sua eficácia. A eficácia é uma propriedade intrínseca de uma

---

13. WILDING; BATTERHAM; CALANNA *et al.*, 2021.
14. BLUNDELL; FINLAYSON; AXELSEN *et al.*, 2017.

conduta. Por exemplo: se um indivíduo treinar três vezes por semana o bíceps do braço com cargas crescentes, haverá um aumento mensurável da massa muscular – trata-se de uma intervenção altamente eficaz. O treino de força funciona – o resultado é um desfecho praticamente garantido. Se for posto em prática, é claro. Mas imagine o seguinte. Você recebe instruções para fazer esse tipo de treino mas começa a faltar às sessões por diversos motivos. Também acontece de chegar atrasado e fazer apenas um terço do treino. Por fim, no último mês, você desiste completamente. E, ao final de noventa dias, o resultado é que não houve hipertrofia mensurável. Seu bíceps está igual ao que era antes. Você diria que o treino de força é ineficaz para a hipertrofia? É claro que não: o plano só funcionará se você segui-lo corretamente. A eficácia, repito, é uma característica intrínseca da conduta (no caso, do treino de força).

....
A eficácia é uma propriedade intrínseca de uma conduta.
....

No mundo real, as pessoas não seguem, ao menos como grupo, como média, os planos ao pé da letra. É normal que as pessoas desistam daquilo que requer esforço, que causa desconforto. Isso sem falar de situações que são imprevisíveis: mudança ou perda de emprego, problemas familiares, divórcios, nascimento de filhos, morte de pessoas próximas. A vida pode sabotar nossas melhores intenções. Existe um termo que leva em conta todas essas possibilidades: **efetividade**. Quando falamos de eficácia, falamos sobre a capacidade inerente de um método produzir resultados caso seja utilizado da forma correta pelo tempo necessário; quando falamos de efetividade, avaliamos como a recomendação de seguir um método (tomar um remédio, fazer exercício, seguir uma dieta) afeta os resultados, no mundo real. **A efetividade será sempre pior do que a eficácia.**

....
No mundo real, as pessoas não seguem, ao menos como grupo, como média, os planos ao pé da letra.
....

O que é mais importante, a eficácia ou a efetividade? A pergunta pode parecer simples, mas a resposta é desafiadora. Quando se trata de intervenções de saúde pública ou para a orientação de um grande número de pessoas, a efetividade tende a ser mais relevante. De que adianta uma estratégia muito eficaz mas que as pessoas não colocam, de fato, em prática? Por isso os estudos randomizados de medicamentos, por exemplo, analisam os resultados de acordo com o grupo para o qual a pessoa foi sorteada, independentemente de a pessoa tomar ou não o remédio. Sim, você leu corretamente. Em um estudo no qual quinhentas pessoas foram alocadas para usar uma medicação e quinhentas foram alocadas para placebo, mesmo que algumas desistam de usar o medicamento ou que o usem de forma irregular (pois se esquecem de tomar os comprimidos, por exemplo), essas pessoas seguem sendo contabilizadas no resultado de acordo com o grupo para o qual foram originalmente designadas. Isso se chama análise por intenção de tratar (ITT, na sigla em inglês). Por que fazemos assim? Que sentido faz contabilizar como tratado quem não está seguindo o tratamento? Uma exposição mais detalhada sobre os motivos vai além do escopo deste capítulo[15], mas o fato é que, se escolhêssemos apenas quem segue tudo corretamente, estaríamos introduzindo ainda mais vieses, comparando pessoas metódicas com pessoas "normais", sendo que as metódicas tendem a ter melhores resultados independentemente do que esteja sendo testado. Assim, é correto e é praxe que se use a análise ITT nos ensaios clínicos randomizados. O que significa que tais estudos estão avaliando a efetividade do tratamento, ou seja, o que aconteceria no mundo real. E no mundo real as pessoas se esquecem de usar seus comprimidos, furam suas dietas ou simplesmente desistem.

A questão da adesão ao tratamento é ainda mais complicada quando se trata de intervenções de estilo de vida. É evidente que é mais fácil convencer pessoas a tomar uma pílula diariamente do que a fazer exercícios regulares por três anos, por exemplo. Mas, assim como nos estudos sobre medicamentos, também os estudos de intervenções de estilo de vida são analisados pelo método ITT (intenção de tratar). Isso

---

15. Para mais detalhes, ver SOUTO, 2017a e SOUTO, 2017b.

significa que, quando você lê um estudo científico como o *DIRECT trial*, sobre o qual falamos acima, com duração de dois anos, você não está, de fato, comparando pessoas que fizeram uma dieta Atkins, mediterrânea ou *low-fat* por 24 meses. Você está comparando **pessoas que foram orientadas a seguir tais dietas**. Ora, quanto mais longo um estudo, menor será a adesão. É da natureza humana. Assim, podemos imaginar um estudo hipotético no qual as pessoas começam com boa adesão, mas ao final nenhum dos participantes está mais seguindo coisa alguma. O que você concluiria? Pela análise do tipo ITT, a conclusão é que o tratamento não funciona. Na verdade, o estudo mostrou que não há efetividade, mas isso não significa que o tratamento não seja eficaz. Eficácia, como já dissemos, é uma característica intrínseca do tratamento: um tratamento eficaz, se posto em prática, funcionará para a maioria das pessoas. O tratamento mais eficaz, se não for bem feito, não funcionará, por óbvio.

Quando se trata de estudos de dieta (ou, na verdade, de qualquer intervenção de estilo de vida), a efetividade tende a zero quanto maior for a sua duração. Alguns estudos são exceções: a eficácia observada no início é razoavelmente mantida com o passar do tempo. Esses estudos, em geral, empregam uma série de ferramentas para garantir maior adesão: reuniões semanais com nutricionista, sessões periódicas de orientação em grupo etc. Tudo isso custa dinheiro, de modo que a maioria dos ensaios clínicos não tem verba para manter um nível tão alto de supervisão. Assim, quando você lê em uma metanálise que a estratégia *low-carb* tem um efeito superior modesto em seis meses quando comparada a outras dietas, e que tal efeito tende a desaparecer após doze meses de seguimento, é preciso ter em conta que os estudos são heterogêneos, que a adesão a qualquer dieta diminui com o tempo, e que qualquer estudo de estilo de vida que tiver uma duração mais longa terá resultados que tendem à nulidade, mesmo que a intervenção seja altamente eficaz.

> Quando se trata de estudos de dieta (ou, na verdade, de qualquer intervenção de estilo de vida), a efetividade tende a zero quanto maior for a sua duração.

O que nos traz novamente à pergunta: "O que é mais importante, eficácia ou efetividade?". Para você, que busca um tratamento, uma solução, uma intervenção que funcione, sobretudo se estivermos falando que uma estratégia de estilo de vida, penso que a eficácia é mais importante. Vejamos alguns exemplos:

Sabemos que a adesão a um programa regular de exercícios físicos é baixa. Aliás, este é um conhecido modelo de negócio de certas academias de ginástica: oferecem-se grandes descontos para planos de maior duração, como o plano anual, porque é um fato da vida que, ao final de vários meses, boa parte das pessoas terá desistido. De fato, vários desses estabelecimentos vivem mais de pessoas que pagam e não frequentam do que de seus frequentadores assíduos. Suponhamos que você queira ganhar massa muscular e marque uma entrevista com um educador físico para lhe ajudar a atingir tal meta. O profissional deverá utilizar dados de eficácia ou de efetividade? Imagine a seguinte conversa:

- **Professor:** Treinos de força com aumento gradual da carga e do volume de treino são altamente eficazes para o ganho de massa muscular, mas sugiro que você nem comece.
- **Você:** Mas como assim? Eu vim aqui para que você me ajude a atingir um objetivo e você está me desestimulando!
- **Professor:** Acontece que a maioria das pessoas que iniciam esse plano desiste, de modo que, ao final de um ano, o resultado dos que são randomizados para treino de força *versus* o grupo-controle é o mesmo. Logo, exercício e sofá são a mesma coisa, em termos de efetividade, após um ano.

É evidente que essa conversa jamais ocorreria – nem deveria ocorrer. Quem busca a opinião de um profissional está buscando saber qual é a estratégia mais **eficaz**, ou seja, aquela que, **se executada**, trará os melhores resultados. O fato de ser notório que muitas pessoas desistirão da prática regular de exercícios nunca foi motivo para que se deixasse de estimular a sua prática. Justamente por sabermos que não é fácil, fazemos de tudo, seja como profissional da área, seja como sociedade, para estimular e facilitar a adesão a esse tipo de atividade.

Outra situação análoga é o tabagismo. A nicotina é, reconhecidamente, uma das substâncias mais viciantes que existem, e o tabagismo está associado a um sem-número de males à saúde. Induzir à cessação do tabagismo é uma das intervenções mais eficazes para a prevenção de doenças que podemos fazer como profissionais de saúde – literalmente salva vidas. A efetividade, porém, é muito, muito baixa. Uma revisão sistemática e metanálise da Cochrane (organização reconhecida por revisões de alta qualidade)[16] indica que 2% a 3% das pessoas deixam espontaneamente de fumar e permanecem não fumantes por doze meses. Se um médico orientar ao paciente que deixe de fumar, isso pode aumentar tais chances em 1% a 3%. Ou seja, embora deixar de fumar seja comprovadamente algo bom para a saúde, cerca de 95% dos pacientes orientados a cessar o tabagismo continuarão fumando. Se fôssemos nos basear unicamente em efetividade, não perderíamos tempo orientando algo que quase ninguém vai seguir. Mas alguém realmente acha que isso seria razoável? É claro que não. Todas as diretrizes indicam, corretamente, que o médico deve incluir em sua consulta o conselho de cessação do tabagismo, pois, embora a efetividade de tal intervenção seja baixa, a eficácia na prevenção de doenças, para quem segue, é gigantesca.

Volte por um momento à Figura 8.1 (gráfico do estudo DIRECT). O que você vê? Logo no início, as curvas divergem e, nos primeiros meses, a dieta *low-carb* é muito superior para perda de peso. Algumas pessoas dirão "mas no início de uma dieta *low-carb* as pessoas perdem água". Falaremos mais disso no Capítulo 11, mas, porquanto seja verdade que há uma redução de glicogênio e água no início de uma dieta *low--carb*, estamos falando da ordem de 0,5 kg a 1,5 kg de água, e tal perda ocorre nos primeiros dias. Uma perda de 7 kg que se mantém por meses após o início do estudo não é, por óbvio, água.

Voltando à figura: com o passar dos meses, as curvas tendem a convergir. Vale lembrar que o DIRECT é um estudo que forneceu grande suporte nos dois anos de sua duração, com reuniões periódicas e o almoço integralmente fornecido pela pesquisa em um refeitório que fabricava as refeições de acordo com a dieta para a qual a pessoa havia

---

16. STEAD; BUITRAGO; PRECIADO et al., 2013.

sido randomizada. A pergunta que faço aqui é a seguinte: "Qual é o melhor momento para medir a **eficácia** das diferentes dietas: nos primeiros três a seis meses ou ao final dos 24 meses?". A resposta é: nos primeiros três a seis meses. E o motivo é óbvio: é no início de um estudo que as pessoas estão ainda motivadas: estão, de fato, seguindo as orientações. Não é raro ler críticas a estudos de intervenções dietéticas mais curtas; tais críticas salientam que, ao final de 12 ou 24 meses, as dietas são todas iguais. Sinceramente, às vezes me pergunto se isso é malícia ou ignorância. Todas as intervenções de estilo de vida – **todas** – perdem a efetividade com o tempo e, se o estudo for suficientemente longo, acabarão sem diferença estatisticamente significativa em relação ao grupo-controle. Perdoe-me ser repetitivo, mas o exercício físico não perde a eficácia com o tempo, as pessoas (como grupo, na média) é que deixam de praticar exercício. Mas o exercício é eficaz para o que se propõe, e por isso orientamos o indivíduo a praticá-lo mesmo assim. Uma estratégia *low-carb* não deixa de funcionar após seis meses, as pessoas é que deixam de seguir a estratégia (como grupo, na média). A pessoa que procura um profissional não veio para ouvir o quão provável é o seu fracasso daqui a dois anos. Ela quer saber o que funciona melhor. Qual é a estratégia que, se bem executada, produz os melhores resultados; em outras palavras, ela quer saber o que é mais eficaz.

....

> Todas as intervenções de estilo de vida – **todas** – perdem a efetividade com o tempo e, se o estudo for suficientemente longo, acabarão sem diferença estatisticamente significativa em relação ao grupo-controle.

....

....

> Uma estratégia *low-carb* não deixa de funcionar após seis meses, as pessoas é que deixam de seguir a estratégia (como grupo, na média).

....

Há uma empresa que se dedica ao tratamento de diabetes tipo 2 com dieta *low-carb* chamada Virta Health (falaremos mais sobre isso no

Capítulo 9). O estudo do Virta não é randomizado, o que significa que são pessoas que optaram por essa forma de tratamento – o que aumenta a adesão. Além disso, o programa da Virta emprega ferramentas como aplicativo disponibilizando contato diário com *coach* de saúde, balanças sem fio, monitoramento remoto de glicose e corpos cetônicos. É, sem dúvida, uma intervenção muito mais intensiva do que o simples "conselho" de cortar carboidratos. Observe o gráfico a seguir:

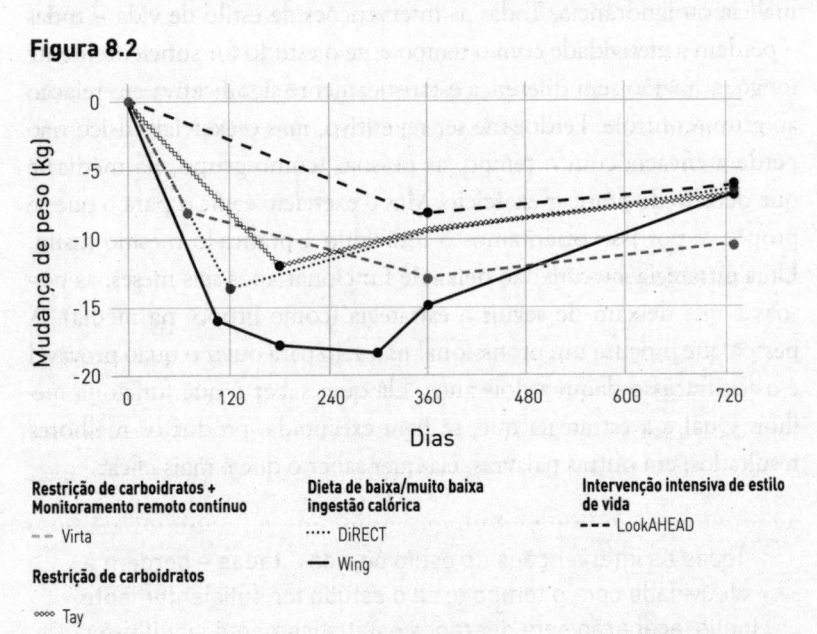

Figura 8.2

Gráfico de mudança de peso (kg) em função dos dias (0 a 720), comparando cinco estudos:

- **Restrição de carboidratos + Monitoramento remoto contínuo**
  – – Virta
- **Restrição de carboidratos**
  ∞∞ Tay
- **Dieta de baixa/muito baixa ingestão calórica**
  ····· DiRECT
  — Wing
- **Intervenção intensiva de estilo de vida**
  – – – LookAHEAD

Elaborado com base em: HALLBERG; ADAMS, 2019.

O gráfico deixa explícito que há perda de efetividade de todas as estratégias com o tempo. A linha Tay (∞) representa um estudo de dieta *low-carb* sem restrição calórica; a linha DiRECT (·····) é um estudo de restrição calórica extrema, com *shakes* de 800 calorias por dia (não confundir com o DIRECT de 2008 sobre o qual falamos antes); a linha Wing (—) representa outro estudo com restrição calórica severa (*very low-calorie*); a linha LookAHEAD (– – –) representa um estudo de intervenção de estilo de vida para diabetes que usou dieta restrita em calorias, *low-fat* e pobre em proteínas; e, por fim, a linha Virta (- -) representa os resultados de dois anos do Virta: uma dieta *very low-carb* sem restrição calórica voluntária, mas com monitoramento remoto contínuo. Observe que, com a dieta *low-carb* sem restrição calórica voluntária, ou seja, sem passar fome, é possível manter uma perda de peso superior a 10% da massa corporal por um período de dois anos. A dieta *low-carb* não deixa de funcionar com o tempo se as pessoas continuarem adotando o estilo de vida esperado. A questão não é eficácia – a eficácia da dieta *low-carb* para perda de peso é ponto pacífico na literatura científica. A questão para toda e qualquer estratégia que envolva mudanças de estilo de vida é maximizar a efetividade por meio da adesão continuada.

Recapitulando

Assim, já havíamos visto que o efeito de *low-carb* para emagrecimento parece menor nas metanálises do que o que vemos nos estudos mais bem conduzidos e na prática clínica devido à inclusão de estudos em que a restrição de carboidratos é insuficiente, e por inclusão de estudos isocalóricos. O principal motivo, porém, é a adesão inadequada: o baixo *compliance* com o passar do tempo. A insistência de levar mais em conta apenas os estudos de longa duração em detrimento de estudos mais bem controlados (que, necessariamente, são mais curtos) produz, paradoxalmente, uma distorção que obscurece a real eficácia da estratégia. Como já dissemos, a verdade é que **todas** as intervenções de estilo de vida tendem à efetividade nula no longo prazo quando se considera a média de grupos de pessoas. Afinal, os estudos descrevem os resultados de grupos designados para determinada dieta, independentemente de estarem ou não seguindo a dieta. Se fôssemos nos basear nisso, não recomendaríamos que ninguém se exercitasse ou parasse de fumar.

Até aqui falamos do arcabouço científico robusto que aponta para a eficácia da estratégia *low-carb* para a perda de peso sem a necessidade de passar fome (leia-se: sem restrição calórica voluntária). No Capítulo 7, descrevemos como é, em linhas gerais, uma dieta *low-carb* bem formulada. Mas quais seriam as peculiaridades da estratégia *low-carb* voltada especificamente à perda de peso?

> [...] quando se trata de emagrecimento, a restrição de açúcares e farináceos é um passo importante.

Vamos rever o que aprendemos até aqui: no Capítulo 2 desenvolvemos a ideia de que o tecido adiposo é altamente regulado e que tal regulação ocorre em boa parte por intermédio de hormônios. As calorias não são, assim, todas iguais, na medida em que seus efeitos hormonais são muito diferentes dependendo da composição dos alimentos. No Capítulo 3, falamos sobre a hipótese carboidrato-insulina. Tal hipótese é baseada na ideia de que a insulina é o principal hormônio regulador do tecido adiposo e que os níveis de insulina são controlados em boa parte pela quantidade de glicose que ingerimos (ou seja, de carboidratos). Nesse contexto, os carboidratos atrapalham a utilização da gordura armazenada como fonte de energia pelo organismo, tanto por competição direta (o corpo utilizará a glicose antes de recorrer à gordura) como pelo efeito da insulina em inibir a lipólise (degradação da gordura corporal). E há ainda a intrigante possibilidade de que, no contexto de uma dieta *low-carb*, seja possível consumir cerca de 250 calorias a mais do que em uma dieta de alto carboidrato sem o reganho de peso! Assim, quando se trata de emagrecimento, a restrição de açúcares e farináceos é um passo importante. Mas se quisermos obter esses benefícios, os carboidratos (mesmo os não processados, como frutas e raízes) devem ser mantidos abaixo de 20% das calorias totais (ou seja, menos de 100 g de carboidratos totais por dia em uma dieta de 2 mil calorias). Para muitas pessoas, resultados melhores podem ser obtidos com 50 g ou menos (o que significa, em termos práticos, que os carboidratos virão de folhas, legumes e frutas de baixo açúcar, com **eventual** consumo de pequenas quantidades de tubérculos e de frutas mais doces). É minha impressão que, ao menos inicialmente, devemos buscar valores abaixo de 50 g por dia. "Mas e se eu comer uma fruta de sobremesa, isso não vai me tirar da cetose?", perguntam as pessoas na rede social. Sim, mas, como vimos no Capítulo 4, a cetose não é necessária para a perda de peso em dietas *low-carb*.

> [...] os carboidratos (mesmo os não processados, como frutas e raízes) devem ser mantidos abaixo de 20% das calorias totais.

Vamos também relembrar que, no Capítulo 4, discutimos alguns equívocos e lacunas da teoria carboidrato-insulina, ao menos em sua versão mais simplificada. Primeiramente, é necessário sublinhar que calorias contam, embora – de forma geral – não precisemos contá-las. O excesso de gordura na dieta, sobretudo na forma de laticínios, oleaginosas e cortes de carne excessivamente gordos, acaba sabotando o sucesso de algumas pessoas que optam pela estratégia (muito embora gorduras não tenham impacto significativo em insulina). Você corta carboidratos para que o corpo seja obrigado a utilizar gordura como fonte de energia, mas se seu objetivo é utilizar **a sua própria gordura**, há que ter bom senso na quantidade de gordura obtida dos alimentos. As proteínas aumentam a insulina e, não obstante, todos os estudos indicam que uma maior proporção de proteína favorece o emagrecimento. Ao montar seu prato, a proteína deve ser o foco principal.

> Ao montar seu prato, a proteína deve ser o foco principal.

Falando em proteínas, no Capítulo 5 abordamos o fato de que elas são o freio natural do apetite. Quanto mais proteína consumimos, menos fome temos para consumir fontes não proteicas de energia (carboidratos e gorduras). Além disso, uma dieta rica em proteínas ajuda a impedir a redução do metabolismo (termogênese adaptativa) que, invariavelmente, ocorre com qualquer emagrecimento. Assim, uma dieta *low-carb* para emagrecimento deve buscar uma boa relação proteína:energia, isto é: baixo carboidrato e foco principal em proteínas mais magras. Quão magras? A ideia é que você consuma gordura suficiente para dar sabor aos alimentos, mas não mais do que isso. Não faz sentido comer a capa de gordura da picanha quando se está tentando perder a sua própria capa de gordura. No entanto, o consumo de uma dieta tão pobre em gorduras que a torne pobre em sabor e saciedade acaba sendo insustentável no longo prazo. E nosso objetivo aqui é o longo prazo.

> Não faz sentido comer a capa de gordura da picanha quando se está tentando perder a sua própria capa de gordura.

No Capítulo 6, falamos dos alimentos ultraprocessados, que, independentemente dos seus macronutrientes, acabam levando ao consumo exagerado, por um misto de hiperpalatabilidade ou hipersabor e densidade calórica. Temos de tomar cuidado com os ultraprocessados *low-carb* e também com as receitas caseiras cheias de gorduras, mesmo as naturais! À medida que as estratégias *low-carb* e cetogênicas vão se tornando mais conhecidas, surgem produtos nas prateleiras para atender às demandas desse público. Primeiro que muitos deles não são, de fato, *low-carb*. A expressão *low-carb* não tem definição legal atualmente, de forma que cabe a você, leitor, a desafiadora tarefa de analisar os rótulos com atenção para identificar se o produto não é feito com amido (aveia, tapioca, maltodextrina etc.) ou adoçado com açúcar disfarçado (suco concentrado de maçã, por exemplo). Mas mesmo que o produto seja genuinamente baixo em carboidratos, ainda assim pode ser uma armadilha para o emagrecimento. Pensemos por exemplo em um chocolate recheado com pura pasta de amendoim: o chocolate é 70% cacau, sem açúcar, adoçado com polióis (ver Capítulo 7) e a pasta de amendoim idem. É *low-carb*? Sim, com certeza. Mas a relação proteína:energia é lamentável: muita energia, pouquíssima proteína, a densidade calórica é elevadíssima (muitas calorias em um volume pequeno, quase sem água ou fibras) e é muito difícil comer um só! É um produto ultraprocessado *low-carb*. Veja – ele ainda será melhor do que a sua versão com açúcar, mas continua sendo uma indulgência, algo a ser consumido de forma eventual, esporádica.

> Temos de tomar cuidado com os ultraprocessados *low-carb* e também com as receitas caseiras cheias de gorduras, mesmo as naturais!

É importante notar que tais conceitos estendem-se às "receitinhas" *low-carb* que se encontram na internet. Mesmo não sendo industrializadas, essas sobremesas e similares costumam ser cheias de gordura (creme de leite, manteiga, óleo de coco, farinhas de oleaginosas etc.), pobres em proteínas e, o principal – hiperpalatáveis. Você não precisa estar com fome para comê-las e, para emagrecer, não devemos comer sem fome.

Eu costumo dizer que o *spa* ideal para emagrecimento não precisaria ser um campo de concentração com restrição severa de calorias. Bastaria que os únicos alimentos disponíveis fossem peixes, frutos do mar, aves, carne, saladas, legumes e frutas de baixo açúcar, como *berries* (morango, mirtilo, framboesa, amora etc.). Quanto ao emagrecimento, para quem já segue uma estratégia *low-carb*, o que atrapalha a maioria das pessoas são os laticínios, as oleaginosas e as receitas feitas com ambos. Veja: essas coisas não estão "proibidas" em uma dieta *low-carb* para perda de peso. Longe disso! Mas devemos estar atentos para regular suas quantidades, caso os resultados estejam aquém do desejado.

> Quanto ao emagrecimento, para quem já segue uma estratégia *low-carb*, o que atrapalha a maioria das pessoas são os laticínios, as oleaginosas e as receitas feitas com ambos.

Em resumo, uma dieta *low-carb* voltada para emagrecimento segue as linhas gerais descritas no Capítulo 7, mas tem como foco principal o consumo de proteínas mais magras, folhas verdes e legumes, com o emprego moderado de laticínios e oleaginosas (que, na verdade, são completamente opcionais). E há que se tomar cuidado com as receitinhas hiperpalatáveis, que muitas vezes são formas de simular antigos vícios alimentares com ingredientes novos. O simples – aquilo que se convencionou chamar de "bicho e planta" – efetivamente funciona.

> O simples – aquilo que se convencionou chamar de "bicho e planta" – efetivamente funciona.

Neste capítulo, aprofundamos o tema *low-carb* e emagrecimento. Embora tenhamos discutido bastante, na primeira parte do livro, os mecanismos por meio dos quais a dieta *low-carb* favorece a perda de gordura corporal, era necessário nos aprofundarmos no que a ciência mostrou sobre isso nas últimas décadas. Explicamos que sucessivos ensaios clínicos randomizados demonstraram a eficácia da dieta *low-carb* para perda de peso – frequentemente com resultados superiores aos das estratégias com as quais eram comparados.

Em seguida, abordamos o aparente paradoxo de que estudos mais longos e metanálises acabam não refletindo a superioridade da estratégia, que é tão aparente em alguns estudos mais bem controlados. Para isso, explicamos dois conceitos fundamentais: eficácia e efetividade. Algo muito eficaz (que, se aplicado, funciona) pode acabar não sendo efetivo caso não seja executado corretamente no mundo real e no longo prazo. Deixamos claro que isso não é uma exclusividade de dietas *low-carb*, mas de todas as "dietas" e, mais do que isso, de todas as estratégias de mudança de estilo de vida. Ou seja, sabemos que orientações para cessar o tabagismo ou sair do sedentarismo, por exemplo, são igualmente pouco efetivas no longo prazo, mas que, pelo fato de serem altamente eficazes no combate às doenças crônicas, são universalmente orientadas mesmo assim. Usar os dados de efetividade de estudos de longo prazo para argumentar que algo não funciona negaria, na prática, toda e qualquer orientação para qualquer estratégia de mudança de estilo de vida. Por ser uma abordagem com alta eficácia, a estratégia *low-carb* deve ser encorajada para todos que possam se beneficiar dela e estejam dispostos a segui-la.

9

RESISTÊNCIA À INSULINA, SÍNDROME METABÓLICA E DIABETES

Muitas pessoas que buscam aprender sobre dietas *low-carb* querem apenas perder alguns quilos, gostar mais de si mesmo no espelho, entrar em roupas que não cabem mais – e são objetivos completamente legítimos. Mas o aspecto em que a estratégia *low-carb* brilha, mesmo, é como abordagem terapêutica para resistência à insulina, síndrome metabólica e diabetes.

Diabetes é algo de que a maioria das pessoas já ouviu falar. Mas o que são essas outras coisas? Resistência à insulina e síndrome metabólica são extremamente comuns e são a mãe da maioria das doenças crônicas e degenerativas – os quatro cavaleiros do apocalipse: diabetes, doença cardiovascular, câncer e demência (Alzheimer, por exemplo). Mas se são fatores de risco tão importantes para coisas tão ruins e comuns, como é que a maioria das pessoas nunca ouviu falar? É o que vamos tentar descobrir neste capítulo.

....

Resistência à insulina e síndrome metabólica são extremamente comuns e são a mãe da maioria das doenças crônicas e degenerativas – os quatro cavaleiros do apocalipse: diabetes, doença cardiovascular, câncer e demência (Alzheimer, por exemplo).

....

A palavra "diabetes" vem do grego e significa "sifão", ou seja, algo por meio do qual a água passa. Os antigos observavam que pessoas com essa patologia tinham muita sede e urinavam muito: a água "passava através" delas como se fossem um sifão. E, quando o médico provava a urina (sim, eles faziam isso), o sabor era doce – daí o nome diabetes *mellitus* (doce como o mel). A título de curiosidade, outra condição que nada tem a ver com glicose no sangue, no qual existe excesso de urina por deficiência em um hormônio da hipófise, era conhecida como diabetes *insipidus* (sem gosto).

Há muito tempo os médicos sabiam que existiam dois tipos principais de diabetes *mellitus*: um mais grave e letal, que tendia a ocorrer na infância; e outro menos grave, que era mais comum no adulto e costumava estar associado à obesidade. Mais do que isso, pesquisadores no século XIX já haviam determinado que o problema tinha a ver com o pâncreas, pois a remoção desse órgão em cães causava a doença. Por fim, identificou-se que a substância – o hormônio – cuja ausência causava o diabetes era produzida em estruturas microscópicas, pequenas ilhas de células no pâncreas chamadas "ilhotas de Langerhans", em homenagem ao seu descobridor, o cientista alemão Paul Langerhans (1847-1888). O hormônio viria a ser batizado de insulina ("o hormônio das ilhas").

Já falamos bastante sobre insulina nos Capítulos 2 e 3. É um importante hormônio com múltiplas funções, das quais as mais importantes são favorecer a entrada da glicose nas células, bloquear a produção de glicose pelo fígado (o estado "natural" do fígado é produzir grande quantidade de glicose o tempo todo; é a insulina que o impede de fazer isso) e armazenar (e manter armazenada) a gordura no tecido adiposo.

É fácil entender que sua ausência provoque o excesso de glicose no sangue (pois o fígado passa a produzir esse açúcar de forma desenfreada e as células não conseguem usá-lo), assim como a perda rápida de peso (pois ocorre lipólise desenfreada). Isso é o que ocorre no diabetes "juvenil", hoje conhecido como diabetes tipo 1 (designação mais correta, pois pode acontecer em qualquer momento da vida). O paciente com diabetes tipo 1, como vimos no início do livro, precisa de insulina injetável para sobreviver. Mas o diabetes "do adulto", hoje conhecido como tipo 2 (termo mais adequado, pois, infelizmente, tem atingido também indivíduos cada vez mais jovens, como veremos adiante), é uma doença que deixava confusos os médicos da primeira metade do século XX. Afinal, embora a glicose estivesse alta no sangue, as pessoas não estavam perdendo peso como no diabetes tipo 1 (muito pelo contrário).

Você poderia então perguntar: "Mas não bastaria medir a insulina para saber o que estava acontecendo?". O fato é que a glicose é uma substância fácil de medir com testes simples de laboratório, desde antes do século XX. O mesmo não acontece com os hormônios. Foi apenas com o advento da técnica de radioimunoensaio, inventada pela médica norte-americana Rosalyn Yalow (1921-2011) (a segunda mulher na história a ganhar um Prêmio Nobel de Medicina, por essa descoberta), que a mensuração da insulina passou a ser possível de forma prática e sistemática. O que os pesquisadores descobriram, a seguir, deixou-os chocados: a maioria dos pacientes com diabetes tipo 2 tinha insulina **alta**, e não baixa! Como isso era possível? De que forma pessoas com falta e com excesso do mesmo hormônio acabavam ambas com glicose elevada?

A chave para entender esse aparente paradoxo veio com a descoberta da resistência à insulina. Resistência aqui se refere à necessidade de utilizar mais quantidade para obter um mesmo efeito. Pense, por exemplo, no que acontece quando se usa muito veneno em uma plantação. Com o tempo, as pragas desenvolvem resistência. E o que acontece? Será necessário usar mais veneno – doses crescentes – para obter o mesmo efeito. E se, por algum motivo, o organismo desenvolvesse uma resistência ao efeito da insulina? Da mesma forma que o agricultor precisa pulverizar doses maiores de veneno, o pâncreas precisará secretar quantidades maiores de insulina apenas para tentar manter a glicose sob controle. Na prática, é comum ver pacientes com níveis de insulina em jejum de três a dez vezes acima do ideal. Um hormônio muitas vezes acima do normal – o que poderia dar errado?

Como quase tudo em ciência, o estudo e o desenvolvimento do conceito de resistência à insulina foi um processo colaborativo, mas não resta dúvida de que o maior nome nessa área foi o do médico norte-americano Gerald Reaven (1928-2018), que começou a se dedicar ao assunto em 1965. Reaven viria a ser o pai da chamada "síndrome metabólica", sobre a qual falaremos mais adiante.

A resistência à insulina e o limiar pessoal de gordura

Não é segredo que a maioria dos pacientes com diabetes tipo 2 é obesa ou, pelo menos, apresenta excesso de gordura abdominal. Mas também é verdade que nem todos são. Qual seria, então, a relação entre obesidade e diabetes?

O local correto para o acúmulo de gordura é o tecido adiposo subcutâneo – a gordura que conseguimos "beliscar" em nosso corpo. Como explicamos no Capítulo 2, esse tecido adiposo funciona como uma bateria de um celular, acumulando as calorias, quando em excesso, e liberando-as quando necessário. Mas assim como as baterias têm uma capacidade limitada, o mesmo ocorre com nosso tecido adiposo, e tal capacidade é geneticamente determinada – é o chamado "limiar pessoal de gordura". Esse assunto é muito importante, por isso vamos explicá-lo melhor. Os adipócitos – as células de gordura – acumulam gordura na forma de triglicerídeos em uma gotícula localizada no centro da célula. À medida que ganhamos peso, essa gotícula se expande, passando a ocupar a maior parte do volume da célula (esse aumento é chamado de "hipertrofia"). Mas há um limite para isso. Quando a gotícula fica tão grande a ponto de fisicamente rechaçar o núcleo e as demais organelas para a periferia da célula, desorganizando o chamado citoesqueleto (os filamentos microscópicos que mantêm a estrutura da célula e organizam seus movimentos internos), o adipócito torna-se disfuncional, isto é, doente. Esse adipócito disfuncional fica resistente ao efeito da insulina – vamos lembrar que um dos efeitos da insulina é justamente obrigar o adipócito a acumular mais gordura. Mas como esse adipócito já está cheio, desobedece às ordens da insulina, ou seja, fica resistente a ela.

Mas existe outra alternativa: e se os adipócitos, em vez de aumentarem de tamanho (hipertrofia) até quase explodir, aumentassem em número? O tecido adiposo contém células-tronco capazes de gerar novos adipócitos pequenos e saudáveis, prontos para aceitar mais gordura sem se tornarem disfuncionais. Esse fenômeno, chamado de "hiperplasia" – a proliferação de novos adipócitos – permite ao indivíduo acumular muita gordura subcutânea sem desenvolver resistência à insulina significativa. O que determina se teremos mais hipertrofia ou mais hiperplasia tem forte influência genética, e é isso, em última análise, que vai determinar o nosso **limiar pessoal de gordura**, isto é, quanto precisamos engordar antes de começar a adoecer.

Em uma pessoa que tenha atingido o seu limiar – boa parte de seus adipócitos já está cheia e disfuncional –, a gordura começa a se acumular onde não deve por falta de espaço no tecido adiposo subcutâneo. Esse acúmulo ectópico de gordura no fígado, no pâncreas, ao redor dos órgãos, a chamada gordura visceral, é a peça-chave para o entendimento do diabetes tipo 2 e da síndrome metabólica, que explicaremos mais adiante.

Complicado até aqui? No decorrer dos anos, fui desenvolvendo algumas analogias para explicar isso aos meus pacientes. A primeira, mais simples, é a seguinte: vamos imaginar o tecido adiposo subcutâneo como nossos armários e gavetas. À medida que compramos coisas – inclusive algumas de que nem estamos precisando – vamos enchendo esses depósitos. Mas chega uma hora em que o espaço disponível se esgota. Se continuarmos a comprar coisas, elas começam a se acumular **fora** do lugar correto (um acúmulo ectópico, diríamos em termos técnicos): no sofá, no chão, no corredor, em cima da cama, nos banheiros. Com o acúmulo crescente, isso passa a interferir no funcionamento da casa. Se você já viu o programa de TV *Acumuladores*, sobre pessoas que não têm mais espaço para viver dentro das próprias casas, tamanho o acúmulo de coisas fora do lugar, você terá entendido o que é o diabetes tipo 2 e a síndrome metabólica de forma metafórica.

Vamos fazer uma analogia mais complexa, que explica melhor o que acontece. Imagine um *hostel* (desses com quarto coletivo) com um corredor longo, cheio de portas dos dois lados, dando acesso aos quartos. Os quartos são as células, o corredor é o vaso sanguíneo, as pessoas são as moléculas de glicose e de gordura e as chaves que abrem as portas da célula são a insulina. Quando tudo funciona bem, cada pessoa tem a sua chave, as pessoas não se acumulam no corredor (a glicose e os triglicerídeos não se acumulam no sangue), pois têm fácil acesso aos quartos – está tudo certo. O funcionário da recepção – o pâncreas – só precisou dar umas poucas chaves (a insulina) para que tudo funcionasse corretamente. Acontece que o *hostel* se confundiu nas contas e fez um tremendo *overbooking*, reservando camas para muito mais pessoas do que o disponível. O que acontece? Algumas pessoas não conseguem entrar nos quartos, elas ficam no corredor (a glicose começa a se acumular no sangue). Elas vão reclamar na portaria (pâncreas) que suas chaves magnéticas não estão funcionando (resistência à insulina). O pâncreas, que não sabe o que está acontecendo, faz aquilo que é sua função: dá outras chaves para as pessoas, para ver se resolve o problema (hiperinsulinemia compensatória – a insulina começa a subir para tentar compensar a resistência à insulina). Mas mesmo assim muitas pessoas não conseguem entrar nos quartos, pois a verdade é que os quartos já estão superlotados e as pessoas que estão dentro deles estão sabotando as fechaduras para que elas não funcionem mais. O resultado é o acúmulo de pessoas nos corredores e no saguão do *hostel* (elevação de glicose no sangue e acúmulo de gordura visceral, ectópica).

Observe que, nessa analogia, o problema originalmente não é no pâncreas (funcionário da recepção). O problema original é a resistência à insulina (os quartos lotados), e o pâncreas faz o que pode (produz mais insulina).

....

A questão não é a quantidade absoluta de gordura que você tem no corpo, e sim saber se você ultrapassou ou não o seu limiar pessoal de gordura.

....

Considerando esse exemplo, o diabetes tipo 1 seria uma situação em que o funcionário da recepção morreu, não existem chaves e ninguém entra em lugar nenhum, ficando todos acumulados no corredor (corrente sanguínea) – glicose e gordura. No diabetes tipo 2, o funcionário está lá, mas não há quantidade de chaves que resolva, uma vez que as fechaduras é que estão com defeito. E, por fim, para levar a analogia ao limite, pode acontecer que, depois de alguns anos de diabetes tipo 2, o funcionário da recepção (pâncreas) peça demissão, ou seja, o pâncreas entra em esgotamento e passa a produzir muito pouca insulina, tornando esse diabetes tipo 2 um pouco mais parecido com o tipo 1.

No Capítulo 2 falamos de Lizzie Velasquez, uma jovem que sofre de lipodistrofia, doença rara na qual a pessoa é incapaz de acumular gordura no tecido subcutâneo. Todos os pacientes com essa doença rara são severamente resistentes à insulina e diabéticos. Isso não seria um paradoxo, uma vez que o sobrepeso e a obesidade são os grandes fatores de risco para diabetes? Uma pessoa geneticamente incapaz de engordar deveria estar protegida contra diabetes, mas o que ocorre é exatamente o oposto. Mas se entendermos o conceito de limiar pessoal de gordura e as analogias acima, tudo fica claro. Lizzie não tem gavetas e armários – tudo se acumula diretamente nos corredores. O único lugar em que ela acumula gordura é nos órgãos. Da mesma forma, na analogia do *hostel*, Lizzie simplesmente não tem quartos. Todos os hóspedes são obrigados a se acumular nos corredores e no saguão – e não importa quantas chaves recebam da recepção, pois não há portas para abrir, já que não há quartos.

A questão não é a quantidade absoluta de gordura que você tem no corpo, e sim saber se você ultrapassou ou não o seu limiar pessoal de gordura. Não importa quantas coisas sejam compradas – é necessário saber quantas gavetas e armários temos.

A síndrome metabólica

Uma síndrome é um conjunto de sinais e sintomas que costumam se agrupar na mesma pessoa. Nem todos os componentes da síndrome precisam estar presentes em todas as pessoas.

O médico Gerald Reaven foi um dos pioneiros no estudo da resistência à insulina. Foi ele também o responsável pela disseminação, na classe médica, da ideia de que a resistência à insulina e a consequente hiperinsulinemia compensatória, isto é, o fato de que o pâncreas dessas pessoas produz mais insulina do que o das pessoas normais, pudesse estar associado a uma série de alterações metabólicas.

Todos os anos a Associação Americana do Diabetes (ADA) convida um pesquisador famoso para proferir a *Banting Lecture*, uma palestra estado da arte cujo nome homenageia Sir Frederick Banting, um dos codescobridores da insulina nos anos 1920. Em 1988, foi a vez de Reaven proferir essa palestra. A apresentação de Gerald Reaven teve profundo impacto no pensamento moderno sobre o assunto, e praticamente introduziu o conceito daquilo que hoje chamamos de síndrome metabólica. Em sua apresentação, Reaven a denominava simplesmente de Síndrome X. A apresentação de Reaven foi transformada em um artigo científico e publicada no periódico *Diabetes* no mesmo ano[1]. Se você é profissional da saúde, recomendo muito a leitura do original: o gênio e a clareza desse trabalho são espantosos.

De forma muito, muito resumida, Reaven dizia que o problema básico era a resistência à insulina. Se o pâncreas não fosse capaz de aumentar substancialmente a produção de insulina, o diabetes tipo 2 era o resultado. Mas quando o pâncreas era capaz de produzir muita insulina, a glicose no sangue em jejum permanecia normal (ou próxima disso) mas, nas palavras de Reaven, "embora o diabetes possa não ocorrer caso a hiperinsulinemia possa ser mantida, tal situação, infelizmente, não é necessariamente benigna". A resistência à insulina e a hiperinsulinemia causam uma série de alterações, que Reaven denominou **Síndrome X**: intolerância à glicose, triglicerídeos aumentados, HDL baixo e hipertensão. Modernamente, a síndrome foi rebatizada de **síndrome metabólica**. Os critérios variam de acordo com as diferentes diretrizes, mas são basicamente:

- Aumento da circunferência abdominal.
- Hipertensão (ou uso de medicamentos para controlar a pressão).

1. REAVEN, 1988.

- Glicose em jejum acima de 100 ou diabetes ou uso de medicamentos para controlar o diabetes.
- Triglicerídeos acima de 150.
- HDL < 40 para homens e < 50 para mulheres

Em geral, diz-se que uma pessoa tem síndrome metabólica quando apresenta pelo menos três dos critérios acima. Modernamente, outras características têm sido acrescentadas à lista, ao menos informalmente: esteatose hepática (gordura no fígado), ácido úrico elevado e, claro, a hiperinsulinemia (que já constava da lista original de Reaven).

Mais importante do que saber de cor os critérios diagnósticos é entender o que está por trás: o aumento da gordura visceral (por isso o aumento da circunferência abdominal é um critério) e a hiperinsulinemia associada. Esta, por sua vez, leva à hipertensão (pois a insulina atua diretamente nos rins, retendo sal e água), à secreção maior de triglicerídeos pelo fígado e à redução do HDL. Em outras palavras, a síndrome metabólica nada mais é do que sinais e sintomas da hiperinsulinemia, que por sua vez é uma resposta do organismo à resistência à insulina.

Por que resistência à insulina e síndrome metabólica são tão importantes?

O número de pessoas que apresentam síndrome metabólica nos dias de hoje é assustador. De fato, a coisa atingiu proporções epidêmicas, juntamente à obesidade e ao sobrepeso. É difícil encontrar algum desfecho ruim – de infarto a câncer, de diabetes a Alzheimer, de impotência sexual a psoríase – que não tenha, na literatura científica, forte associação com a síndrome metabólica e/ou a resistência à insulina.

A maioria das pessoas sabe o valor aproximado do seu colesterol. Afinal, altos níveis de colesterol no sangue são um dos fatores de risco para doença cardiovascular. Mas quase ninguém sabe se é resistente à insulina – e alguns médicos não sabem sequer fazer esse diagnóstico.

Resistência à insulina e/ou síndrome metabólica são fatores de risco muito mais preditivos de doença cardiovascular do que cigarro ou colesterol elevado. Estão por trás de grande quantidade de casos de câncer. E o que dizer de diabetes tipo 2? Na verdade, diabetes tipo 2 é a evolução natural da resistência à insulina – seu destino final, caso ela não seja tratada ou revertida.

> Resistência à insulina e/ou síndrome metabólica são fatores de risco muito mais preditivos de doença cardiovascular do que cigarro ou colesterol elevado.

Diabetes tipo 2 tem critérios diagnósticos bem definidos. Como todos os critérios, há pontos de corte arbitrários – isso é inevitável. Se, por exemplo, o limite de velocidade de uma estrada é 120 km/h e você está a 117 km/h ou a 123 km/h, na prática você está na mesma velocidade aproximada, mas o limite arbitrário foi definido em 120, e você só levará a multa na segunda opção.

Diabetes é diagnosticado com qualquer glicemia acima de 200, ao menos duas glicemias de jejum acima de 126 ou hemoglobina glicada acima de 6,5%. A hemoglobina glicada fornece uma média aproximada da glicemia nos últimos três meses (valores considerados normais são aqueles abaixo de 5,7%; entre 5,7% e 6,4%, temos o pré-diabetes, e de 6,5% em diante, diabetes). Há ainda o teste de tolerância oral à glicose: o indivíduo em jejum mede a glicemia e, em seguida, ingere uma solução de 75 g de glicose. Após 2 horas, uma glicemia acima de 200 é compatível com diabetes; entre 140 e 200 é intolerância à glicose e abaixo de 140 é considerado normal.

Acontece que, como o doutor Reaven já explicava em 1988, muitas pessoas com glicose normal já apresentam resistência à insulina e síndrome metabólica francas muitos e muitos anos antes de ultrapassar um dos limites arbitrários que definem o diabetes tipo 2. Elas já estão em risco de morrer do coração, já estão ficando hipertensas, já têm risco aumentado de câncer e de Alzheimer mas, muitas vezes, vão para casa apenas com um remédio para pressão, esperando a glicose ultrapassar 126 ou a hemoglobina glicada passar de 6,5% para somente então tratar com medicação um dos **sintomas** da síndrome metabólica, que é a glicose elevada. Pior do que isso, reduzir com medicamentos a glicemia e a pressão arterial não resolve a causa do problema – a resistência à insulina – que segue sendo um fator de risco independente para diversas patologias graves e morte. Quando um paciente diabético tipo 2 recebe apenas tratamento medicamentoso para reduzir a glicemia, ele permanece com síndrome metabólica (ou seja, permanece em alto risco) e perde a chance de reverter a doença.

> Quando um paciente diabético tipo 2 recebe apenas tratamento medicamentoso para reduzir a glicemia, ele permanece com síndrome metabólica (ou seja, permanece em alto risco) e perde a chance de reverter a doença.

Low-carb e diabetes

Em 2003, um artigo cujo título pode ser traduzido como "O uso de paraquedas para prevenir morte e trauma relacionado a um desafio gravitacional: revisão sistemática de ensaios clínicos randomizados"[2] foi publicado no respeitado periódico científico *The British Medical Journal*. Os britânicos têm um humor peculiar e, embora muita gente não saiba, a edição de Natal do *BMJ* é dedicada ao melhor do humor médico. Os artigos não são artigos científicos de verdade, são sátiras. Mas, como sói ocorrer, uma boa sátira muitas vezes nos leva a pensar sobre alguns assuntos de forma diferente.

Os autores estavam criticando a exigência de ensaios clínicos randomizados para tudo. E usaram como exemplo a busca por supostos estudos em que pessoas fossem sorteadas para saltar de avião com ou sem paraquedas (o que obviamente seria absurdo). E concluíram: "Não foi possível identificar nenhum ensaio clínico randomizado de intervenção com paraquedas". A ideia subjacente é a de que, em alguns casos, o benefício é tão óbvio, tão evidente (coisas como estancar

---

2. SMITH; PELL, 2003.

uma hemorragia, desobstruir a traqueia de uma pessoa engasgada ou usar um colete à prova de balas em um tiroteio), que estudos randomizados seriam inconcebíveis.

É necessário cuidado com a generalização dessa ideia. Na medicina, a maioria das nossas intervenções tem resultado incerto e probabilístico[3]. Muitas coisas que achávamos que **certamente** eram benéficas acabaram se mostrando inúteis ou até mesmo prejudiciais quando testadas em ensaios clínicos randomizados. Um exemplo clássico foi o uso de encainida e flecainida, medicamentos antiarrítmicos, para pacientes com arritmias cardíacas graves após infarto. A medicação era altamente eficaz para tratar as arritmias. Como arritmias são uma das causas de morte após infarto, as pessoas achavam óbvio que seu tratamento reduziria o número de mortes. Mas não foi o que se verificou. Quando finalmente um ensaio clínico randomizado comparou seu uso ao placebo, os pacientes que usaram a medicação morreram mais[4]. Muitas mortes poderiam ter sido evitadas se um ensaio clínico randomizado tivesse sido feito antes da adoção indiscriminada desse tratamento.

E, mesmo com tantas ressalvas, eu postulo que o emprego de dietas *low-carb* no manejo nutricional do diabetes tipo 2 é um exemplo médico de paradigma do paraquedas. Não no sentido de que ensaios clínicos não devessem ser feitos – eles o foram, às dezenas. Mas no sentido de que o benefício é autoevidente, óbvio, extremamente plausível. Os estudos têm sido, na prática, testes de efetividade, ou seja, como explicado no capítulo anterior, algo pode ser muito eficaz, mas pode ter sua efetividade reduzida no mundo real pois as pessoas não aderem perfeitamente ao tratamento. Aliás, o mesmo ocorreria até com os paraquedas. Imagine o seguinte experimento fictício: você sorteia voluntários para saltarem de um avião uns com e outros sem paraquedas, mas você não ensina aos primeiros como colocar nem como usar o dispositivo de segurança. Talvez o número de mortes acabe sendo estatisticamente semelhante nos dois grupos, mas ainda assim você não concluiria que usar ou não paraquedas dá na mesma. Sua conclusão seria

---

3. HAYES; KAESTNER; MAILANKODY *et al.*, 2018.
4. ECHT; LIEBSON; MITCHELL *et al.*, 1991.

a de que a efetividade foi baixa por motivos que podem ser consertados – educação, treinamento adequado etc. Porque a eficácia do paraquedas é simplesmente autoevidente.

> [...] o emprego de dietas *low-carb* no manejo nutricional do diabetes tipo 2 é um exemplo médico de paradigma do paraquedas.

O manejo nutricional do diabetes é um fenômeno curioso na medicina. Afinal, diabetes tipo 2 pode ser visto como uma patologia de intolerância. Basta lembrar que um dos exames utilizados para diagnosticar essa doença é o "teste de **tolerância** oral à glicose", no qual a pessoa ingere 75 g de glicose e mede a glicemia após 2 horas; se os valores forem superiores a 200, isso é compatível com diabetes. Ou seja, a intolerância a uma sobrecarga oral de glicose caracteriza a doença. E o que fazemos em outras situações de intolerância? Quando uma pessoa tem doença celíaca, na qual o consumo de glúten produz uma doença autoimune caracterizada por cólicas, diarreias e dificuldade em absorver nutrientes, retiramos o glúten da dieta mesmo sabendo que os alimentos que contêm glúten são saborosos. Seria loucura sugerir que as pessoas continuassem consumindo glúten e ficassem utilizando medicamentos para dor e diarreia e suplementando nutrientes apenas para continuar comendo aquilo que seu corpo não tolera. O mesmo ocorre com alergias alimentares. Uma pessoa alérgica a amendoim ou camarão corre o risco de morrer se consumir esses alimentos. O fato de sabermos que amendoim e camarão são saborosos e saudáveis não nos impede de orientar essas pessoas a evitar o seu consumo a todo o custo. E seria loucura tratá-las previamente com antialérgicos e corticoides apenas para que pudessem se arriscar a ingerir aquilo que seu corpo não tolera. Mesmo em situações triviais, como intolerância à lactose, a recomendação habitual é evitar o consumo dessa substância, havendo, inclusive, muitas opções no mercado de laticínios sem lactose para atender a esses indivíduos.

> [...] diabetes tipo 2 pode ser visto como uma patologia de intolerância.

Bem, o diabetes tipo 2 caracteriza-se, literalmente, por intolerância à glicose. Seu manejo nutricional, segundo as diretrizes da Sociedade Brasileira de Diabetes[5], no entanto, diz que "a ingestão dietética em pacientes com DM segue recomendações semelhantes àquelas definidas para a população geral considerando-se todas as faixas etárias". Que sentido isso faz? Na mesma publicação, há um quadro em que a recomendação é de consumo de carboidratos em percentuais de 45% a 60%. Em uma dieta de 2.000 kcal, 60% de carboidratos equivalem a 300 g. **Trezentos!**

Isso significa o seguinte: se eu der 75 g de glicose para uma pessoa e ela demonstrar que não tolera a glicose, ou seja, não passar em um teste de tolerância à glicose, sugere-se que, a partir de então, a pessoa passe a consumir 300 g de glicose por dia. É simplesmente bizarro. É como mandar alguém saltar de um avião sem paraquedas. É como mandar alguém intolerante à lactose beber litros de leite ou sugerir que um celíaco consuma tanto glúten quanto qualquer outra pessoa "da população em geral". Embora as diretrizes de vários países já estejam incorporando dietas *low-carb* como **uma das** estratégias-padrão para o manejo do diabetes tipo 2 desde 2019, a verdade é que quase todas elas ainda sugerem que diabéticos consumam quantidades superiores a 45% das calorias na forma de carboidrato, ou seja, de glicose. Mas não foi sempre assim.

> Isso significa o seguinte: se eu der 75 g de glicose para uma pessoa e ela demonstrar que não tolera a glicose, ou seja, não passar em um teste de tolerância à glicose, sugere-se que, a partir de então, a pessoa passe a consumir 300 g de glicose por dia. É simplesmente bizarro.

5. SOCIEDADE BRASILEIRA DE DIABETES, 2019.

Um interessante artigo publicado em 2021 no *Journal of Clinical Investigation*[6] explica que a restrição de carboidratos sempre foi utilizada como tratamento do diabetes desde o final do século XVIII. Em uma época em que não havia nenhum tratamento medicamentoso disponível para o diabetes, muitos anos antes da descoberta da insulina, em 1922, dietas pobres em carboidrato prolongavam a vida de pacientes com diabetes tipo 1. Em um clássico exemplo de paradigma do paraquedas, reduzir a glicose ingerida reduzia o excesso de glicose eliminado na urina desses pacientes e amenizava a evolução da doença.

Tudo começou a mudar quando a insulina passou a ser usada como medicamento. Em um primeiro momento, o hormônio era usado com dietas pobres em carboidratos – *low-carb* era o paradigma predominante então. Mas isso começou a mudar nos anos 1940. Com a ampla disponibilidade terapêutica desse hormônio, passou a predominar a ideia de que como os níveis de glicose podiam ser controlados pela reposição de insulina, as necessidades nutricionais de pessoas com diabetes deviam espelhar as de indivíduos saudáveis, e as recomendações dietéticas subsequentes são em grande parte paralelas às da população em geral. Nessa época, ainda não existia a tecnologia necessária para o monitoramento domiciliar da glicose. As pessoas mediam a glicose apenas em jejum, no laboratório, de forma muito esporádica. Assim, não era possível avaliar as grandes elevações de glicose que ocorriam após as refeições. Exames que nos fornecem uma média da glicose nos últimos meses, como a hemoglobina glicada, ainda não haviam sido desenvolvidos. Em outras palavras, não era possível avaliar quão prejudicial e inadequado o controle da glicemia ficava com o emprego de dietas de alto carboidrato.

Na mesma época, começava a surgir o medo da gordura na dieta (sobre o qual falaremos no Capítulo 12). A consequente **lipidofobia** gerou uma postura nos seguintes moldes: o importante é restringir a gordura para reduzir os níveis de colesterol. Se isso implicar uma dieta com muitos carboidratos, tudo bem, afinal, "para isso temos insulina".

---

6. LENNERZ; KOUTNIK; AZOVA *et al.*, 2021.

Seriam ainda necessárias décadas até que as consequências da hiperinsulinemia crônica, da síndrome metabólica e do mau controle glicêmico ficassem claras. Hoje sabemos que a síndrome metabólica e a resistência à insulina com hiperinsulinemia compensatória são fatores de risco muito maiores para doença coronariana do que colesterol (e, como já vimos, para um grande número de patologias crônicas e degenerativas).

Chegamos ao ápice de tal política paradoxal em 1986, quando as diretrizes da Associação Americana do Diabetes (ADA) recomendavam um limite máximo de gordura na dieta (30%), mas um consumo "liberal" de carboidratos. Tente explicar a um extraterrestre que os humanos têm uma doença de intolerância aos carboidratos para a qual a orientação é restringir gordura – um macronutriente que não impacta significativamente na glicemia nem na insulina. Boa sorte.

Em 1993 foram publicados os resultados do Diabetes Control and Complications Trial (DCCT)[7], um estudo no qual ficou claro que o controle mais adequado da glicemia, evitando grandes picos, reduzia o risco das complicações microvasculares. Complicações microvasculares são as responsáveis por algumas das consequências mais temidas do diabetes, como perda de visão (por problemas nos pequenos vasos da retina) e insuficiência renal crônica (por problemas nos pequenos vasos sanguíneos que formam os filtros microscópicos dos rins – os glomérulos). Diabetes é a maior causa de hemodiálise e transplante renal por causa do controle glicêmico inadequado. No ano seguinte, a ADA abandonou a recomendação de um alvo específico de carboidratos, alegando (finalmente) ausência de evidências para tanto. Mas seguiu recomendando um limite máximo de 30% de gordura (o que também carecia de evidências). Ora, se você limitar em 30% as calorias de gordura, seu consumo de carboidratos terá que ser de, no mínimo, 50% (assumindo 20% de proteínas). Ou seja, os diabéticos continuavam a ser orientados a consumir metade de sua dieta na forma daquilo que os deixava ainda mais doentes: glicose exógena desnecessária.

....
7. DIABETES CONTROL AND COMPLICATIONS TRIAL RESEARCH GROUP; NATHAN; GENUTH *et al.*, 1993.

[...] os diabéticos continuavam a ser orientados a consumir metade de sua dieta na forma daquilo que os deixava ainda mais doentes: glicose exógena desnecessária.

Não bastassem essas recomendações esdrúxulas, havia uma, em particular, que deveria entrar para os anais do absurdo: a de que nenhuma dieta deveria restringir os carboidratos para menos de 130 g diárias. O motivo alegado era tão pueril, tão simplório, tão facilmente falseado até por experimentos mentais – sem falar nos inúmeros exemplos práticos de pessoas que vivem bem com menos do que isso – que tenho dificuldade em compreender que ainda seja citado hoje em dia por profissionais de saúde com curso superior.

O argumento era o seguinte: o cérebro usa principalmente glicose como fonte de energia. E é sabido que o cérebro utiliza cerca de 20% das calorias diárias de um adulto. Isso corresponde a cerca de 120 g a 130 g de glicose em uma dieta de 2.500 kcal. Logo, se você consumir menos do que isso, seu cérebro será prejudicado.

Veja, por um lado é verdade que nosso cérebro não pode ficar completamente sem glicose. A glicose normal no sangue varia de 70 mg/dL a 100 mg/dL. Valores abaixo de 50 costumam estar associados a sintomas como confusão mental, tremores e convulsões, e valores abaixo de 10 podem provocar coma e morte em questão de minutos.

Agora pense comigo: sendo a glicose no sangue absolutamente essencial à vida, nosso corpo não teria evoluído de forma que se assegurasse a sua presença independentemente de sua disponibilidade na dieta? Nossos antepassados do paleolítico não conheciam agricultura, não tinham fontes garantidas de amido e açúcar, podiam passar dias sem comer nada ou meses sem consumir carboidratos (determinadas culturas, como os inuítes, no Ártico, até recentemente passavam pelo menos seis meses comendo exclusivamente peixes e outros tipos de caça). Se o cérebro humano dependesse apenas de glicose oriunda da dieta, nossos antepassados não teriam deixado descendentes. Ao contrário, nós somos os descendentes dos que sobreviveram por 2 milhões de anos sem fontes diárias garantidas de glicose exógena.

Se você já fez exames de sangue em jejum de 12 horas ou mais (jantou às 20 h, foi colher sangue às 8 h), por que o resultado da sua glicose não deu 50 ou menos? Afinal, a sua digestão dos carboidratos já terminou há muitas horas. Acontece que a glicose que ingerimos é armazenada no fígado e nos músculos na forma de glicogênio. Esse glicogênio do fígado é lentamente transformado em glicose durante o jejum (ou na ausência de carboidratos na dieta), de modo que se mantém a glicemia normal. Mas o que acontece quando uma pessoa faz uma dieta de baixo carboidrato, com, digamos, 20 g de carboidratos por dia, por meses ou anos? Quando o glicogênio acabar (em cerca de 24 horas) o que nos espera é a morte ou o coma? Na verdade, não. O fígado é capaz de suprir toda a glicose necessária por tempo indeterminado por meio de um fenômeno chamado gliconeogênese. A gliconeogênese permite fabricar glicose a partir de glicerol dos triglicerídeos (as gorduras são armazenadas como três ácidos graxos ligados a um esqueleto de glicerol – daí o nome triglicerídeos) e a partir de aminoácidos oriundos das proteínas. No caso de jejum prolongado, os aminoácidos virão do próprio corpo (o que leva à perda de massa magra, que é algo indesejável). Mas em indivíduos consumindo proteína adequada, os aminoácidos da dieta são mais do que suficientes para sustentar a gliconeogênese por tempo indeterminado sem perda de massa magra (ver Capítulo 11).

Veja bem, isso pode ser novidade para você, leitor, mas a fisiologia descrita acima é conhecida desde o século XIX. Que profissionais da saúde com curso superior afirmem que é necessário consumir 130 g de glicose por dia para que o cérebro continue funcionando é algo difícil de adjetivar.

Mais impressionante ainda é o fato de que você não precisa saber nada disso para refutar a teoria de que uma dieta com menos de 130 g de carboidratos prejudica o funcionamento cerebral. Basta observar os inúmeros casos de pessoas que vivem com muito menos do que isso e não estão em coma – e aqui valem tanto os exemplos de sociedades inteiras (por exemplo, os masais e os inuítes) como também todas as pessoas do mundo que seguem uma dieta *low-carb*, incluindo este que vos escreve. Lembra a história do matemático que afirmou que os besouros não podiam voar? Pois é, a realidade tem primazia sobre os mecanismos.

Uma pequena digressão se faz necessária. Muitos filósofos da ciência debruçaram-se sobre o assunto de como separar o que é e o que não é científico. Entre eles, destaca-se Karl Popper (1902-1994). Popper concluiu que o "critério de demarcação" entre ciência e o resto é que uma teoria científica precisa ser "falsificável", ou seja, é necessário que um experimento possa provar que a teoria é falsa. O critério não diz que um experimento precisa provar que a teoria é verdadeira, pois isso não é possível, filosoficamente falando. Para ilustrar essa assimetria, Popper cunhou uma analogia que ficou famosa: a do cisne negro.

Suponhamos que uma pessoa observe cem cisnes e todos sejam brancos; então ela desenvolve a hipótese de que todos os cisnes são brancos. Suponhamos que ela veja mais mil cisnes, todos brancos. Isso confirma a sua teoria? Quantos cisnes precisam ser observados a fim de confirmar em definitivo a teoria de que todos os cisnes são brancos? Não importa quantos cisnes brancos sejam observados, jamais teremos como provar que **todos** os cisnes são brancos. Mas basta **um** único cisne negro para demonstrar que a teoria é falsa.

Cada pessoa que segue uma estratégia *low-carb* e cujo cérebro segue funcionando perfeitamente – o que inclui muitos dos que estão lendo este livro, além do autor – **é um cisne negro**. Mesmo que não soubéssemos nada sobre os mecanismos que permitem ao organismo manter uma glicemia normal na ausência de carboidratos na dieta, a simples observação desse bando gigantesco de cisnes negros deveria ter sido mais do que suficiente para enterrar essa teoria ainda no nascedouro. Que a Associação Americana do Diabetes só tenha removido isso de suas diretrizes em 2019 diz muito sobre a dificuldade que há em avançar nesse tema.

> Cada pessoa que segue uma estratégia *low-carb* e cujo cérebro segue funcionando perfeitamente – o que inclui muitos dos que estão lendo este livro, além do autor – é um cisne negro.

Em 2019, a ADA publicou suas novas diretrizes[8] sobre o manejo nutricional do diabetes. Ali, *low-carb* aparece não apenas como uma das dietas-padrão recomendadas para diabetes tipo 2 e pré-diabetes, mas como a única que permite melhorar o controle glicêmico e reduzir a quantidade de medicamentos ao mesmo tempo. Houve muitos avanços nesse documento em relação aos que o precederam. Alguns destaques:

- As reduções da hemoglobina glicada (A1c) com terapia nutricional médica podem ser similares ou maiores do que o que se espera com o tratamento medicamentoso do diabetes tipo 2.
- A quantidade de ingestão de carboidratos necessária para a saúde ideal em humanos é desconhecida. Embora a ingestão dietética recomendada de carboidratos para adultos sem diabetes (19 anos ou mais) seja de 130 g/dia e determinada em parte pela necessidade de glicose do cérebro, essa necessidade de energia pode ser atendida pelos processos metabólicos do corpo, que incluem glicogenólise, gliconeogênese (por meio do metabolismo do componente glicerol da gordura ou aminoácidos gliconeogênicos na proteína) e/ou cetogênese no contexto de ingestão dietética muito baixa de carboidratos.
- Uma tabela comparando diversas dietas cita como vantagens da *low-carb*: redução da hemoglobina glicada (A1c), perda de peso, redução da pressão arterial, aumento do HDL ("colesterol bom") e redução dos triglicerídeos.
- Reduzir a quantidade total de carboidratos para indivíduos com diabetes [é a estratégia que] **demonstrou a maior quantidade de evidências** para a melhora da glicemia, e pode ser aplicada em uma variedade de padrões alimentares de acordo com as necessidades e preferências de cada indivíduo [*ênfase minha*].
- Reduzir a gordura total não melhorou a glicemia ou os fatores de risco cardiovascular em pessoas com diabetes tipo 2 baseado em uma revisão sistemática, vários estudos, e em uma metanálise [...] A dieta *low-fat* tem sido usada como "grupo-controle" para testar outros padrões alimentares.

---

8. EVERT; DENNISON; GARDNER *et al.*, 2019.

- *Low-carb*, especialmente *very low-carb*, tem demonstrado reduzir a hemoglobina glicada e a necessidade de medicação no diabetes. Esses padrões alimentares **estão entre os mais estudados no diabetes tipo 2** [ênfase minha].
- Em estudos de até seis meses de duração, a dieta *low-carb* melhorou mais a hemoglobina glicada (A1c), e em estudos de duração variada, baixou os triglicerídeos, aumentou o HDL, baixou a pressão arterial e resultou em maiores reduções nos medicamentos. (EVERT et al., 2019)

Reparem que, repetidas vezes, falou-se da melhora não apenas do diabetes (hemoglobina glicada), mas da melhora de triglicerídeos, do HDL e da pressão arterial. Vocês se lembram do doutor Gerald Reaven e sua descoberta de que a resistência à insulina gera hiperinsulinemia compensatória que, por sua vez, manifesta-se como síndrome metabólica, com triglicerídeos e pressão elevados e HDL baixo? O que a ADA está dizendo, como veremos, é que *low-carb* **não trata apenas o sintoma (glicose elevada): ao reduzir o principal estímulo à secreção de insulina (carboidratos em excesso),** a dieta *low-carb* trata também a causa – e por isso a "síndrome X" de Reaven melhora como um todo. Mas segue ainda o texto da ADA:

Finalmente, em outra metanálise comparando padrões alimentares de baixo e de alto carboidrato, quanto maior a restrição de carboidratos, maior a redução da hemoglobina glicada. (Idem)

....
[...] *low-carb* não trata apenas o sintoma (glicose elevada): ao reduzir o principal estímulo à secreção de insulina (carboidratos em excesso), a dieta *low-carb* trata também a causa [...].
....

Isto é o que eu chamo de paradigma do paraquedas: quem diria que, quanto menos glicose se consome, mais a glicose diminui? Que algo tão óbvio tenha levado décadas até aparecer em um parágrafo de uma diretriz sobre uma doença caracterizada, do ponto de vista diagnóstico, por intolerância à glicose, é algo sobre o que gerações futuras lançarão olhares de espanto e incredulidade. E mais:

> A maioria dos ensaios clínicos de *low-carb* não restringiu a gordura saturada; pela evidência atual, este padrão alimentar não parece aumentar o risco cardiovascular. (*Idem*)

O texto explica que estudos mais extensos são necessários para confirmar isso a longo prazo, o que é verdade para os outros padrões alimentares também. Até onde foi estudado, os benefícios estão demonstrados, e os riscos não surgiram (falaremos mais sobre isso no Capítulo 12). Como as mesmas ressalvas aplicam-se aos demais padrões alimentares, resta claro que as condutas devem se basear na evidência disponível sobre a eficácia e a segurança já demonstradas, e não em riscos teóricos e futuros (que, afinal, todas as estratégias têm, pois nenhuma foi testada a longo prazo).

Com a mudança de postura da ADA surgiram outras diretrizes internacionais que passaram a aceitar a dieta *low-carb* como uma possibilidade a ser oferecida para pessoas com diabetes tipo 2: Diabetes UK[9], Associação Europeia para o Estudo do Diabetes[10], Diabetes Australia[11] e Diabetes Canada[12].

O posicionamento da Diabetes Canada, além de ter sido o mais assertivo, foi o único que explicou o equívoco de não ter recomendado uma dieta *low-carb* como alternativa válida antes – embora tenha alegado que esse erro foi um mal-entendido. Vejamos:

> [Para pessoas vivendo com diabetes tipo 2] esta revisão atual indica que uma dieta baixa em carboidratos pode ser eficaz para perda de peso, melhor controle glicêmico com redução na necessidade de terapias anti-hiperglicêmicas. Outras abordagens de dieta também podem ser eficazes para perda de peso e controle glicêmico aprimorado, mas não o al-

---

9. DIABETES UK, 2017.
10. DAVIES; D'ALESSIO; FRADKIN *et al.*, 2018.
11. DIABETES AUSTRALIA, 2018.
12. DIABETES CANADA POSITION [...], 2020.

cançaram ao mesmo tempo que reduzem a necessidade de terapias anti-hiperglicêmicas [ao contrário da *low-carb*], o que é um resultado significativo. (*Idem*)

A revisão sugere ainda que as dietas com muito baixo teor de carboidratos podem ser superiores às dietas comparativas (mais altas) para melhorar o controle glicêmico e o peso corporal e podem reduzir a necessidade de medicamentos a curto prazo (em até doze meses).

Agora vem a parte crucial. As diretrizes canadenses há décadas recomendavam uma dieta com 45% a 60% de carboidratos para diabéticos – como de resto todas as diretrizes mundiais. Não há dúvida de que o maior motivo para isso é a dominância das diretrizes norte-americanas sobre as demais – as diretrizes mundiais eram praticamente plágios mal disfarçados. Não obstante, ao justificar tal recomendação prévia, o texto deixa transparecer que, de fato, nunca houve uma razão real para isso. Segue o texto – com ênfases e comentários meus:

> Carboidratos (CHO) são biomoléculas que estão disponíveis na forma de amidos, açúcares e fibras. Evidências sugerem que a ingestão excessiva de calorias e o **consumo excessivo de carboidratos refinados são os principais impulsionadores da epidemia de obesidade e diabetes tipo 2**, enquanto a obesidade está surgindo como um desafio para pessoas com diabetes tipo 1. O *Diabetes Canada 2018 Clinical Practice Guidelines for the Prevention and Management of Diabetes in Canada* (CPG) enfatiza a importância de dietas nutricionalmente equilibradas e com redução de calorias para alcançar e manter um peso corporal mais saudável, que **pode ser alcançado por vários padrões alimentares com base nas preferências individuais** e objetivos do tratamento. **Na ausência de evidências específicas sobre a distribuição de macronutrientes, as recomendações da Diabetes Canada alinhavam-se com as da Health Canada para a população em geral** (45% a 60% de carboidratos da energia total). (DIABETES CANADA POSITION [...], 2020)

O que eu leio nas entrelinhas é que o consumo excessivo de carboidratos é um dos principais impulsionadores da epidemia de obesidade e diabetes e que a perda de peso pode ser obtida por **vários** padrões alimentares – não apenas por dietas de alto carboidrato com restrição calórica. E que, até então, as recomendações para diabetes se alinhavam às da população em geral, pois, segundo os autores e erroneamente na minha opinião – não havia evidências específicas sobre a vantagem de usar menos carboidratos. E, aliás, como veremos no Capítulo 12, tampouco há evidências de que o "saudável" seja consumir de 45% a 60% de carboidratos para a população em geral. Continuando:

> A recomendação de consenso da Diabetes Canada (45-60% de carboidratos) **não tinha a intenção de restringir as escolhas de indivíduos com diabetes para seguir padrões alimentares abaixo desse nível,** nem seu acesso ao apoio de profissionais de saúde. Em vez disso, refletiu a ausência de evidências convincentes de superioridade de qualquer padrão alimentar específico para todos os adultos com diabetes tipo 2, mas indicou que, para pessoas com diabetes tipo 1, pequenos estudos de curto prazo demonstraram que dietas com baixo teor de carboidratos poderiam ser uma opção". (*Idem*)

A passagem acima é extremamente importante e reveladora. É uma admissão tácita de que houve um grande equívoco. Quando se recomendavam 45% a 60% de carboidratos, não era por evidências de benefício, era por **alegada** ausência de evidências de que pudesse ser melhor consumir quantidades menores de carboidratos, em uma doença caracterizada por intolerância à glicose. Com diversos estudos mostrando benefícios de dietas *low-carb*. Em seguida, vem um constrangido pedido de desculpas, mais ou menos assim: "nunca foi nossa intenção dar a entender que pacientes e profissionais de saúde não poderiam optar por *low-carb*. Se foi essa a impressão que passamos – desculpa aí, foi mal".

Se, como o texto afirma, as diretrizes até então eram baseadas na "ausência de evidências convincentes de superioridade de qualquer padrão alimentar específico para todos os adultos com diabetes tipo 2", então a recomendação deveria ser agnóstica quanto à quantidade de carboidratos. Quantos milhões de diabéticos foram desencorajados (e até mesmo recriminados) por seus médicos e nutricionistas por estarem seguindo uma abordagem *low-carb* porque diretrizes recomendavam que suas dietas deveriam ser compostas de 50% ou mais de glicose, aquilo que estava elevado nos seus exames? A frase "a recomendação de consenso da Diabetes Canada (45-60% de carboidratos) não tinha a intenção de restringir as escolhas de indivíduos com diabetes para seguir padrões alimentares abaixo desse nível, nem seu acesso ao apoio de profissionais de saúde" soa como uma piada de mau gosto. Pacientes diabéticos, aos milhões, foram literalmente desertados por seus médicos e nutricionistas por **ousar** consumir menos carboidratos, sendo que, como a diretriz canadense deixa claro, não havia evidências para isso. É. Foi mal. Muito mal.

Mas, antes tarde do que nunca, vem o motivo da mudança:

> Desde a conclusão de nossa última revisão da literatura (15 de setembro de 2017), organizações como Diabetes Australia, Diabetes UK e American Diabetes Association em conjunto com a European Association for the Study of Diabetes desenvolveram posicionamentos e recomendações sobre dietas de baixo carboidrato para pessoas com diabetes. Vários temas consistentes surgiram. Todos concluíram que dietas com baixo teor de carboidratos (<130 g ou <45% de energia carboidratos/dia), especialmente dietas com muito baixo teor de carboidratos (<50 g de carboidratos/dia) podem ser seguras e eficazes no controle do peso e na redução da hemoglobina glicada em pessoas com diabetes tipo 2. (*Idem*)

Se eu estivesse escrevendo há poucos anos, teria de fazer um grande esforço argumentativo para convencer os leitores da área médica de que dietas *low-carb* são uma estratégia válida para tratar o diabetes. Hoje, felizmente, tal entendimento já é, como visto, consenso nas diretrizes dos países avançados.

Mas omiti o final do parágrafo acima. A parte que diz

> [dietas *low-carb*] podem ser seguras e eficazes no controle do peso e na redução da hemoglobina glicada em pessoas com diabetes tipo 2 **a curto**

prazo (<3 meses), no entanto, essas dietas podem não ter uma vantagem de longo prazo. No geral, foi sugerido que uma abordagem individualizada para reduzir a ingestão de carboidratos pode ser integrada a uma variedade de padrões alimentares.

Aqui é o momento de relembrar do Capítulo 8. Quando se reduz o consumo de carboidratos abaixo de 50 g por dia, a melhora do diabetes tipo 2 é impressionante, como veremos. Que sentido faz supor que isso só seja assim nos primeiros meses? É evidente que uma dieta *low-carb*, ao reduzir a quantidade de glicose em uma doença de intolerância à glicose, não deixa de ser eficaz após três ou seis meses pelo mesmo motivo que retirar o glúten de um celíaco não deixa de ser eficaz após determinado prazo. A efetividade de **todas** as dietas diminui com o passar dos meses por falta de adesão – e isso não é exclusividade de dietas *low-carb*! Infelizmente, teremos de aguardar mais alguns anos para ler, em uma futura versão das diretrizes, outro pedido dissimulado de desculpas dizendo "a recomendação de consenso, ao mencionar que as pessoas tendem a não seguir sua dieta no longo prazo, não tinha a intenção de dar a entender que uma dieta *low-carb* só funcionava por poucos meses e só deveria ser empregada no curto prazo. Estávamos apenas expressando nossa pouca fé na perseverança dos diabéticos em particular e dos seres humanos em geral". Mas foi exatamente isso o que aconteceu – as pessoas entenderam que dietas *low-carb* só deveriam ser utilizadas no curto prazo e que deixavam de funcionar depois disso. Como já dissemos no capítulo anterior, não deixamos de orientar a cessação do tabagismo ou a adoção de atividade física regular devido à baixa probabilidade de efetividade no longo prazo – pelo contrário, apoiamos as pessoas para que não desistam de algo que é sabidamente eficaz.

> A efetividade de **todas** as dietas diminui com o passar dos meses por falta de adesão – e isso não é exclusividade de dietas *low-carb*!

O advento dos glicosímetros portáteis, que permitem avaliar a glicemia de forma instantânea com apenas uma pequena gota de sangue, foi um grande avanço no manejo do diabetes. Até então, as pessoas mediam a glicose com grandes intervalos, apenas em jejum, e um controle adequado da glicemia era impossível.

Mas a grande revolução veio com o surgimento dos aparelhos de monitorização contínua de glicose – dispositivos aderidos à pele do paciente que medem a glicemia automaticamente a cada 5 minutos. O sensor, do tamanho de uma moeda, tem bateria própria e memória. A leitura é efetuada por aproximação, inclusive através da roupa. Não há necessidade de espetar o dedo (exceto, eventualmente, para realizar uma contraprova dos valores). Vários modelos de *smartphone* são compatíveis e, quando isso não acontece, é possível utilizar um aparelho leitor específico. O sensor, aderido à pele, armazena as últimas 8 horas de medidas de glicose. Quando se faz a leitura, obtêm-se não apenas o valor da glicemia naquele momento, mas o gráfico das oscilações de glicose nas últimas 8 horas. Isso permite saber o comportamento da glicemia durante as 24 horas do dia, e não apenas em jejum a cada vários meses.

É difícil explicar o impacto dessa revolução. Acontece que não conseguimos "sentir" a nossa glicose (com exceção da hipoglicemia, que tem sintomas característicos como sudorese, taquicardia, vertigem e confusão mental). Se um alimento eleva a glicose de um diabético de 100 para 250, isso não é perceptível – não há nada a ser "sentido". Exceto quando o exame de hemoglobina glicada vem elevado meses depois e, muitas vezes, a conduta médica é apenas aumentar as doses de medicamentos – ou de insulina.

Com a monitorização contínua, o paciente e o médico passam a enxergar, com os próprios olhos e em tempo real, o que acontece. É impossível ignorar que o pão integral eleva a sua glicose e o filé não. Que a aveia coloca a sua glicemia nas alturas, mas os ovos mexidos não.

A combinação do entendimento de que diabetes é uma patologia de intolerância à glicose com a visualização, em tempo real, do efeito dos carboidratos – e de sua restrição – sobre essa mesma glicose é algo que, uma vez visto, não se pode "desver".

A figura a seguir mostra os gráficos de glicose de uma paciente no dia de sua primeira consulta e 15 dias após. Ela trazia um exame com glicemia de jejum de 393 e outras características de síndrome metabólica (triglicerídeos acima de 300 – muito altos – e gordura no fígado). As únicas intervenções aqui foram metformina 1 g ao dia e dieta *low-carb*.

Figura 9.1

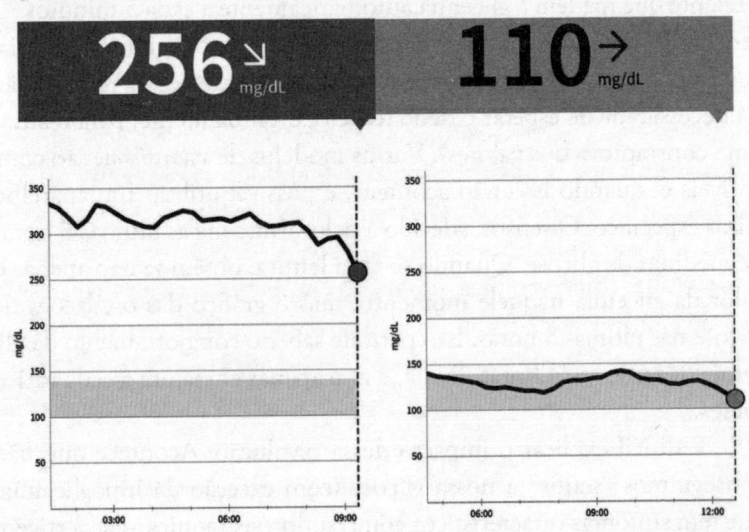

Gráfico do monitor contínuo de glicose de uma paciente no dia da primeira consulta e 15 dias depois da adoção de uma dieta *low-carb* + 1 g de metformina.

O manejo típico para um paciente nessas condições teria sido a insulinização. O mais provável seria o subsequente tratamento com uma combinação de várias drogas orais e a doença seria crônica e progressiva, com suas eventuais complicações – cegueira, hemodiálise, amputações, infarto. Ao contrário, a retirada imediata daquilo que a paciente não tolera – glicose – pode, por vezes, produzir um resultado espantoso em poucas semanas. Além disso, ocorre o emagrecimento e a reversão da resistência à insulina e da síndrome metabólica. É a diferença entre tratar um dos **sintomas** da resistência à insulina – a glicose elevada – com medicamentos em vez de atuar sobre a causa – o excesso de alimentos que elevam a glicose e a resistência à insulina provocada pela gordura visceral.

O manejo nutricional do diabetes com uma dieta *low-carb* é um típico caso de paradigma do paraquedas: que uma patologia caracterizada por intolerância à glicose apresentará melhora com a restrição de glicose na dieta é algo tão evidente que sua aceitação oficial apenas em 2019 é realmente espantosa. Tenho esperança de que, ainda em meu tempo de vida, essa venha finalmente a ser considerada a abordagem padrão, e não apenas uma das opções.

Nos últimos vinte anos, um número muito grande de ensaios clínicos randomizados foi publicado comparando a dieta *low-carb* com outras estratégias nutricionais no tratamento do diabetes tipo 2. Sua interpretação, porém, esbarra nos mesmos problemas elencados no capítulo anterior: restrição insuficiente de carboidratos, estudos isocalóricos (que, como veremos, são menos problemáticos no diabetes do que no emagrecimento) e, principalmente, a perda de efetividade com o tempo devido à perda de adesão ao tratamento.

Um pequeno ensaio clínico randomizado – um estudo-piloto – publicado em 2017[13] comparou uma dieta *very low-carb* com a dieta padrão proposta pela Associação Americana do Diabetes (ADA), uma dieta (paradoxalmente) rica em carboidratos, por 32 semanas. O resultado foi simplesmente espantoso:

A redução da hemoglobina glicada foi da ordem de 0,8% *versus* 0,3% no grupo da ADA[14]; mais da metade do grupo que estava em *low--carb* atingiu uma hemoglobina (Hb) glicada abaixo de 6,5% (o limite para ser considerado diabético), enquanto **nenhum** dos que foram sorteados para a dieta da ADA atingiu esse objetivo. A perda de peso média foi de 12,7 kg no grupo *low-carb* e de 3 kg na dieta "para diabetes"

---

13. SALOW,; MASON; KIM *et al.*, 2017.
14. A hemoglobina glicada (também abreviada como HbA1c) fornece uma estimativa da glicemia média do indivíduo nos últimos 60 a 90 dias. Valores abaixo de 5,7% são considerados normais. Entre 5,7% e 6,4% considera-se pré-diabetes e de 6,5% em diante, diabetes. Assim, uma redução de 0,8% pode ser suficiente para que alguém diabético, com HbA1c de 6,5%, fique no limite entre a normalidade e o pré--diabetes. É, portanto, uma redução clinicamente significativa.

– algo que já esperávamos pela leitura do capítulo anterior, mas é importante salientar que o emagrecimento é peça muito importante na resolução da resistência à insulina. O percentual de pessoas que perderam mais de 5% do peso corporal foi de 90% no grupo *low-carb* contra apenas 29% no grupo da ADA – e isso importa muito, pois uma perda superior a 5% já apresenta vantagens metabólicas significativas. Um exemplo disso é que a redução média dos triglicerídeos foi de 60 mg/dL no grupo *low-carb* contra apenas 6 mg/dL no grupo da ADA.

A crítica previsível a um estudo como esse é seu pequeno tamanho (apenas 25 pessoas) e sua curta duração (oito meses – nem tão curta assim). Por outro lado, é justamente nesses estudos menores que a intervenção pode ser mais bem controlada, e é justamente em estudos mais curtos que a probabilidade de as pessoas estarem, de fato, seguindo as orientações é maior. Em outras palavras, um estudo dessa natureza demonstra, sem dúvida, a eficácia. Mas é evidente que, do ponto de vista científico, um estudo-piloto não basta. E as várias diretrizes de diabetes dos países desenvolvidos não acolheram a dieta *low-carb* como uma das opções-padrão tão somente por causa da sua plausibilidade ou por um ou dois estudos, mas pela totalidade da literatura.

Uma revisão sistemática e metanálise de 2017[15] concluiu que

> dietas baixas a moderadas em carboidratos têm maior efeito no controle glicêmico do diabetes tipo 2 em comparação com dietas ricas em carboidratos no primeiro ano de intervenção. **Quanto maior a restrição de carboidratos, maior a redução da glicose**, relação esta que não havia sido demonstrada anteriormente. (SNORGAARD *et al.*, 2017)

Trata-se, de fato, de uma relação dose-resposta: quanto mais *low-carb*, maior o benefício para diabetes. Isso pode ser visto no gráfico da página ao lado (Figura 9.2), retirado dessa metanálise. Isso é exatamente o que se esperaria de algo tão autoevidente quanto o benefício de consumir menos glicose para baixar a glicose: quanto mais *low-carb*, mais eficaz.

....
15. SNORGAARD; POULSEN; ANDERSEN *et al.*, 2017.

Figura 9.2

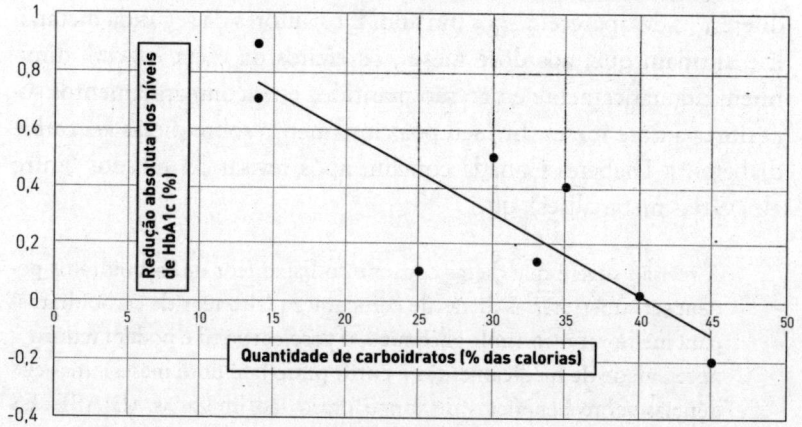

Redução da hemoglobina glicada (HbA1c) (%) de acordo com o grau de restrição dos carboidratos em 8 ensaios clínicos randomizados

Eixo Y: Redução absoluta dos níveis de HbA1c (%)
Eixo X: Quantidade de carboidratos (% das calorias)

Elaborado com base em: SNORGAARD; POULSEN; ANDERSEN *et al.*, 2017.

Outra metanálise mais recente, com a inclusão de cinquenta ensaios clínicos randomizados[16], também descreveu uma curva-dose resposta:

Figura 9.3

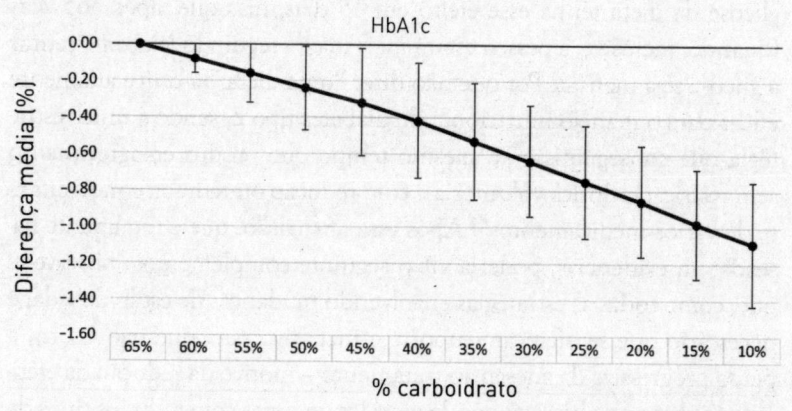

HbA1c

Eixo Y: Diferença média (%)
Eixo X: % carboidrato

Elaborado com base em: JAYEDI; ZERAATTALAB; JABBARZADEH *et al.*, 2022.

---

16. JAYEDI; ZERAATTALAB; JABBARZADEH *et al.*, 2022.

Mais uma vez, claro como o dia, quanto menor o percentual de carboidratos na dieta, maior a queda da hemoglobina glicada.

Não obstante, os autores da primeira metanálise dizem que as diferenças desaparecem após um ano. E os autores da segunda metanálise afirmam que, aos doze meses, os efeitos da dieta *low-carb* diminuem dramaticamente e não são mantidos em acompanhamentos superiores a doze meses. Em seu posicionamento sobre dietas *low-carb* e diabetes, a Diabetes Canada conclui, após revisar 33 estudos (entre eles várias metanálises), que

> A revisão sugere que dietas com muito baixo teor de carboidratos podem ser superiores às dietas de comparação (alto teor de carboidratos) para melhorar o controle glicêmico, o peso corporal e podem reduzir a necessidade de medicamentos a curto prazo (até doze meses), mas evidências sobre benefícios de longo prazo são limitadas. (DIABETES CANADA POSITION [...], 2020)

O que nos traz de volta ao capítulo anterior. Por que usamos essa linguagem? Não é evidente que a redução de carboidratos não perderá magicamente seu efeito apenas porque a Terra deu mais uma volta ao redor do sol? Veja novamente a Figura 9.1. É razoável que a retirada de glicose da dieta tenha esse efeito em 15 dias, mas que, após 365 dias (quando, inclusive, a pessoa estará mais magra seguindo *low-carb*), retirar a glicose seja ineficaz? Por que não dizer "uma dieta *low-carb* é altamente eficaz para o manejo nutricional do diabetes tipo 2, sendo a única estratégia que consegue isso ao mesmo tempo que produz emagrecimento sem restrição calórica voluntária e com redução ou retirada concomitante de vários medicamentos"? Após essa afirmação, que é totalmente baseada em evidências, poderia vir o seguinte complemento: "observe-se que, como **todas** as estratégias envolvendo mudanças de estilo de vida, é necessário que se ofereçam suporte e incentivo para que não ocorra a perda progressiva da adesão ao tratamento – motivo da redução da efetividade observada nos estudos de mais longo prazo com todos os tipos de programas envolvendo qualquer tipo de dieta ou atividade física".

A resposta, penso eu, é que persiste um preconceito arraigado na comunidade científica quanto a um estilo de vida que não foi originalmente proposto por ela. Pode ser útil contrastar o tom da linguagem quando a mesma questão é tratada pelo ângulo da atividade física, e não da alimentação. Em uma excelente revisão sobre o papel do exercício na prevenção do reganho de peso após o emagrecimento[17], os autores ponderam sobre um aparente paradoxo: há vários motivos, do ponto de vista mecanístico, que justificariam a eficácia do exercício em prevenir o reganho de peso. Há modelos pré-clínicos (em animais) que dão suporte a essa hipótese. E existem vários estudos observacionais de grande porte em humanos mostrando que as pessoas que conseguem manter o peso perdido são, predominantemente, as mesmas que mantêm uma atividade física regular. Não obstante, os ensaios clínicos randomizados, em sua maioria, são negativos. Pessoas que, após obter sucesso no emagrecimento, são sorteadas para fazer atividade física regular ou para grupo-controle não apresentam diferença na taxa de reganho de peso em análise por intenção de tratar. Relembrando: as pessoas que são sorteadas para um grupo (de atividade física, por exemplo) continuarão sendo contabilizadas naquele grupo mesmo que desistam após 15 dias e fiquem o resto do ano no sofá. Assim, quando um ensaio clínico randomizado conclui que fazer ou não exercício físico é irrelevante, não é essa a mensagem que se passa à sociedade, pois é evidente que o que se está mostrando é que a **efetividade** de ser designado aleatoriamente para um grupo de exercícios regulares é muito baixa. Não porque o exercício não funciona, mas porque as pessoas tendem a não seguir as orientações.

> Pessoas que, após obter sucesso no emagrecimento, são sorteadas para fazer atividade física regular ou para grupo-controle não apresentam diferença na taxa de reganho de peso em análise por intenção de tratar.

Mas vamos deixar que os próprios autores do estudo sobre exercício falem:

17. FORIGHT; PRESBY; SHERK *et al.*, 2018.

ECRs (ensaios clínicos randomizados) são atormentados por questões de adesão. A falta de adesão gera uma variação considerável na quantidade de exercício realmente realizada, na medida em que, em muitos estudos, as análises por intenção de tratar não conseguem detectar um benefício do exercício na MPP (manutenção do peso perdido). Quando os mesmos ECRs são reanalisados com base na quantidade autorrelatada de exercício realizado, surge prontamente uma relação entre exercício e MPP. Isso pode ser devido ao desenho do ECR, que atribui aleatoriamente os participantes para cada grupo, sem levar em consideração sua propensão a se exercitar regularmente. Como resultado, os participantes que podem não ter desejo ou ter até mesmo aversão ao exercício regular podem ser atribuídos a um braço de exercício de um estudo [e não farão os exercícios prescritos]. Por outro lado, aqueles que estão mais inclinados ou altamente motivados para o exercício podem ser designados para um braço sedentário de um teste [e acabam fazendo exercício mesmo assim]. Dado que a adesão às prescrições de exercícios continua a influenciar os resultados dos ECRs, adquirir a prova definitiva de um efeito benéfico do exercício na MPP, nesse tipo de paradigma de pesquisa, pode revelar-se um custo proibitivo. (FORIGHT et al., 2016)

Eu concordo, é claro. Mas, se o assunto fosse *low-carb* e diabetes, a conclusão seria "depois de um ano, praticar uma dieta *low-carb* e comer churros todos os dias são a mesma coisa".

Por que a diferença de tratamento nas duas situações? Porque, veja, mesmo com todos os problemas de falta de adesão das pessoas a qualquer dieta no longo prazo, a dieta *low-carb* ainda tem os maiores motivos mecanísticos para funcionar e os melhores resultados em ensaios clínicos randomizados nos primeiros seis meses quando comparado a qualquer alternativa – e, não obstante, o que se faz é salientar a ausência de diferença que passa a ocorrer apenas depois que as pessoas randomizadas para o grupo *low-carb* já voltaram a comer *pizza*. Já exercício físico para a manutenção de peso perdido simplesmente não demonstra eficácia na grande maioria dos ensaios clínicos randomizados – mas todos correm para não apenas salientar que os motivos são por falta de adesão (como se em *low-carb* não fosse a mesma coisa), mas para orientar que o exercício seja feito mesmo assim. A diferença entre as duas situações (afora o fato de as evidências para *low-carb* e diabetes serem mais robustas) é que há **boa vontade** *a priori* para com o exercício e **preconceito** em relação às estratégias *low-carb*.

Como já discutimos no capítulo anterior, a análise por intenção de tratar, embora introduza o grave problema de analisar em conjunto quem segue e quem não segue o tratamento, acaba sendo a forma correta de analisar os dados. Para explicar melhor o motivo, vou contar uma breve história.

....

A diferença entre as duas situações (afora o fato de as evidências para *low-carb* e diabetes serem mais robustas) é que há **boa vontade** *a priori* para com o exercício e **preconceito** em relação às estratégias *low-carb*.

....

Entre 1966 e 1974 um grande ensaio clínico randomizado foi conduzido[18] para avaliar várias drogas *versus* placebo em pacientes que tivessem sofrido infarto recentemente. Isso ocorreu muitos anos antes da descoberta das estatinas, e o estudo foi negativo: embora o desfecho substituto (colesterol) tivesse baixado, o desfecho concreto (mortes) não se modificou[19].

Os autores, atônitos, tentando entender por que a mortalidade não mudou (afinal, o colesterol foi reduzido), levantaram a seguinte hipótese: a medicação talvez fosse eficaz; as pessoas é que não tomavam o remédio direito. Felizmente, esse dado podia ser avaliado de forma objetiva: todos os participantes recebiam de graça frascos com a medicação e devolviam os frascos vazios a cada quatro meses para receber novos frascos. Isso permitia aos pesquisadores contar quantos comprimidos sobravam. Assim, era possível avaliar quem tomava todas as doses e quem era mais displicente. Pois bem, a análise dos dados, publicada em 1980 no *New England Journal of Medicine*, mostrou um resultado

---

18. CLOFIBRATE and Niacin in Coronary Heart Disease, 1975.
19. THE CORONARY DRUG PROJECT RESEARCH GROUP, 1980.

realmente impressionante: quem usou corretamente o clofibrato (medicação antiga para reduzir o colesterol) teve uma mortalidade de 15% nos anos em que durou o estudo. Já aqueles que usaram a medicação de forma errática tiveram uma mortalidade de 24,6%. Uma diferença **absoluta** de quase **dez por cento** em mortalidade. Essa é uma situação que não se vê todos os dias em ensaios clínicos randomizados de remédios para o coração. Para fins de comparação, o Lípitor (atorvastatina), em pacientes de alto risco cardiovascular, reduz o risco absoluto de ataques cardíacos em 1 (um) por cento, e isso é considerado excelente.

Assim, já que os que usavam o remédio corretamente morriam **dez por cento** menos (em termos absolutos) do que os que o usavam de forma errática, devemos concluir que o clofibrato é uma medicação altamente eficaz na prevenção secundária de mortalidade cardiovascular (de fato, dez vezes mais eficaz do que as estatinas) e que se trata apenas de convencer as pessoas a tomar seus remédios corretamente, certo? Certo? Não.

Acontece que os autores resolveram ver o que ocorreu com o braço placebo do estudo. Lembre-se de que o estudo era duplo-cego, ou seja, nem os pacientes nem os pesquisadores sabiam quem estava tomando o quê. Assim, havia também pessoas que tomavam religiosamente suas três pílulas de placebo por dia e aquelas que tomavam o placebo de forma errática. Mas o placebo é uma pílula inerte – que não contém medicação **nenhuma**. Assim, é óbvio que não faz nenhuma diferença tomar o placebo corretamente ou não, certo? Tanto faz tomar **nada** três vezes ao dia ou nada às vezes sim, às vezes não, certo? Certo? Não.

Eis o que o estudo encontrou: A mortalidade foi de 28,2% no grupo que tomava o placebo de forma inadequada e de apenas 15,1% em quem tomava o placebo direitinho. Uma diferença **absoluta** de 13%. Eu disse **treze** por cento de diferença absoluta em mortalidade, o mais concreto e inequívoco dos desfechos duros. Respire fundo, tome um ar e absorva essa informação. Tomar corretamente seu placebo, uma pílula inerte que não contém nada, produziu uma redução absoluta de treze por cento em mortalidade em um ensaio clínico randomizado com mais de 8 mil participantes e duração de oito anos. Como é possível?

> Tomar corretamente seu placebo, uma pílula inerte que não contém nada, produziu uma redução absoluta de treze por cento em mortalidade em um ensaio clínico randomizado com mais de 8 mil participantes e duração de oito anos. Como é possível?

OK, eu confesso que usei impropriamente uma linguagem causal de propósito (como fazem alguns jornalistas de saúde). Porque é evidente que tomar o placebo corretamente não foi a **causa** da redução gigantesca de mortalidade. Então, o que foi?

A resposta, por incrível que pareça, é simplesmente que as pessoas que tomam seus remédios religiosamente como prescrito são diferentes daquelas que os tomam de forma errática. São mais "certinhas", mais comportadas. Por isso, têm menor chance de fumar ou beber em demasia, cuidam-se melhor no que diz respeito a peso, atividade física e alimentação, usam cinto de segurança, capacete etc.

> [...] as pessoas que tomam seus remédios religiosamente como prescrito são diferentes daquelas que os tomam de forma errática. São mais "certinhas", mais bem comportadas.

E esse é o motivo pelo qual, modernamente, utilizamos apenas a análise por intenção de tratar ao analisar os resultados dos ensaios clínicos randomizados. As pessoas que fazem exercício após o emagrecimento são diferentes em outros aspectos das pessoas que não o fazem. Elas podem, por exemplo, ter mais persistência e força de vontade – e talvez sejam essas características, e não o exercício, que lhes permitem manter o peso perdido. Pelo mesmo motivo, os ensaios clínicos que provaram a alta eficácia da estratégia *low-carb* não poderiam simplesmente comparar quem efetivamente fez *low-carb* direito com quem não fez – pois são pessoas diferentes em outros aspectos que podem influenciar no resultado final. Mas, entenda, a análise por ITT introduz as próprias distorções: obviamente é inapropriado concluir que uma dieta com menos de 40 g de carboidratos não está sendo eficaz no diabetes quando, um ano após o início do estudo, o grupo está consumindo em média quatro vezes mais do que isso.

E mesmo com todos esses poréns, cito aqui novamente a Diabetes Canada:

> A revisão sugere que dietas com muito baixo teor de carboidratos podem ser superiores às dietas de comparação (alto teor de carboidratos) para melhorar o controle glicêmico, o peso corporal e podem reduzir a necessidade de medicamentos.

E agora que já entendemos por que tais benefícios vão se atenuando com o tempo – é falta de adesão das pessoas, e não uma perda mística e inexplicável de eficácia – podemos avaliar o que acontece com quem realmente segue a estratégia mais corretamente e por prazo mais longo. Afinal, uma vez ultrapassada a necessidade de provar que algo funciona – isso já está estabelecido para *low-carb* – temos agora liberdade para avaliar um estudo não randomizado.

Os estudos do Virta Health

Sami Inkinen era um jovem bilionário que, em 2011, fez fortuna com a abertura de capital de uma empresa focada no *e-commerce* do mercado imobiliário por meio do uso de aplicativos. Sami era também atleta amador – naquele mesmo ano, foi o vencedor do campeonato mundial de Ironman para a sua categoria de idade. E, para sua surpresa, descobriu no mesmo ano que era pré-diabético. Como isso era possível? Insatisfeito com a visão convencional de que tudo se resumia a comer menos (ele já era magro) e fazer mais exercício ("mais ainda?"), começou a investigar a ciência por trás do diabetes tipo 2, o que o levou aos pesquisadores Stephen Phinney e Jeff Volek – os maiores especialistas na intersecção entre *low-carb*, saúde metabólica e ciência do exercício.

Tendo compreendido que seu corpo não tolerava adequadamente as quantidades imensas de carboidratos que costumam ser recomendadas aos atletas e tendo sido orientado por Phinney e Volek sobre a possibilidade de não apenas manter como até mesmo melhorar a *performance* atlética por meio da cetose nutricional, ele e a esposa realizaram a travessia de São Francisco ao Havaí a remo com dieta cetogênica, ou seja, praticamente sem carboidratos.

Em 2014, unindo forças com Stephen Phinney e Jeff Volek e com sua *expertise* em tecnologia, Sami Inkinen fundou a empresa Virta Health para ajudar as pessoas a manejar e, quando possível, reverter o diabetes tipo 2 utilizando dieta de muito baixo carboidrato (*very low- -carb* ou cetogênica) e suporte remoto.

Para que a Virta pudesse vender essa ideia aos planos de saúde dos Estados Unidos, era necessário demonstrar cientificamente a efetividade do processo. Eles estavam convencidos de que, embora houvesse muitos ensaios clínicos provando sua eficácia, a utilização de monitorização remota via aplicativo permitiria uma efetividade nunca antes vista. Em colaboração com a Universidade de Indiana e capitaneado pela doutora Sarah Hallberg, foi iniciado em 2015 um ambicioso estudo, não randomizado, no qual pacientes do Virta Health seriam comparados com pacientes submetidos aos cuidados usuais, para avaliar os resultados no mundo real (um estudo "pragmático").

A estratégia alimentar adotada pela Virta era a mesma já comprovada em inúmeros estudos – uma dieta *very low-carb* (tipicamente menos de 30 g de carboidratos por dia, nesse caso). Mas o método para assegurar o *compliance* – a adesão – é inovador, graças à *expertise* de seu fundador. Os participantes recebem um *kit* com um medidor de glicose e de cetonas (os mesmos "corpos cetônicos" sobre os quais falamos no Capítulo 4), uma balança equipada com *wi-fi* e um aplicativo. *Health coaches* (*coaches* de saúde) entram em contato diariamente pelo aplicativo para resolver problemas e dúvidas. Nutricionistas formulam a dieta em consultas *on-line* pelo aplicativo e médicos com treinamento específico em dieta cetogênica para diabetes fazem um acompanhamento meticuloso – que é fundamental, pois a alta eficácia torna necessário reduzir e retirar precocemente vários medicamentos, entre eles insulina (em diabéticos tipo 2), hipoglicemiantes e remédios para a pressão. A balança sincroniza o peso do paciente diariamente com o aplicativo, que também informa à Virta os valores de glicose e de cetonas. Uma característica única da metodologia da Virta Health é empregar os **corpos cetônicos como biomarcadores de adesão**. Até onde sabemos, uma dieta *very low-carb* é a única na qual dispomos de um marcador objetivo que permite saber quando a pessoa está seguindo ou não. Elevações da glicemia ou a saída da cetose nutricional disparam um alerta levando ao contato por parte do *health coach* para saber o que houve e trazer estímulo para a retomada do tratamento correto.

Os primeiros resultados, com apenas dez semanas de seguimento, publicados em 2017[20], já eram espantosos: embora a média de Hb glicada dos participantes no início do estudo fosse de 7,6%, dez semanas depois a metade deles já tinha valores abaixo de 6,5% (o limite para diagnóstico de diabetes) sem medicação nenhuma ou apenas com metformina. E a perda de peso nesse período (sem restrição voluntária das calorias, ou seja, sem passar fome) foi de incríveis 7,2% do peso corporal.

Os resultados de um ano de seguimento do Virta foram publicados em 2018[21] e deixam claros não apenas a efetividade da estratégia *low-carb*, mas também os resultados lamentáveis do grupo de "cuidados usuais". Esse grupo de cuidados usuais era composto de pacientes que haviam sido encaminhados por seu médico para o grupo local de educação em diabetes, com encontros nos quais eram orientados por nutricionistas a seguir as diretrizes da ADA.

Em um ano, os pacientes do grupo *very low-carb* haviam melhorado ainda mais os resultados obtidos em dez semanas, com a Hb glicada reduzindo-se de 7,6% para 6,3% em média (com redução concomitante de 63% dos medicamentos prescritos) e com perda média de 13,8 kg (ou 12% do peso corporal). Enquanto isso, no grupo de cuidados usuais, simplesmente não houve mudança da Hb glicada, a despeito de ter havido aumento na quantidade de medicamentos prescritos, tampouco houve qualquer perda de peso. Então não, dietas *low-carb* não deixam magicamente de funcionar após um ano, desde que as pessoas recebam o suporte e incentivo adequado. Com um ano de seguimento, 83% das pessoas continuavam firmes na dieta cetogênica.

....
20. McKENZIE; HALLBERG; CREIGHTON *et al.*, 2017.
21. HALLBERG; McKENZIE; WILLIAMS *et al.*, 2018.

RESISTÊNCIA À INSULINA, SÍNDROME METABÓLICA E DIABETES

> [...] dietas *low-carb* não deixam magicamente de funcionar após um ano – desde que as pessoas recebam o suporte e incentivo adequado.

Em dois anos – quando as metanálises de ensaios clínicos randomizados sugerem não haver mais vantagem alguma –, os resultados do Virta seguem sensacionais.

Figura 9.4

[Gráfico superior: Mudança de peso (kg) vs Dias (0 a 720)]

[Gráfico inferior: Mudança em HbA1c (%) vs Dias]

Restrição de carboidratos + Monitoramento remoto contínuo
– – Virta

Restrição de carboidratos
∞∞ Tay

Dieta de baixa/muito baixa ingestão calórica
····· DiRECT
—— Wing

Intervenção intensiva de estilo de vida
– – – LookAHEAD

Elaborado com base em: HALLBERG; McKENZIE; WILLIAMS *et al.*, 2018.

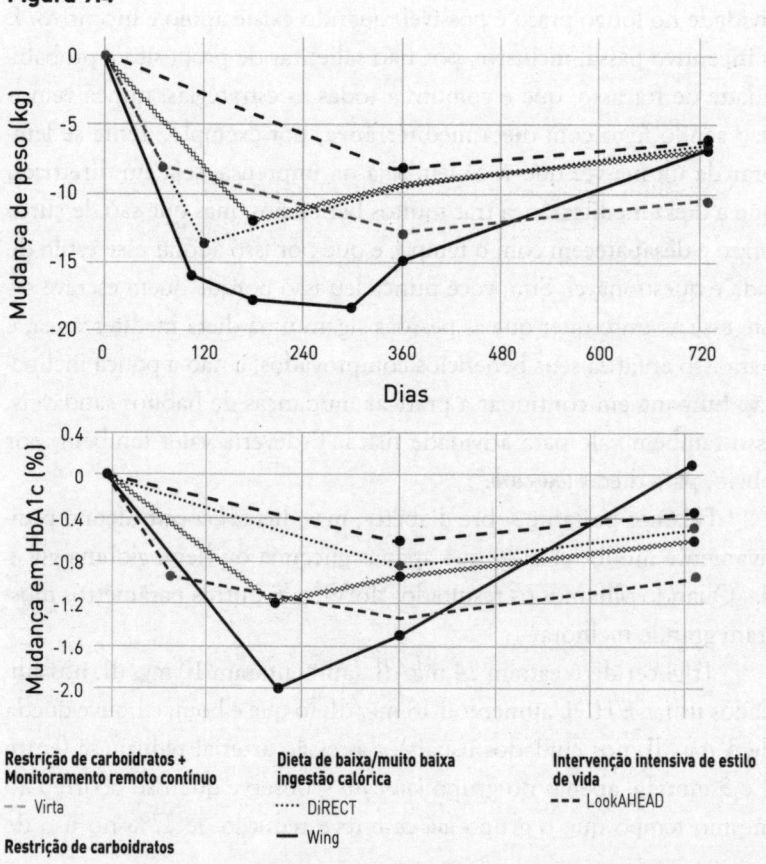

Observe que houve, sim, um leve aumento da Hb glicada média – de 6,2 para 6,6 – entre o primeiro e o segundo ano. E houve, também, um pequeno reganho do peso perdido. Mas, note, os resultados são muito melhores que os relatados em outros estudos com dois anos de duração.

Assim como atividade física, a dieta *low-carb* seguirá funcionando enquanto for posta em prática. Os estudos randomizados são as ferramentas para provar eficácia (já passamos dessa etapa em estratégias *low-carb*). Experimentos como o do Virta indicam formas de aumentar a efetividade no mundo real e, ao fazer isso, deixam claro que manter a efetividade no longo prazo é possível, quando existe apoio e incentivo. E o incentivo passa, inclusive, por não salientar de propósito a probabilidade de fracasso, que é comum a **todas** as estratégias: nunca vemos isso sendo feito com dieta mediterrânea, por exemplo. Tente se lembrar da última vez que você leu, seja na imprensa, seja em diretrizes, que a dieta mediterrânea traz muitos benefícios, mas que são de curto prazo e desaparecem com o tempo, e que por isso adotar esse estilo de vida é questionável. Sim, você nunca leu isso porque quem escreve sobre esse assunto quer que as pessoas sigam uma dieta mediterrânea, e para isso enfatiza seus benefícios comprovados, e não a pouca inclinação humana em continuar a praticar mudanças de hábitos saudáveis. Isso também vale para atividade física. E deveria valer também, por óbvio, para dietas *low-carb*.

Falamos bastante sobre diabetes, mas dietas *low-carb* afetam positivamente muito mais do que apenas glicemia ou hemoglobina glicada. Quando olhamos os resultados do Virta[22], outros parâmetros mostram grande melhora:

Triglicerídeos caíram 24 mg/dL (aumentaram 10 mg/dL nos cuidados usuais); HDL aumentou 18 mg/dL (o que é bom; e houve queda de 3 mg/dL nos cuidados usuais); a pressão arterial reduziu-se (entre 4 e 5 mmHg, apenas no grupo *low-carb* – observe que isso ocorreu ao mesmo tempo que o grupo *low-carb* teve redução de 17% no uso de

---

22. HALLBERG; McKENZIE; WILLIAMS *et al.*, 2018.

medicação, enquanto o grupo-controle teve aumento de 15% no uso de remédios para a pressão).

Triglicerídeos, HDL, pressão arterial, glicemia, circunferência abdominal, já ouvimos falar sobre esse conjunto antes? Sim, é a "síndrome X" de Reaven, a moderna **síndrome metabólica**. Dietas *low-carb*, diferentemente de uma medicação que simplesmente reduz a glicose no sangue, melhoram a síndrome metabólica como um todo. Se isso é verdade, é de se esperar que a resistência à insulina também seja revertida, visto que a síndrome metabólica nada mais é do que o conjunto de sinais e sintomas que a caracterizam. De fato, a redução média do HOMA-IR, uma medida de resistência à insulina, foi de 54% no grupo *low-carb*, enquanto no grupo de cuidados usuais houve um aumento de 16% em um ano.

> [...] a redução média do HOMA-IR, uma medida de resistência à insulina, foi de 54% no grupo *low-carb*, enquanto no grupo de cuidados usuais houve um aumento de 16% em um ano.

É interessante notar que tais resultados não são exclusividade do estudo da Virta. Há cerca de dez anos, uma metanálise de ensaios clínicos randomizados[23] já mostrava o seguinte:

> Uma metanálise em dados de 1.141 pacientes obesos mostrou que uma dieta de baixo carboidrato é associada com redução significativa de peso, IMC, circunferência abdominal, pressão arterial, triglicerídeos, glicemia, hemoglobina glicada, insulina e proteína C reativa, assim como aumento do HDL. (SANTOS *et al.*, 2012)

Os mesmos benefícios são corroborados pela metanálise de 2022, mencionada mais acima, quando falamos da curva dose-resposta[24].

De fato, em uma fascinante revisão narrativa de 2005[25], Jeff Volek (o mesmo cofundador do Virta Health) e Richard Feinman argumen-

---
23. SANTOS; ESTEVES, PEREIRA *et al.*, 2012.
24. JAYEDI; ZERAATTALAB; JABBARZADEH *et al.*, 2022.
25. VOLEK; FEINMAN, 2005.

tam que a melhora da síndrome metabólica pela estratégia *low-carb* é tão impressionante e evidente que a síndrome metabólica poderia ser definida como o conjunto de sinais e sintomas que melhoram com a restrição de carboidratos. Afinal, segundo os autores, a glicose é o principal estímulo à secreção de insulina, e a hiperinsulinemia está por trás das alterações que caracterizam a síndrome metabólica. Logo, é evidente que a restrição de glicose (e consequente redução da hiperinsulinemia) trará benefícios a esses pacientes.

Por outro lado, também é verdade que todo e qualquer emagrecimento tende a reduzir a resistência à insulina e, portanto, a síndrome metabólica. Assim, muitos autores admitem que a dieta *low-carb* é eficaz para a síndrome metabólica, mas "apenas" porque produz emagrecimento. Acho curioso esse "apenas", porque produzir emagrecimento sem fome já é, por si só, algo incrível e digno de nota. Mas será mesmo que o único efeito benéfico deriva do emagrecimento? Essa é uma das poucas situações em que os estudos isocalóricos – aqueles em que os dois grupos são obrigados a consumir exatamente a mesma quantidade diária de calorias – podem ajudar.

Um elegante ensaio clínico randomizado[26] foi conduzido em 2019 para responder a esta pergunta: "Será que a totalidade dos benefícios da estratégia *low-carb* em melhorar ou reverter a síndrome metabólica é fruto da perda de peso que costuma ocorrer ou será que as dietas *low-carb*, ao removerem a maior parte da glicose (que tais indivíduos, **por definição**, não toleram), produzem melhores resultados por conta disso?". O estudo randomizou pacientes obesos com síndrome metabólica para três grupos – carboidratos altos, médios e baixos (*low-carb*), com a mesma proporção de proteínas em todos os grupos (e, portanto, com quantidades diferentes de gorduras), e isocalóricos, a fim de impedir que houvesse perda de peso. Esta é, como eu disse antes, uma das poucas situações em que se justifica fazer um estudo de dietas isocalóricas. E o resultado foi que o grupo *low-carb* teve redução de glicose, de triglicerídeos e de pressão arterial e aumento do HDL – ou seja, praticamente todos os critérios da síndrome metabólica melhoraram mes-

26. HYDE; SAPPER; CRABTREE *et al.*, 2019.

mo sem que houvesse perda de peso alguma. O único critério que não melhorou foi a circunferência abdominal, pois para isso, obviamente, é necessário haver emagrecimento, que o desenho isocalórico do estudo impediu. Para se ter uma ideia, mais da metade dos pacientes do grupo *low-carb* já não preenchia mais os critérios para síndrome metabólica ao final de quatro semanas (sem emagrecer, repita-se), contra apenas 1 entre 16 no grupo de alto carboidrato.

> [...] praticamente todos os critérios da síndrome metabólica melhoraram mesmo sem que houvesse perda de peso alguma.

O mais impressionante dos ensaios clínicos demonstrando a superioridade de estratégias *low-carb* para síndrome metabólica foi publicado em 2017 na revista científica *Circulation*[27]. Esse estudo foi conduzido pelo mesmo grupo israelense – extremamente meticuloso – que levou a cabo o estudo DIRECT de 2008 (ver Capítulos 3 e 9). Da mesma forma que em 2008, eles novamente recrutaram um grupo grande de pessoas (278 indivíduos obesos e sedentários), forneceram o almoço a todos os participantes durante toda a duração do estudo (um ano e meio!) e realizaram reuniões periódicas com nutricionistas que reforçavam a dieta a ser seguida. Os autores resolveram combinar as duas melhores dietas do estudo DIRECT: *low-carb* e mediterrânea, criando o que chamaram de MED/LC. Importante: ambas as dietas tiveram a mesma redução de calorias: 26%, com o objetivo de provocar perda de peso semelhante.

> [...] a dieta restringiu a ingestão de carboidratos para menos de 40 g/dia nos primeiros dois meses (fase de indução) e, posteriormente, um aumento gradual de até 70 g/dia e aumento da ingestão de proteína e gordura, de acordo com [a dieta mediterrânea]. A dieta MED/LC era rica em vegetais e legumes, e baixa em carne vermelha, com aves e peixe substituindo carne e cordeiro. Esse grupo também recebeu 28 g de nozes/dia [...] a partir do terceiro mês. (GEPNER *et al.*, 2017)

27. GEPNER; SHELEF; SCHWARZFUCHS *et al.*, 2017.

O outro grupo era uma dieta de baixa gordura (*low-fat*) nos seguintes moldes:

> Para a dieta LF [*low-fat*], o objetivo era limitar a ingestão total de gordura a 30% de calorias, com até 10% de gorduras saturadas e não mais de 300 mg de colesterol por dia e aumentar a fibra alimentar. Os participantes foram aconselhados a consumir grãos integrais, vegetais, frutas e leguminosas e limitar o consumo de gorduras adicionais, doces e lanches com alto teor de gordura. (GEPNER et al., 2017)

....
Importante: ambas as dietas tiveram a mesma redução de calorias: 26%, com o objetivo de provocar perda de peso semelhante.
....

Um ponto forte desse estudo foi a avaliação dos depósitos ectópicos de gordura com o método padrão-ouro – a ressonância magnética com quantificação computadorizada. Foram avaliados os depósitos de gordura intra-abdominal, no fígado, no coração, no pâncreas e no seio renal e a gordura intramuscular (na coxa). Há quem acredite que tanto faz a dieta que você adote: desde que você emagreça, os benefícios serão os mesmos. Esse estudo indica que isso pode não ser verdadeiro. A hiperinsulinemia afeta diretamente a tendência à deposição ectópica de gordura. Embora a insulina elevada diminua com qualquer estratégia de emagrecimento, a redução será obviamente maior quando se evitam os alimentos que elevam mais a insulina.

Os 278 participantes foram randomizados para MED/LC (*low-carb*) com ou sem exercício e para LF (*low-fat*) com ou sem exercício. Os resultados foram muito reveladores:

- Todos os grupos tiveram perda de peso modesta e semelhante; o grupo *low-carb* com exercício foi ligeiramente melhor, e o grupo *low-fat* sem exercício foi ligeiramente pior, mas essas diferenças não foram significativas e – como em todo estudo longo de dieta – tendem a desaparecer no final (à medida que as pessoas vão reduzindo sua adesão).

- O grupo *low-carb* teve redução da circunferência abdominal significativamente superior à do grupo *low-fat* – e o resultado foi ainda melhor, nesse quesito, nos que fizeram exercícios em ambos os grupos. Embora, ao final de 18 meses, não houvesse diferença na perda de peso global, o grupo *low-carb* produziu o dobro da redução de circunferência abdominal em relação ao grupo *low-fat*.
- As pressões arteriais sistólica e diastólica reduziram-se mais em *low-carb* do que em *low-fat*.
- *Low-carb* teve maior redução da gordura no fígado do que *low--fat*, independentemente da perda de peso (que foi igual).
- *Low-carb* teve maior redução da gordura no coração (intrapericárdica) do que *low-fat*, independentemente da perda de peso (que foi igual).
- *Low-carb* teve maior redução da gordura no pâncreas do que *low-fat*, independentemente da perda de peso (que foi igual).
- Os grupos randomizados para atividade física perderam mais gordura visceral (total, e em todos os órgãos acima), independentemente da sua perda de peso total.

....

O grupo *low-carb* teve redução da circunferência abdominal significativamente superior à do grupo *low-fat*.

....

Portanto não, não é apenas uma questão de calorias – elas foram iguais entre os grupos. É uma questão de fisiologia e endocrinologia. Diferentes alimentos têm diferentes efeitos endócrinos – isso é fato. E não foi apenas o emagrecimento em si que causou essas mudanças. Houve gente no estudo que não perdeu peso, mas reduziu o depósito ectópico de gordura nos órgãos. E esse efeito foi significativamente maior no grupo *low-carb*. Não é uma questão de calorias apenas. Dietas *low-carb* são superiores na reversão da síndrome metabólica. Pois, como sugeriram Feinman e Volek em 2005, a síndrome metabólica é justamente o conjunto de sinais e sintomas que melhoram com a restrição de carboidratos.

Vale salientar que em depósitos de gordura não viscerais, como a gordura intramuscular na coxa, não houve diferença entre os tipos de dieta ou com o exercício físico. Nesses locais, só o que importou foi o emagrecimento.

Eis, então, o fato principal demonstrado nesse ensaio clínico randomizado: você pode emagrecer com diferentes abordagens, mas, diferentemente da gordura subcutânea ou intramuscular, que responderão igualmente a qualquer restrição calórica, a perda de gordura visceral e nos órgãos, notadamente fígado, pâncreas e coração, é marcadamente superior com estratégias *low-carb*, ainda mais quando associadas a atividades físicas.

E caso você esteja se perguntando qual é a importância da redução da carne vermelha nesse estudo israelense, que ocorreu em função da junção da dieta *low-carb* com a "dieta mediterrânea", veja o que aconteceu quando outro estudo testou a mesma coisa mas sem nenhuma redução no consumo de carne vermelha.

Um ensaio clínico dinamarquês muito recente[28] também investigou o que acontece quando pessoas diabéticas tipo 2 com síndrome metabólica são randomizadas para dietas isocalóricas que tenham como objetivo emagrecimento (ou seja, todas com restrição calórica), mas uma com mais baixo carboidrato e mais alta proteína (**incluindo carne vermelha**), e outra com alto carboidrato (que, tristemente, é a dieta "para diabetes" da Dinamarca). Como as calorias foram mantidas iguais nos dois grupos, o emagrecimento em seis semanas foi exatamente o mesmo (5,8 kg). No entanto, o grupo sorteado para *low-carb* teve queda maior da hemoglobina glicada, menor variabilidade glicêmica (a variabilidade glicêmica também está associada a desfechos ruins de saúde no diabetes), queda muito mais pronunciada dos triglicerídeos e maior redução da esteatose (gordura no fígado).

---

28. THOMSEN; SKYTTE; SAMKANI *et al.*, 2022.

> [...] o grupo sorteado para *low-carb* teve queda maior da hemoglobina glicada, menor variabilidade glicêmica (...), queda muito mais pronunciada dos triglicerídeos e maior redução da esteatose (gordura no fígado).

Assim, temos que a dieta *low-carb* produz emagrecimento, o que, por si só, melhora a síndrome metabólica e o diabetes tipo 2. Mas, mesmo que se impeça o emagrecimento de ocorrer, a *low-carb* ainda melhora a síndrome metabólica mais do que dietas com mais carboidratos. Por fim, quando há emagrecimento com a ajuda do *low-carb*, a diabetes e a síndrome metabólica melhoram mais do que se o emagrecimento ocorre apenas com restrição calórica, mas com carboidratos altos. Quando se trata de diabetes tipo 2 ou síndrome metabólica, a estratégia *low-carb* é nitidamente superior.

Desprescrição de medicamentos

Tal superioridade leva a uma das consequências mais interessantes – e que mais agrada os pacientes: a "desprescrição" de medicamentos. Não é novidade para quem sofre de doenças crônicas que os médicos tendem a empilhar prescrições. Muitas pessoas com síndrome metabólica ou diabetes são acompanhadas por vários especialistas, desde o internista até o geriatra, passando por cardiologista e endocrinologista. Cada um, por sua vez, acrescenta algum medicamento e evita mudar as prescrições dos demais. Alguns medicamentos, inclusive, são prescritos para controlar os efeitos colaterais de outros. A verdade é que nós, médicos, fomos treinados para prescrever, mas não para desprescrever. Isso sem dúvida reflete, em parte, a forte presença da indústria farmacêutica na formação acadêmica, bem como na educação médica continuada (simpósios, congressos e demais atividades do gênero são sempre patrocinadas por medicamentos diversos). Mas reflete também a percepção de que as pessoas não melhoram. Os diabéticos ficam mais diabéticos, os gordinhos ficam mais gordinhos e os itens da síndrome metabólica vão se somando a cada ano que passa – hipertensão em um ano, gordura no fígado no outro, depois pré-diabetes, em seguida gota etc.

As diretrizes sempre recomendam mudança de estilo de vida. Mas as recomendações são absolutamente genéricas e estão fadadas ao fracasso. Não precisamos de um ensaio clínico randomizado para saber que dizer ao paciente "o senhor precisa emagrecer e perder essa barriga" não surtirá efeito. Contudo, quando se explica uma estratégia como a *low-carb*, o que se vê em consultório espelha o que os ensaios clínicos mostram – melhora e até mesmo remissão de síndrome metabólica e de diabetes tipo 2. Nesses casos, a desprescrição não é apenas um efeito desejável – é uma necessidade que, se não for levada adiante pelo médico, pode ter consequências perigosas.

Low-carb é tão eficaz, tão rapidamente, para diabetes que a desprescrição precisa ser feita muitas vezes no primeiro dia. Muitos pacientes com diabetes tipo 2 que se tratam com insulina consomem grandes quantidades de carboidratos. A insulina tende a produzir hipoglicemia nessas pessoas. A pessoa acaba, literalmente, sendo obrigada a consumir carboidratos a cada 3 horas para evitar a hipoglicemia. Ao fazer isso, ganha peso, aumenta o real problema (a resistência à insulina) e apresenta, por óbvio, grande variabilidade glicêmica, uma verdadeira montanha-russa dos níveis de glicose, que leva ao aumento do risco cardiovascular. Para essas pessoas, começar uma dieta de baixo carboidrato está associado a riscos graves caso não haja uma redução importante e simultânea das doses de insulina. De fato, um artigo de 2021[29] denominado "Adaptando a medicação para diabetes tipo 2 a uma dieta pobre em carboidratos" fala em detalhes sobre esse assunto, que não é o tópico deste livro, até porque tais mudanças devem ser feitas com acompanhamento médico. Resumidamente, para pacientes diabéticos tipo 2 em uso de insulinas de longa ação, o médico deve reduzir em torno de 50% a dose no primeiro dia de *low-carb* e recomenda-se forte-

---

29. CUCUZZELLA; RILEY; ISAACS *et al.*, 2021.

mente o uso de monitorização contínua de glicose para realizar o ajuste fino. As sulfonilureias – medicamentos que estimulam a liberação de insulina pelo pâncreas e podem levar à hipoglicemia – devem ser suspensas pelo médico já no primeiro dia. As drogas glicosúricas (também conhecidas como glifozinas), que eliminam glicose pela urina, apresentam risco de uma complicação grave em diabéticos tipo 2 em *low-carb*, caso esses pacientes tenham pouca reserva pancreática (ou seja, produzam muito pouca insulina): a cetoacidose euglicêmica. O ideal é suspender tais medicações, mas o médico poderá pesar o risco-benefício em cada caso (seu uso parece seguro em pacientes que tenham insulina em jejum bastante alta, assim como níveis elevados de peptídeo C). Medicamentos que não apresentam nenhum risco para diabéticos tipo 2 em *low-carb* incluem a metformina, os análogos do GLP-1 e os iDPP4.

Como se vê, não se espera (nem recomendo) que os pacientes façam isso sozinhos. É muito importante que haja o suporte de profissionais de saúde que dominem o emprego de *low-carb* para diabetes. Isso, aliás, está bem claro nas conclusões das diretrizes canadenses sobre *low-carb* e diabetes[30]:

1. Indivíduos com diabetes devem ser apoiados para escolher padrões alimentares saudáveis que sejam consistentes com os valores, objetivos e preferências do indivíduo.
2. Dietas saudáveis com baixo ou muito baixo teor de carboidratos podem ser consideradas um padrão alimentar saudável para indivíduos que vivem com diabetes tipo 1 e tipo 2 para perda de peso, melhoria do controle glicêmico e/ou redução da necessidade de terapias anti-hiperglicêmicas. Os indivíduos devem consultar seu médico para definir metas e reduzir a probabilidade de efeitos adversos.
3. Os profissionais de saúde devem apoiar as pessoas com diabetes que desejam seguir uma dieta com baixo teor de carboidratos, recomendando monitoramento aprimorado da glicose no sangue, ajustando medicamentos que podem causar hipoglicemia (sulfonilureias e insulina) ou aumentar o risco de cetoacidose (inibidores de SGLT2,

30. DIABETES CANADA POSITION [...], 2020.

subdosagem de insulina naqueles com deficiência de insulina) e para garantir a ingestão adequada de fibras e nutrientes.

4. Indivíduos e seus profissionais de saúde devem ser informados sobre o risco de cetoacidose euglicêmica ao usar inibidores de SGLT2 juntamente com dieta com baixo teor de carboidratos, e devem ser instruídos sobre as estratégias para mitigar esse risco. (DIABETES CANADA POSITION [...], 2020)

> Os profissionais de saúde devem apoiar as pessoas com diabetes que desejam seguir uma dieta com baixo teor de carboidratos.

Com a perda de peso e a redução da resistência à insulina, é bastante comum a melhora ou mesmo o desaparecimento da hipertensão. Mais uma vez, é preciso estar atento a níveis baixos de pressão arterial que justifiquem a redução ou até mesmo a suspensão de anti-hipertensivos. Isso também se aplica a diuréticos, uma vez que, sabidamente, dietas baixas em carboidrato produzem diurese e natriurese (isto é, maior eliminação de sódio na urina). Na verdade, o motivo pelo qual a hipertensão ocorre na síndrome metabólica é justamente o efeito da insulina sobre os rins, retendo sódio (como, aliás, Gerald Reaven já deixava claro em seu artigo seminal de 1988). Quando você elimina a hiperinsulinemia por meio da dieta, os diuréticos podem provocar o efeito oposto, que é a hiponatremia (sódio muito baixo). Seu médico poderá optar pela retirada desses medicamentos, quando indicado.

O que é mais radical: cortar carboidratos ou cortar o estômago?

A ideia de que o diabetes tipo 2 é necessariamente uma doença crônica e progressiva está errada. Esse dogma foi posto em xeque originalmente pela cirurgia bariátrica – não é raro que pacientes diabéticos tipo 2 submetidos a essa intervenção consigam suspender todos os medicamentos para diabetes (incluindo insulina) e normalizem a glicemia já na primeira ou na segunda semana. Mas será que isso acontece exclusivamente com o tratamento cirúrgico?

> A ideia de que o diabetes tipo 2 é necessariamente uma doença crônica e progressiva está errada.

Um ensaio clínico randomizado testou essa hipótese em 2008[31], comparando cirurgia bariátrica e dieta. Setenta e dois por cento dos pacientes operados colocaram o diabetes em remissão contra 13% no grupo de dieta. A comparação não é justa, pois a dieta em questão era uma dieta de fome (restrição calórica pura e simples), o que torna a adesão quase impossível. Mas o estudo foi muito importante para estabelecer definitivamente duas coisas: a primeira é que o diabetes tipo 2 é uma patologia potencialmente reversível. A segunda é que a reversão estava atrelada não ao grupo (cirurgia ou dieta) para o qual o paciente havia sido randomizado, e sim à quantidade de peso perdida: a reversão não era uma exclusividade da cirurgia, apenas resulta que os pacientes cirúrgicos emagreceram, em média, bem mais.

> [...] a reversão estava atrelada não ao grupo (cirurgia ou dieta) para o qual o paciente havia sido randomizado, e sim à quantidade de peso perdida.

O médico e pesquisador britânico Roy Taylor ficou fascinado por essa descoberta e publicou em 2008[32] a hipótese de que não havia nada especial sobre a cirurgia, e que a totalidade do efeito benéfico poderia ser explicada pela restrição calórica profunda que ocorre nos primeiros dias de pós-operatório. Não demoraria para que ele colocasse tal hipótese à prova. Em 2011, publicou[33] um estudo-piloto com 11

31. DIXON; O'BRIEN; PLAYFAIR et al., 2008.
32. TAYLOR, 2008.
33. TAYLOR; LIM; HOLLINGSWORTH et al., 2011.

diabéticos tipo 2 (com doenças de não mais do que quatro anos de duração) submetidos a uma restrição calórica radical – apenas 600 calorias por dia à base de *shakes*. Os resultados foram assombrosos: nos primeiros sete dias, a glicemia e a sensibilidade hepática à insulina normalizaram completamente (e os níveis de gordura no fígado reduziram-se em 30%). Ao final das oito semanas de duração do estudo, houve a redução da gordura do pâncreas e a quase normalização da secreção de insulina. Ao final do estudo, Roy Taylor concluiu que os diabéticos deveriam ser informados de que a doença não é inexorável e de que a remissão é possível.

> [...] a totalidade do efeito benéfico poderia ser explicada pela restrição calórica profunda que ocorre nos primeiros dias de pós-operatório.

Mas foi apenas em 2017 que Roy Taylor tornou-se um nome conhecido fora de sua pequena área de estudo com a publicação no prestigioso periódico *The Lancet* de seu ensaio clínico randomizado, apelidado de DiRECT[34] (não confundir com o DIRECT de 2008, sobre o qual falamos em outras partes do livro), no qual 306 pessoas diabéticas há no máximo seis anos e com sobrepeso ou obesidade foram randomizadas para uma dieta líquida com quatro *shakes* diários de 200 calorias + salada verde (cerca de 800 a 850 kcal/dia) por três a cinco meses seguida de reintrodução gradual da alimentação sólida ou para um grupo-controle de ".melhores práticas em diabetes". O estudo gerou manchetes no mundo inteiro, nos principais jornais, revistas e portais de notícias. Quase a metade do grupo intervenção entrou em remissão e permaneceu assim ao final de um ano (isso caiu para 36% em dois anos, refletindo a queda de adesão à dieta com o tempo[35]). Entre os que perderam 15 kg ou mais, incríveis 86% entraram em remissão. Já no grupo denominado melhores práticas em dia-

---
34. LEAN; LESLIE; BARNES *et al.*, 2018.
35. LEAN; LESLIE; BARNES *et al.*, 2019.

betes, apenas 4% entraram em remissão – o que diz muito sobre tais práticas. Remissão, aqui, foi definida como uma hemoglobina glicada abaixo de 6,5% sem nenhum medicamento.

> Quase a metade do grupo intervenção entrou em remissão e permaneceu assim ao final de um ano.

Tendo assim estabelecido que a remissão do diabetes tipo 2 é possível – o que significa que os pacientes têm o direito de saber que podem buscar uma vida sem diabetes, e não apenas esperar a piora inexorável –, resta a dúvida: de que formas é possível produzir tal remissão?

Só existem três métodos comprovados na literatura que podem produzir tais resultados. Sobre cirurgia bariátrica e *shakes* de 600 a 800 calorias por dia já falamos. O terceiro método é uma dieta *low-carb*[36].

> Só existem três métodos comprovados na literatura que podem produzir tais resultados. Sobre cirurgia bariátrica e *shakes* de 600 a 800 calorias por dia já falamos. O terceiro método é uma dieta *low-carb*.

É comum que uma dieta *low-carb* (sobretudo a *very low-carb*, estratégia mais eficaz para esse fim) seja tratada como uma dieta extrema ou radical. Mas tudo é uma questão de ponto de referência. Extremo é não poder comer macarrão (mas poder comer um bom churrasco), ou fazer três a cinco meses de uma dieta líquida à base de *shakes*? O que é mais radical: cortar carboidratos ou cortar o estômago? Porque essas são, repito, as três únicas estratégias comprovadamente capazes de colocar o diabetes tipo 2 em remissão.

> O que é mais radical: cortar carboidratos ou cortar o estômago?

36. HALLBERG; GERSHUNI; HAZBUN *et al.*, 2019.

Em 2005 um pequeno mas fascinante estudo foi conduzido na Temple University, na Filadélfia[37]. Os autores explicam que, à época, a dieta Atkins era a mais popular estratégia para emagrecimento nos Estados Unidos e vários estudos corroboravam sua eficácia. Porém, quase nada se sabia sobre seu efeito em diabéticos. Como o excesso de peso está intimamente ligado ao diabetes tipo 2, decidiram estudar o efeito de uma dieta Atkins sobre dez pacientes diabéticos obesos (peso médio de 114 kg). Por que tão poucos? Porque os voluntários ficariam internados durante três semanas – as dietas foram 100% supervisionadas a fim de garantir que fossem seguidas à risca. Após sete dias consumindo suas dietas usuais, os pacientes foram colocados em uma dieta Atkins (na sua fase mais restritiva, a de "indução"), com 20 g de carboidratos por dia. Detalhe importante: a dieta era *ad libitum*, ou seja, os voluntários podiam comer até a saciedade: nada de *shakes* de 800 calorias: aqui ninguém passou fome.

Os resultados foram absolutamente fascinantes: houve uma redução média de 1.000 kcal por dia sem que houvesse necessidade de restrição calórica voluntária. Houve perda de peso de 2 kg, dos quais 1,65 kg eram gordura, em 14 dias – que foi compatível com o déficit calórico. O restante – 0,35 kg – foi de água e glicogênio.

....

[...] houve uma redução média de 1.000 kcal por dia sem que houvesse necessidade de restrição calórica voluntária.

....

Em apenas 14 dias de *low-carb*, **sem** restrição calórica voluntária, houve normalização do perfil glicêmico de 24 horas dos pacientes. Houve ainda melhora da resistência à insulina e redução de 35% dos níveis de triglicerídeos.

Esses resultados em muito se assemelham aos do estudo-piloto de Roy Taylor de 2011 com seus 11 pacientes torturados com dietas líquidas de 600 calorias por dia. Mas os 14 dias dos pacientes da dieta Atkins foram bem mais tranquilos. Eis as suas rotinas alimentares:

....
37. BODEN; SARGRAD; HOMKO *et al.*, 2005.

Reduzimos a ingestão de carboidratos para aproximadamente 21 g/d, mas os pacientes podiam comer proteína e gordura quanto e quantas vezes quisessem. Os participantes escolheram alimentos de uma dieta hospitalar modificada que incluía apenas alimentos permitidos sem molhos ou outros ingredientes que contivessem carboidratos. Esses itens incluíam bife de hambúrguer de carne bovina ou de peru, peito de frango, peru fatiado, presunto fresco fatiado, vegetais crus ou cozidos no vapor, manteiga e gelatina *diet*. Permitimos quantidades limitadas de queijo e *cream cheese*. Assim como em suas dietas usuais, os participantes podiam solicitar itens permitidos que não estavam disponíveis na cozinha do hospital, como peixe fresco, ovos, vários cortes de carne bovina, creme de leite e vegetais adicionais. Além disso, marcas específicas de molhos para salada e salgadinhos sugeridos pelo doutor Atkins foram disponibilizadas mediante solicitação, incluindo alimentos da marca Atkins. (BODEN *et al.*, 2005)

Tenho todo o respeito do mundo pelo doutor Roy Taylor, mas eu preferia estar no grupo Atkins a estar no grupo dos *shakes* de 600 calorias por dia – não obstante poder escolher entre os deliciosos sabores artificiais de baunilha, chocolate e morango.

Mas, assim como na dieta de muito baixa caloria com *shakes*, o estudo-piloto de dieta *low-carb* precisaria ser seguido de ensaios clínicos randomizados. Embora haja mais de 32 ECRs de *low-carb* em diabetes, suas metodologias são por demais heterogêneas – e a maioria não tinha como objetivo buscar a remissão do diabetes. Uma metanálise de 2021 avaliou 23 estudos randomizados de *low-carb* e diabetes que permitiam avaliar remissão[38] e concluiu que a remissão do diabetes tipo 2 com *low-carb* é possível, sobretudo nos primeiros seis meses (por causa da maior adesão) e quando o critério de remissão utilizado permite o uso de medicação. Os autores calcularam que, de cada três pacientes que foram randomizados para *low-carb* em vez das dietas-controle, um atingiu remissão (Hb glicada < 6,5% com ou sem medicação) em seis meses (NNT = 3, ou seja, é preciso tratar apenas três pessoas para beneficiar uma – poucas coisas na

---

38. GOLDENBERG; DAY; BRINKWORTH *et al.*, 2021.

medicina apresentam tanto benefício). No entanto, boa parte dos benefícios observados se perde com cerca de doze meses – e os autores encontraram evidências de que isso se deve à redução de adesão à dieta.

Agora que já temos a prova de conceito de que *low-carb* é capaz não apenas de produzir remissão, mas que a chance de remissão é significativamente maior do que com as dietas habitualmente prescritas para diabetes, o que podemos esperar de pacientes motivados que utilizam uma dieta cetogênica *ad libitum* com todo o suporte possível? Os estudos do Virta Health mostram resultados bastante impressionantes.

No primeiro ano[39], 60% dos pacientes atingiram a remissão do diabetes (considerada aqui como Hb glicada menor do que 6,5% sem medicação ou apenas com metformina) e 25% atingiram a remissão sem nenhuma medicação; 40% dos que usavam insulina deixaram de usá-la. No segundo ano[40], 53% permaneciam em remissão (com ou sem metformina) e 17,6% mantinham-se em remissão sem nenhuma medicação.

Hoje são tantos os estudos que falam em remissão de diabetes tipo 2 que foi recentemente publicado um relatório de consenso da ADA sobre o assunto[41], no qual a remissão foi definida como Hb glicada < 6,5% pelo menos três meses após a suspensão de todas as medicações para diabetes. Em 2023, foi publicado[42] um estudo já utilizando essa nova definição de remissão. Nesse estudo, que teve a participação do doutor Roy Taylor (o mesmo que havia conduzido o estudo com *shakes*), foram acompanhados 186 pacientes que optaram por uma dieta *low-carb* para o manejo do diabetes. Os resultados são realmente espantosos entre os que adotaram *low-carb* como estilo de vida:

- 97% obtiveram melhora do controle do diabetes, mantida por uma média de 33 meses.
- 93% dos pré-diabéticos normalizaram os níveis de glicose.
- 77% das pessoas cujo diabetes tinha até um ano de diagnóstico conseguiram a **remissão** do diabetes – livre de medicação.

---

39. HALLBERG; McKENZIE; WILLIAMS *et al.*, 2018.
40. ATHINARAYANAN; ADAMS; HALLBERG *et al.*, 2019.
41. RIDDLE; CELAFU; EVANS *et al.*, 2021.
42. UNWIN; DELON; UNWIN *et al.*, 2023.

- No geral, considerando todos os pacientes, 51% atingiram a **remissão** sem medicamentos. E estamos falando de um grupo de pacientes com diabetes de 5,4 anos de duração em média!
- Houve melhora significativa da função renal (ver Capítulo 10).
- Houve melhora significativa dos fatores de risco cardiovascular, incluindo pressão arterial (queda média de 12 mmHg) e lipídios (LDL, HDL, triglicerídeos) (ver Capítulo 12).
- Houve grande economia financeira por causa da redução e da eliminação de medicamentos.

Em resumo, a remissão do diabetes é não apenas possível, mas muito provável quando opções eficazes são oferecidas ao paciente. Parece haver uma correlação entre a intensidade da intervenção, a quantidade de peso perdida e a probabilidade de reversão. A cirurgia bariátrica segue sendo o método mais eficaz, mas também o que apresenta os maiores riscos e complicações a longo prazo. Por sua própria natureza, a falta de adesão é um problema menor do que nas alternativas de estilo de vida (a restrição calórica, ao menos nos primeiros um a dois anos, é fisicamente imposta). As dietas de muito baixa caloria com substituição por *shakes* são intervenções muito eficazes, mas não imagino que a maioria dos leitores ficaria entusiasmada ante a possibilidade de passar três a cinco meses consumindo pozinhos coloridos diluídos em água – e passando fome. Um dilema adicional é o que fazer ao final desse período. Pois, como sabemos, os *shakes* não serão eternos, e voltar a comer como comia antes produzirá o reganho do peso e a recidiva do diabetes. Uma dieta *very low-carb* é, comparativamente, uma intervenção extremamente branda. A possibilidade de comer até a saciedade evita a fome – o cemitério das dietas. O fato de ser baseada em comida de verdade significa que pode ser praticada em casa, em restaurantes *à la carte* ou de *buffets*, em férias, em hotéis, enfim, trata-se de algo que pode ser adotado como um estilo de vida permanente. Levar o *shake* ao restaurante enquanto os outros jantam, por exemplo, não me parece algo muito sustentável.

> Uma dieta *very low-carb* é, comparativamente, uma intervenção extremamente branda. A possibilidade de comer até a saciedade evita a fome – o cemitério das dietas.

A doutora Sarah Hallberg, diretora médica do Virta Health que nos deixou cedo demais, em 2022, levada por um câncer, colocou melhor do que qualquer outra pessoa:

> No geral, como sociedade, não podemos mais tolerar ou arcar com as taxas crescentes de diabetes. Apesar das muitas barreiras dentro do sistema de saúde como um todo, os profissionais de saúde são responsáveis diariamente pela vida dos pacientes atingidos por essa epidemia sem precedentes. O padrão atual de atendimento pode até ser adequado para alguns, mas outros certamente escolheriam a reversão se entendessem que havia uma escolha. A escolha só pode ser oferecida se os profissionais não apenas estiverem cientes de que a reversão é possível, mas também tiverem a educação necessária para explicar essas opções em uma discussão centrada no paciente. (HALLBERG, 2019)

> Neste capítulo, falamos sobre resistência à insulina e suas duas consequências: síndrome metabólica e diabetes tipo 2. Explicamos que a síndrome metabólica – situação que engloba gordura visceral, pressão alta, triglicerídeos altos, HDL baixo, glicose elevada, gordura no fígado e inflamação crônica – é um fator de risco cardiovascular maior que colesterol ou tabagismo, além de aumentar as chances de desenvolver diabetes, câncer e Alzheimer. Falamos também sobre diabetes tipo 2 (que, por sua vez, além de ser o maior fator de risco para doença cardiovascular, é também o maior fator de risco para hemodiálise, cegueira e amputações). Além disso, abordamos a relação entre acúmulo de gordura visceral e o desenvolvimento dessas condições.
> Em seguida, discutimos o fato de que **nem a síndrome metabólica nem o diabetes tipo 2 são necessariamente crônicos e**

progressivos, contrariamente ao que se pregava no passado. De fato, já existe a admissão por parte de diretrizes internacionais de que o diabetes tipo 2 pode ser colocado em remissão.

Falamos em bastante detalhe sobre os estudos que demonstram que *low-carb* é uma das melhores – possivelmente a melhor – estratégia nutricional para manejo e reversão de diabetes tipo 2 e da síndrome metabólica. Que *low-carb* atua no diabetes tanto por seu efeito óbvio – de retirada da glicose, que, por definição, o diabético não tolera bem – como também devido à facilitação da perda peso – afinal, a perda de peso por qualquer estratégia vai ajudar a controlar o diabetes tipo 2. Mostramos ainda que, mesmo quando o estudo de *low-carb* é isocalórico, impedindo assim que haja a perda de peso, os resultados ainda são superiores quando comparados aos obtidos com as dietas tradicionais para diabetes (pelo seu efeito metabólico).

Isso também se verifica no que tange à *low-carb* para síndrome metabólica: resultados mais expressivos, independentemente de serem mediados por perda de peso ou até mesmo quando, pelo desenho do estudo, a perda de peso não acontece.

Mais uma vez, explicamos o aparente paradoxo de que metanálises de estudos de maior duração observam a perda da efetividade após um ano. Novamente, e de forma ainda mais clara do que para perda de peso, a eficácia da estratégia *low--carb* é incontestável para diabetes. **Comer menos glicose não deixa de funcionar para diabetes após doze meses, são as pessoas que passam a comer alimentos com mais glicose após doze meses.** Isso pode ser visto no estudo do Virta Health, empresa que fornece suporte a distância por aplicativo, facilitando a adesão ao tratamento. Nesses pacientes motivados, bons resultados são mantidos para além de 24 meses.

Conversamos ainda sobre a entrada oficial da estratégia *low--carb* para as diretrizes para manejo nutricional de diabetes em vários países avançados do mundo, refletindo a preponderância da evidência de que a eficácia (que é medida no curto prazo, até seis meses) é superior, e de que a efetividade (que é medida no longo prazo, quando muitas pessoas começam a desistir de todas as estratégias) é parecida ou apenas levemente superior. Em função disso, **cabe aos profissionais de saúde informar aos pacientes que essa opção existe e dar suporte e apoio para que possam seguir esse estilo de vida se assim desejarem**.

Por fim, falamos sobre o horizonte de esperança que se abre para os diabéticos tipo 2 – a possibilidade de reversão (ou remissão) da doença. Nem todos os pacientes estarão aptos para isso (as chances são maiores com doença mais recente) e nem todos vão aderir. Entre as estratégias que comprovadamente produzem remissão da doença em um número significativo de pessoas – cirurgia bariátrica, dieta de muito baixa caloria com *shakes* e *low-carb* –, uma delas não é radical nem extrema. Uma dieta de baixo carboidrato pode ser feita com comida normal, em casa ou na rua, no trabalho ou nas férias. **Nenhuma pessoa é realmente livre para escolher se ela não souber que a escolha existe. É obrigação do profissional de saúde oferecer essas alternativas**.

Como vimos, evidências não faltam. Se *low-carb* fosse uma pílula, teria ultrapassado em muito os requisitos necessários para aprovação pelo FDA ou pela Anvisa para o tratamento de sobrepeso, obesidade, esteatose, síndrome metabólica, resistência à insulina e diabetes. Seria, sem dúvida, o medicamento mais prescrito da história.

Mas o fato é que, embora com atraso, a dieta de baixo carboidrato já foi incorporada às diretrizes de diversos países avançados, é empregada por milhões de pessoas há pelo menos dois séculos e tem, hoje, forte embasamento científico. Por que, então, segue sendo pouco indicada por profissionais de saúde? Qual é a origem da notória resistência ao seu emprego terapêutico?

Esse é o assunto de que vamos tratar na Parte 3 deste livro.

PARTE 3
Mitos

Se você leu até aqui, deve estar se perguntando: "Por que essa não é a abordagem-padrão recomendada pelas diretrizes oficiais? Pelo Ministério da Saúde? Pela Organização Mundial da Saúde?". Se você for paciente, pode estar se perguntando: "Por que meu médico nunca me falou disso?". Se você for médico ou nutricionista, deve estar se perguntando por que sempre ouviu que *low-carb* não passa de uma dieta da moda e que traz muitos riscos à saúde. Por que nada disso lhe foi ensinado durante a sua formação acadêmica?

Existe grande número de mitos que envolvem dietas de baixo carboidrato e/ou alta proteína. Vários desses mitos são altamente difundidos – conhecidos tanto por profissionais da saúde quanto pelo público leigo. De fato, são afirmações tão comuns e cotidianas que as tomamos como verdades autoevidentes – verdadeiros *memes*.

....

[...] ninguém que possa se beneficiar de *low-carb* (e me refiro principalmente aos diabéticos e às pessoas com sobrepeso) deveria ser desencorajado por alegações de riscos absolutamente fictícios e fantasiosos.

....

Esses mitos, como não poderia deixar de ser, geram medo nas pessoas. "Será que é perigoso seguir essa dieta? De que adianta emagrecer se vou morrer de ataque cardíaco?". Existe também o outro extremo, das pessoas que acreditam que, ao seguir uma dieta *low-carb* (ou qualquer outro tipo de dieta), estarão blindadas contra o câncer ou o Alzheimer. Nunca vou me esquecer de um paciente meu que apresentava um PSA (antígeno prostático específico) em elevação e que não queria fazer a biópsia de próstata pois, como era vegetariano, julgava estar protegido contra essa doença. Quando finalmente aceitou fazer a biópsia, que veio positiva para câncer, ele chorou durante a consulta, não porque estava com tanto medo assim da doença (que estava em estágio inicial), mas porque, em suas palavras: "não é **possível** que eu tenha câncer, pois faz mais de quinze anos que eu não como carne!".

Certa feita li um texto em que um psicólogo norte-americano explicava por que algumas pessoas têm tanto medo de voar, mas não de dirigir, quando todo mundo sabe que voar é muito mais seguro. A explicação não é racional. Mas parte dela está ligada à ilusão de controle. Dentro do avião, o piloto (pior ainda, o piloto automático) controla a sua vida. Se o piloto quiser jogar seu jato nos Alpes, como fez um piloto alemão em 2014, você não pode fazer nada. Quando você dirige, no entanto, você tem o controle. Pode acelerar ou ir em baixa velocidade. Pode frear a qualquer momento. Pode escolher o caminho a seguir. Não obstante, isso em nada muda o fato de que você tem um risco de morrer muito maior ao dirigir do que ao voar. O que o deixa mais seguro é apenas a ilusão de controle.

A ilusão de controle faz parte da vida. E anda de mãos dadas com o pensamento mágico. Em algumas situações, isso é mais claro, como em culturas nas quais uma dança da chuva produz a ilusão de controle do clima, ou quando um torcedor de futebol usa sempre a mesma "camisa da sorte", pois o pensamento mágico o faz supor que, como estava usando essa camisa nas duas últimas vezes em que seu time ganhou, usá-la novamente poderá, de alguma forma, exercer controle sobre o resultado da partida.

Mas a ilusão de controle nem sempre é tão gritante. Frequentemente, por exemplo, manifesta-se pela compreensão determinística de fenômenos probabilísticos. Explico. Existe certa probabilidade de que qualquer fenômeno ocorrerá. Tal probabilidade pode ser muito pequena (quase impossível) ou muito grande (quase certa). A maioria dos fenômenos está no meio desses dois extremos. A ideia de que coisas que fazemos ou deixamos de fazer terão um efeito determinístico sobre fenômenos futuros é pensamento mágico aliado à ilusão de controle. Não temos controle sobre a ocorrência de fenômenos futuros (doenças, por exemplo). Podemos, sim, influenciar a probabilidade da ocorrência de fenômenos futuros, mas isso não nos dá controle determinístico sobre eles.

É sob essa ótica que devemos encarar perguntas do tipo "Mas ele nunca fumou, como pode estar com câncer de pulmão?". O que há de errado nessa frase? A ilusão de controle. Não há nada que você possa fazer que o **impeça** de ter câncer de pulmão. Se houvesse, você teria controle sobre essa ocorrência futura. Mas você pode influenciar (e muito) a probabilidade de vir a ter um câncer de pulmão (ao não fumar, por exemplo).

A vida, nesse sentido, pode ser vista como uma grande loteria. Uma loteria na qual cada um de nós recebe bilhetes para várias coisas, boas ou ruins. Você recebe um bilhete para câncer de pulmão, um bilhete para diabetes, um bilhete para ataque cardíaco etc. Alguns, porém, nascem com bilhetes extras e outros fazem questão de comprar mais. Quem fuma, por exemplo, compra vinte bilhetes a mais na loteria do câncer de pulmão. Uma pessoa que tem vinte bilhetes tem, de fato, vinte vezes mais chance de ser contemplada na loteria da vida. Mas, como todo mundo sabe, uma loteria é probabilística, e não determinística. E, como todo mundo sabe, nas loterias de verdade muitas vezes quem acaba levando o prêmio é justamente o sujeito que comprou apenas um bilhete. Tudo o que você pode fazer é comprar mais ou menos bilhetes na loteria da vida. Mas você não tem o controle do sorteio. Ninguém tem.

A única cura para o medo irracional é o conhecimento. Se você ainda acha que uma dieta *low-carb* vai sobrecarregar os rins, o fígado e a vesícula, causar osteoporose, gota e aterosclerose, impedir o cérebro de funcionar por falta de glicose, levar a várias doenças por causa da carne vermelha e tudo isso sem nem ao menos emagrecer, uma vez que a única coisa que você vai perder é água e músculos, bem, então você tem mais é que ter medo mesmo – aquele medo atávico que nossos antepassados tinham perante os raios e trovões no contexto da mais profunda ignorância.

Por isso, os próximos capítulos são dedicados a iluminar cada um desses mitos com informação científica baseada em evidências.

Pois apenas depois de estar livre dos medos irracionais é que você poderá desfrutar da maravilhosa tranquilidade de quem não vive de ilusões de controle e sabe que, no fundo, podemos no máximo influenciar quantos bilhetes vamos comprar na loteria da vida.

Ninguém é obrigado a seguir uma dieta de baixo carboidrato. Existem outras dietas saudáveis, e preferências pessoais são, sem dúvida, muito importantes para o sucesso no longo prazo. Mas ninguém que possa se beneficiar de *low-carb* (e me refiro principalmente aos diabéticos e às pessoas com sobrepeso) deveria ser desencorajado por alegações de riscos absolutamente fictícios e fantasiosos.

10

MITO: DIETAS *LOW-CARB* FAZEM MAL PARA OS RINS

A ideia de que uma dieta de baixo carboidrato seja perigosa para os rins é extremamente difundida, tanto entre leigos como – principalmente – entre profissionais da saúde.

Não é raro médicos dizerem a seus pacientes que, se continuarem com esse tipo de dieta, vão acabar em hemodiálise. E não é raro que, quando alguém chega a uma reunião de amigos, visivelmente mais magro, e explica que perdeu peso seguindo uma dieta *low-carb*, seja logo alertado de que "toda essa proteína fará muito mal para os rins".

Como sói ocorrer, a maioria dos mitos tem alguma origem distante na realidade. No caso do mito da *low-carb* envolvendo os rins, a origem vem do tratamento da insuficiência renal crônica antes do advento das terapias de substituição renal (hemodiálise, diálise peritoneal e transplante renal).

Nossos rins filtram constantemente o sangue, excretando substâncias tóxicas e reabsorvendo para a corrente sanguínea aquilo que interessa para o organismo (glicose, aminoácidos, água etc.). Em pacientes com insuficiência renal crônica, condição na qual os rins vão perdendo a sua função (as causas mais comuns são diabetes, pressão alta e problemas autoimunes e genéticos), ocorre acúmulo de substâncias tóxicas, entre elas a ureia. O acúmulo de ureia no sangue provoca um quadro chamado uremia, que inclui náuseas, vômitos, sonolência, confusão mental, convulsões e, se não for tratada, morte.

A ureia é produzida pelo fígado como forma de excretar o nitrogênio oriundo do metabolismo das proteínas. As proteínas são compostas de aminoácidos – moléculas que contêm o grupo químico "amino", que contém nitrogênio. Assim, o metabolismo das proteínas gera ureia – que é excretada na urina. Aliás, como o próprio nome mesmo sugere, é da ureia que vem a maior parte da cor e do cheiro característicos da urina.

Antes de existirem as terapias de substituição renal, a vida dos pacientes podia ser prolongada pelo uso de dietas de muito baixa proteína. Eram dietas muito difíceis de seguir, baseadas fundamentalmente em amido e açúcar, mas quase sem carne, peixe, frango ou ovos, que levavam a uma importante perda de massa magra (isto é, músculos, ossos e outros órgãos). Mas, efetivamente, reduziam os níveis de ureia. Em outras palavras, uma dieta de baixa proteína sempre foi a base do tratamento da insuficiência renal crônica (IRC) na era pré-dialítica e segue sendo empregada nos dias de hoje nos pacientes com IRC avançada para adiar o início da hemodiálise.

Mas... o que isso tem a ver com dieta *low-carb*? Nada, obviamente. A confusão ocorreu pelo seguinte motivo: pessoas que têm problemas graves nos rins precisam comer menos proteína. Logo, em um salto lógico impróprio e indevido, concluiu-se que comer muita proteína causaria problemas nos rins. Trata-se de uma falácia lógica. Vamos observar uma analogia:

Uma pessoa com insuficiência cardíaca severa tolera muito mal o exercício físico. De fato, uma pessoa com essa condição pode até mesmo desenvolver um edema agudo de pulmão e morrer caso resolva simplesmente subir alguns lances de escada. Alguns desses pacientes – candidatos a transplante de coração – têm falta de ar até para escovar os dentes. Assim, para quem tem insuficiência cardíaca, um exercício um pouco mais intenso pode fazer muito mal. Mas isso por acaso significa que o exercício faz mal para o coração? Alguém deixaria de correr ou levantar peso na academia por receio de que isso possa levar a uma insuficiência cardíaca? Isso seria ridículo: até as pedras sabem que o exercício físico faz **bem** ao coração, reduz o risco de doenças cardíacas e deve ser utilizado justamente por quem tem medo de um dia ter esses problemas. Ou seja, só porque um coração doente não tolera exercício físico não significa que o exercício físico tenha causado a doença do coração. Da mesma forma, só porque rins doentes não toleram grandes quantidades de proteína na dieta não significa que proteína na dieta tenha sido a causa da insuficiência renal.

Mas, certamente, deve haver vários estudos indicando que as proteínas são perigosas para os rins, certo? Caso contrário, não haveria tamanha unanimidade sobre os perigos de seu consumo. Na verdade – e chega a ser chocante – não há nada na literatura que possa embasar essa crença.

Há diversos estudos nos quais dietas com alta proteína foram comparadas com dietas normoproteicas. Uma revisão da literatura publicada em 2005[1] já salientava estes pontos: 1) dietas com mais proteína estão associadas com perda de peso e, portanto, maior saúde metabólica; e 2) diversos estudos indicam que dietas mais ricas em proteína levam à redução da pressão arterial, o que, por sua vez, tem efeito protetor sobre os rins. O texto de Martin e colaboradores (2005) dizia ainda que "alegações de que uma dieta de alta proteína promove desidratação ou 'força' adversamente o rim permanecem especulativas", que "não há relatos de diminuição da função renal induzida por proteínas mesmo em pacientes que, devido a hipertensão, obesidade e dislipidemia, teriam um risco maior de insuficiência renal" e que "há estudos prospectivos em pacientes saudáveis que não demonstram alterações adversas da função renal ou da excreção urinária de albumina (um marcador de dano renal)", mesmo com consumos superiores a 200% acima da dose recomendada pelas diretrizes.

1. MARTIN; ARMSTRONG; RODRIGUEZ, 2005.

Além da questão histórica do uso de dietas de baixa proteína para prolongar a vida dos pacientes com IRC (insuficiência renal crônica), existe a chamada hipótese de Brenner. O rim é composto de milhões de pequenas unidades filtrantes, os glomérulos. O sangue chega aos rins pelas artérias renais, as quais vão se subdividindo até arteríolas microscópicas, que formam os glomérulos, nos quais diminutos novelos de capilares permitem a filtração do sangue, dando origem ao líquido que, após um complexo tratamento de excreção ativa de toxinas e reabsorção ativa de nutrientes, dará origem à urina. Brenner e colaboradores postularam em 1982 a ideia de que situações nas quais ocorre um aumento da filtração glomerular e aumento da pressão dentro do glomérulo causariam dano renal. E uma das coisas que comprovadamente causa aumento da filtração glomerular é a proteína da dieta.

De fato, tanto em humanos como em animais de laboratório uma dieta rica em proteínas é capaz de provocar hipertrofia renal (aumento do tamanho dos rins) – o que talvez explique a linguagem (inadequada) de que uma dieta nesses moldes "forçaria" os rins. Esse mecanismo justificaria o seu "risco". Neste momento, é importante lembrar do que falamos no Capítulo 8: mecanismos pavimentam o caminho para o inferno. Afinal, há um número infinito de teorias que fazem sentido, mas que são simplesmente incorretas. Será que existem situações em que há um aumento da filtração glomerular sem que disso advenham doenças?

A resposta é sim. Primeiro, há que se ressaltar que simplesmente inexistem dados indicando que a hipertrofia ou a hiperfiltração renal induzidas por proteínas na dieta podem ocasionar a perda de função em indivíduos saudáveis. Isso pode parecer surpreendente, dada a veemência com que se proclamam os riscos de uma dieta com mais proteínas, mas é a pura verdade. Em segundo lugar, quem garante que tais modificações não são apenas respostas adaptativas normais e até mesmo saudáveis? Quando aumentamos o trabalho realizado por um músculo e ele sofre hipertrofia, não achamos isso ruim. Quando o coração de um atleta sofre adaptações e fica mais eficiente em bombear o sangue, não condenamos a prática de exercícios por causa disso. Não basta especular sobre mecanismos teóricos por meio dos quais algo deveria ser um problema – há que demonstrar que o dano existe.

> Não basta especular sobre mecanismos teóricos por meio dos quais algo deveria ser um problema – há que demonstrar que o dano existe.

A gravidez é uma situação na qual a taxa de filtração glomerular (TFG) aumenta incríveis 65%, produzindo alterações estruturais e funcionais renais. A despeito disso, gravidez não é fator de risco para insuficiência renal, e o rim volta ao normal cerca de três meses após o parto – sugerindo mais uma vez que tais alterações são fisiológicas –, o aumento da TFG não precisa ser, diferentemente do que postulou Brenner, patológico. Outra situação na qual há aumento da filtração glomerular é quando se remove um dos rins, seja por doença, seja para a doação renal entre vivos. O rim que sobrou sofre um processo de hipertrofia (aumento do tamanho), com aumento da filtração glomerular. Estudos de seguimento de longo prazo (mais de vinte anos) com esses doadores de rins indicam que eles não apresentam risco aumentado de progressão para insuficiência renal crônica quando comparados à população em geral – a despeito de hiperfiltração glomerular que ocorre.

Estudos em animais não devem ser extrapolados diretamente para seres humanos. Contudo, é de se esperar que haja ao menos algum grau de corroboração laboratorial do que se postula que ocorra em nossa espécie.

A revisão de 2005 cita ainda estudos em animais, com dietas altíssimas em proteína. Um estudo com 50% de proteínas em ratos não conseguiu demonstrar anormalidades na função renal. Outro estudo em ratos com incríveis 60% (!) de proteínas por dois anos (o que é quase a vida inteira desses animais) tampouco produziu doença renal. Quando cães nos quais 75% dos rins foram removidos foram submetidos a dietas com 19%, 27% ou 56% de proteínas, não houve diferença no grau de desenvolvimento de patologia renal entre os grupos.

Mas e em humanos, você perguntará, há estudos de dietas altas em proteína? Sim, há muitos. Em um ensaio clínico randomizado[2], voluntários sadios praticantes de musculação ficaram seis meses em uma dieta normal e seis meses variando entre 2,5 g e 3,3 g de proteína por quilo de peso (as diretrizes alimentares sugerem cerca de 0,8 g de proteína por quilo de peso, portanto estamos falando em dietas muito hiperproteicas). Não houve efeitos nocivos sobre o perfil lipídico, bem como a função do fígado e dos rins. Além disso, apesar do aumento total da ingestão de energia durante a fase de alta proteína, os indivíduos não experimentaram ganho de gordura corporal.

Outro ensaio clínico[3] comparando uma dieta de baixo carboidrato e alta proteína (124 g) *com* uma dieta de alto carboidrato e uma quantidade normal de proteína (85 g) concluiu que "este estudo oferece evidência de que uma dieta *low-carb* não afeta a função renal em obesos de função renal normal".

Mas e o que dizer de pessoas que têm risco maior de desenvolver insuficiência renal? Como já comentamos, diabetes é o maior fator de risco para insuficiência renal crônica. Um estudo observacional[4] acompanhou, entre 2002 e 2008, 6.213 diabéticos considerados de alto risco para o desenvolvimento de IRC. A Figura 10.1, a seguir, oriunda desse estudo, ilustra os diversos fatores associados com risco – aumentado ou diminuído – para IRC. Tudo o que está à direita do gráfico está associado a aumento do risco, e o que está à esquerda está associado à redução do risco.

O consumo de proteínas, inclusive proteína animal, estava associado à **redução** do risco de desenvolver IRC. Já o consumo de alimentos altos em carboidratos estava associado a um aumento de risco de insuficiência renal. A questão aqui é: isso deveria ser óbvio! O que faz mal para os rins, sabidamente, é o diabetes, não peixe, frango ou ovos, que sequer elevam a glicemia. A glicose elevada é o que prejudica os

---
2. ANTONIO; ELLERBROEK; SILVER *et al.*, 2016.
3. BRINKWORTH; BUCKLEY; NOAKES *et al.*, 2010.
4. DUNKLER; DEHGHAN; TEO *et al.*, 2013.

Figura 10.1

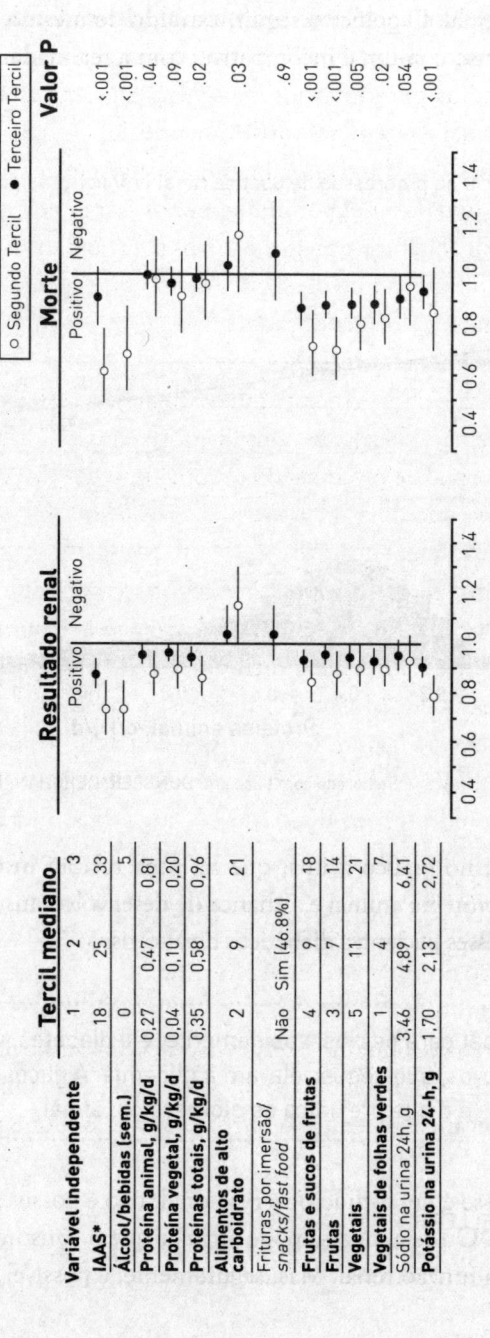

Variável independente	Tercil mediano 1	2	3
IAAS*	18	25	33
Álcool/bebidas (sem.)	0		5
Proteína animal, g/kg/d	0,27	0,47	0,81
Proteína vegetal, g/kg/d	0,04	0,10	0,20
Proteínas totais, g/kg/d	0,35	0,58	0,96
Alimentos de alto carboidrato	2	9	21
Frituras por imersão/snacks/fast food	Não	Sim (46,8%)	
Frutas e sucos de frutas	4	9	18
Frutas	3	7	14
Vegetais	5	11	21
Vegetais de folhas verdes	1	4	7
Sódio na urina 24h, g	3,46	4,89	6,41
Potássio na urina 24-h, g	1,70	2,13	2,72

*IAAS = índice alternativo de alimentação saudável

Resultado renal — Positivo / Negativo (escala 0,4 – 1,4)

Morte — Positivo / Negativo (escala 0,4 – 1,4)

○ Segundo Tercil   ● Terceiro Tercil

	Valor P
IAAS*	<,001 / <,001
Álcool/bebidas	,04
Proteína animal	,09
Proteína vegetal	,02
Proteínas totais	,03
Alimentos de alto carboidrato	,69
Frituras	<,001
Frutas e sucos	<,001
Frutas	,005
Vegetais	,02
Vegetais de folhas verdes	,054
Sódio/Potássio urina	<,001

Elaborado com base em: DUNKLER; DEHGHAN; TEO et al., 2013.

glomérulos, afinal. O gráfico a seguir, extraído do mesmo artigo, mostra como o senso comum é incompatível com a realidade.

Figura 10.2

Incidência ou progressão de doença renal crônica

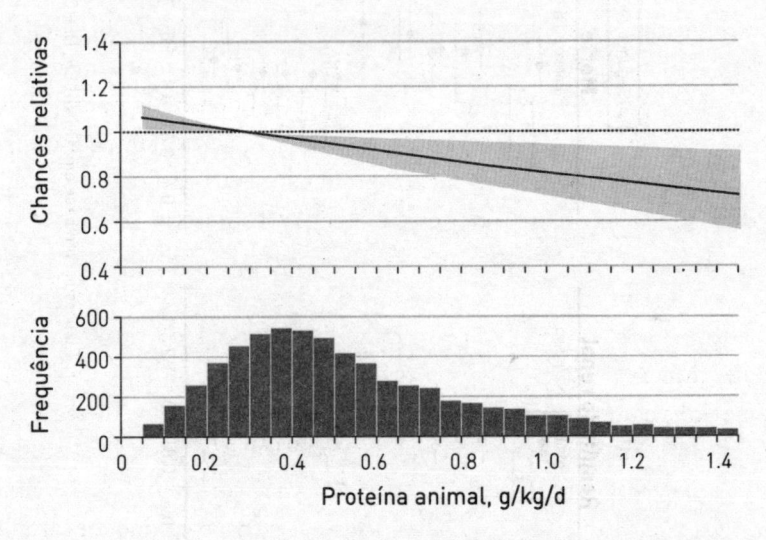

[Gráfico: Chances relativas (eixo y superior, 0.4 a 1.4) e Frequência (eixo y inferior, 0 a 600) versus Proteína animal, g/kg/d (eixo x, 0 a 1.4)]

Elaborado com base em: DUNKLER; DEHGHAN; TEO et al., 2013.

Observe, no gráfico acima, que há uma relação **inversa** entre o consumo de proteína animal e a chance de desenvolver insuficiência renal crônica nesses pacientes diabéticos de alto risco.

....

O que faz mal para os rins, sabidamente, é o diabetes, não peixe, frango ou ovos, que sequer elevam a glicemia. A glicose elevada é o que prejudica os glomérulos, afinal.

....

Como esse é um estudo observacional, não é possível estabelecer causa e efeito. Ou seja, não se pode afirmar que o consumo de proteínas preserva a função renal. Mas, seguramente, é possível deduzir que o consumo de proteínas nesse nível moderado não é prejudicial, diferentemente do que afirma o mito.

Contudo, estudos observacionais são problemáticos, como explicaremos em mais detalhes no Capítulo 12. Afinal, pacientes que consomem mais proteínas podem ser diferentes dos que consomem menos proteínas em outros aspectos. Proteínas são caras. É mais barato consumir macarrão instantâneo do que salmão. E, sabemos, a renda afeta os demais desfechos de saúde e até mesmo de mortalidade. O ideal seria que tivéssemos um ensaio clínico randomizado para que as pessoas com insuficiência renal crônica fossem aleatoriamente designadas para um grupo com menos proteína e mais carboidrato e um grupo-controle com mais proteína e menos carboidrato.

Por incrível que pareça, um ensaio clínico randomizado exatamente assim existe[5] e foi publicado em 2003. Nesse estudo, 191 pacientes diabéticos com creatinina média na faixa de 1,8 mg/dL (insuficiência renal crônica leve a moderada já estabelecida) foram randomizados para uma dieta com alta proteína e baixo carboidrato *versus* uma dieta típica para IRC, com baixa proteína e alto carboidrato. Os desfechos estudados aqui foram o que chamamos de "desfechos concretos", isto é, não apenas exames que sugerem risco (como colesterol para doença cardiovascular), mas coisas que realmente importam para o paciente: duplicação no valor da creatinina (exame laboratorial utilizado para medir a função renal – que determina quando o paciente precisa ir para hemodiálise) e a soma de pacientes que efetivamente foram à diálise com os que morreram. O tempo médio de acompanhamento foi de 3,9 anos – o que é um tempo bastante longo para esse tipo de estudo. A dieta-controle foi aquela que é a habitualmente usada em IRC – baixa proteína (10%), alto carboidrato (65%), baixa gordura; a dieta testada era moderadamente *low-carb* (35% carboidratos), alta em proteína (25% a 30%), mas também era rica em polifenóis e baixa em ferro (o que é uma pena, pois acaba ficando difícil avaliar se o benefício foi de uma coisa ou de várias, mas o fato é que, se proteínas fossem tóxicas e *low-*

---

5. FACCHINI; SAYLOR, 2003.

-*carb* também, não seria razoável que víssemos benefícios). O resultado foi deveras impressionante: redução de risco **absoluto** de 18% na duplicação da creatinina e de 19% no desfecho composto (evolução para doença renal crônica terminal ou morte). É importante salientar que pouquíssimas coisas em medicina têm tamanha magnitude de efeito. Para ter uma ideia, o NNT (em inglês, *number necessary to treat*, ou seja, quantas pessoas é preciso tratar para que uma se beneficie) foi de 5, ou seja, a cada 5 pacientes que foram sorteados para a dieta *low-carb* com mais proteína, um deixou de ir para hemodiálise ou morrer. Terapias estabelecidas como estatinas para prevenção secundária de infarto ou medicamentos para pressão arterial para prevenção de AVC têm NNT da ordem de 1:20 a 1:60[6].

> [...] a cada 5 pacientes que foram sorteados para a dieta *low-carb* com mais proteína, um deixou de ir para hemodiálise ou morrer.

Se uma dieta com menos carboidratos e mais proteínas é capaz de evitar uma em cada cinco mortes ou hemodiálises em pacientes diabéticos, vamos combinar que a ideia de que tal estratégia "força" o rim e causa prejuízos é, digamos, bastante bizarra.

Alguém poderia dizer – com razão – que um único ensaio clínico randomizado não é suficiente para definir essa questão. E estaria correto. Mas esse não é o único estudo que indica benefícios (veja bem – benefícios, não riscos) de uma dieta de baixo carboidrato para a função renal. Outro ensaio clínico de 2013[7] avaliou 76 pacientes diabéticos com IRC que foram randomizados por um ano para duas dietas de perda de peso, uma de alta proteína (30%) e outra de proteína moderada (20%). "A perda de peso melhorou a função renal nos dois grupos, mas as diferenças na proteína da dieta não tiveram efeito." Em outras palavras – perder peso, em virtude de todos os benefícios que

---

6. Disponível em: https://www.thennt.com/. Acesso em: 28 fev. 2023.
7. JESUDASON; PEDERSEN; CLIFTON, 2013.

decorrem disso, produz melhora da função renal. Se isso ocorre com mais proteínas, não há evidências de que esse fato gere prejuízos à função renal.

Mas, sem dúvida, o mais importante e influente dos ensaios clínicos randomizados avaliando o papel da proteína na dieta sobre a função renal foi o MDRD – Modification of Diet in Renal Disease (modificação da dieta na doença renal)[8]. Incrivelmente, esse estudo foi publicado há quase trinta anos, em 1994. Houve, portanto, tempo mais que suficiente para que seus achados pudessem ser amplamente difundidos entre médicos e nutricionistas. O estudo foi o único a avaliar especificamente o efeito de uma dieta de restrição de proteínas *versus* uma dieta normoproteica (não hiperproteica – normoproteica!) em pacientes com insuficiência renal crônica na qual a maioria (97%) não era diabética. Afinal, como uma dieta *low-carb* é altamente eficaz no manejo do diabetes, alguém poderia argumentar que o estudo citado, no qual pacientes diabéticos foram randomizados para uma dieta *low-carb* com mais proteína *versus* uma dieta pobre em proteína mas mais alta em carboidratos, poderia ter mostrado benefício de *low-carb* apesar de ter mais proteínas apenas e tão somente por causa da melhora do diabetes sabidamente provocada pela restrição de carboidratos. Pois bem, no MDRD, 585 pacientes com insuficiência renal crônica moderada a severa foram randomizados para uma dieta hipoproteica (0,58 g de proteína por kg de peso) *versus* uma dieta normoproteica (1,3 g de proteína por kg de peso). Observe-se que 1,3 g de proteína por kg de peso é completamente compatível com uma dieta *low-carb* **típica**. A maioria das pessoas precisa ser convencida a comer mais proteína quando em *low-carb*, pois, como vimos, a proteína é o macronutriente mais saciante que existe. Assim, a não ser que um indivíduo esteja especificamente tentando seguir uma dieta hiperproteica (em geral mediante uso de suplementos), 1,3 g de proteína por kg é uma quantidade normal para a maioria das pessoas. E qual foi o achado do MDRD? Ao final de 2,2 anos de seguimento, não houve diferença na

---

8. KLAHR; LEVEY; BECK, 1994.

velocidade de progressão da doença – a piora foi a mesma nos dois grupos. Assim, consumir quantidades normais de proteína (até 1,3 g por kg de peso) não causa piora da função renal nem mesmo em pacientes com insuficiência renal moderada a severa.

> [...] consumir quantidades normais de proteína (até 1,3 g por kg de peso) não causa piora da função renal nem mesmo em pacientes com insuficiência renal moderada a severa.

Não se está aqui sugerindo que pacientes com insuficiência renal crônica devam consumir dietas de alta proteína. De fato, é sabido que a restrição de proteína pode ser útil e necessária nas fases terminais da IRC para adiar a necessidade de hemodiálise. Mas o fato permanece: se nem mesmo em pacientes com IRC leve a moderada[9] (diabéticos ou não) o consumo de proteína é prejudicial aos rins, é ridículo supor que uma dieta *low-carb*, mesmo que com mais proteína, seja prejudicial para pessoas saudáveis ou sem problemas renais. Além, é claro, da ausência de efeitos adversos observados em estudos de dietas hiperproteicas.

Em 2018 foi publicada uma metanálise de ensaios clínicos randomizados[10] comparando dietas de alta proteína com dietas normoproteicas. O título do estudo já diz tudo: "A função renal não difere entre adultos saudáveis que consomem dietas mais altas em comparação com dietas baixas ou normais em proteínas: uma revisão sistemática e metanálise". A literatura científica simplesmente não dá suporte à hipótese de que uma dieta mais rica em proteínas, sobretudo em pessoas com função renal normal, ofereça qualquer risco aos rins. Pelo contrário, como vimos, o consumo normal de proteína está associado a um menor risco de desenvolver IRC em pacientes diabéticos (ao contrário dos carboidratos, que se associam a risco aumentado).

---

9. Ou, no caso do estudo MDRD, até mesmo em pacientes com IRC severa ainda não pré-dialíticos.
10. DEVRIES; SITHAMPARAPILLAI; BRIMBLE *et al.*, 2018.

Embora os estudos observacionais não sugiram as proteínas como estando associadas com o desenvolvimento de IRC e os ensaios clínicos randomizados demonstrem que as proteínas da dieta não são deletérias, a última crítica que ainda persiste é a curta duração dos estudos randomizados. Cerca de um ano nos estudos de dieta hiperproteica em pessoas com função renal normal, 2,2 anos no MDRD, pouco menos de quatro anos no estudo dos 191 pacientes de 2003.

Acontece que é muito difícil (e caro) conduzir ensaios clínicos randomizados de longa duração, sobretudo envolvendo dieta, visto que as pessoas tendem a não aderir às dietas no longo prazo. Mas existe um tipo de estudo que tenta resolver esse problema. Trata-se dos estudos de "randomização mendeliana". Mendel, o leitor vai lembrar, foi o descobridor das leis da genética. Temos duas cópias de cada gene. Quando nascemos, herdamos 50% dos genes do nosso pai e 50% da nossa mãe. Mas nossos pais também têm duas cópias cada, e qual delas nós herdamos é algo completamente aleatório. Em outras palavras, a natureza faz um sorteio a cada nascimento. Assim, quando temos algum gene que predispõe a uma característica – como o maior consumo de proteína ou de carboidratos, por exemplo – ao avaliarmos a relação entre esse gene e alguma outra característica na população – como insuficiência renal crônica, por exemplo, temos um estudo que, embora não seja um experimento verdadeiro (é, afinal, um estudo observacional), tem na sua origem uma randomização: a randomização mendeliana, ou seja, os genes que as pessoas recebem dos pais ao acaso.

Assim, depois dos ensaios clínicos randomizados, os estudos de randomização mendeliana são os que mais podem sugerir relações de causa e efeito. E foi exatamente isso que um estudo de 2021 avaliou. Intitulado "Efeitos causais do consumo relativo de gordura, proteína e carboidrato sobre a doença renal crônica: um estudo de randomização mendeliana"[11], o artigo sugeriu que um consumo aumentado de proteína possa estar causalmente ligado a um risco **menor** de IRC.

....
11. PARK; LEE; KIM et al., 2021.

> [...] um consumo aumentado de proteína possa estar causalmente ligado a um risco **menor** de IRC.

Isso não significa que a proteína seja a grande protetora do rim e que quanto mais proteína, melhor, mas é **impressionante como a arrogância com que se proclama aos quatro ventos que proteína faz mal aos rins é inversamente proporcional às evidências científicas disponíveis**. Na medida em que a preponderância das evidências mostra não haver relação nenhuma entre consumo de proteínas e o desenvolvimento de IRC e frente à existência de algumas evidências inclusive sugerindo benefícios, o máximo que podemos dizer é que se desconhece a relação entre consumo de proteína e risco de doença renal, mas que qualquer estratégia que reduza os grandes fatores de risco – diabetes e hipertensão – será benéfica. A dieta *low-carb* é uma dessas estratégias.

Dietas *low-carb* e cálculo renal

A relação entre dieta e cálculo renal é complexa e, por vezes, contraintuitiva. Como frequentemente ocorre no mundo da nutrição, mecanismos podem nos levar a conclusões equivocadas. Um exemplo ilustrativo diz respeito ao cálcio na dieta. Acontece que a grande maioria (cerca de 85%) dos cálculos renais contém cálcio em sua composição. Assim, por muitos anos, médicos e nutricionistas recomendaram que pacientes formadores de pedras nos rins adotassem uma dieta pobre em cálcio, sobretudo laticínios. O raciocínio era simples: se as pedras são feitas de cálcio, menos cálcio na dieta significaria menos pedras. Simples, mas errado. Ainda nos anos 1990, um grande estudo observacional indicou que pacientes que consumiam pouco cálcio tinham um risco 50% maior de formar pedras nos rins[12]. Esses resul-

---
12. CURHAN; WILLETT; RIMM *et al.*, 1993.

tados foram replicados em outras coortes. Cuidado com condutas baseadas em mecanismos!

O consumo de carboidratos em si não tem relação com pedras nos rins. Entretanto, o consumo de proteína está associado a um aumento da excreção de cálcio na urina (leia mais sobre isso no Capítulo 14), e estudos observacionais realmente indicam que maior consumo de proteínas está associado a maior incidência de cálculos renais. Isso sugere que indivíduos formadores de pedras deveriam, talvez, evitar dietas hiperproteicas – o que definitivamente não os impede de seguir uma dieta *low-carb* normoproteica.

Por outro lado, obesidade, síndrome metabólica e resistência à insulina são fatores de risco para a formação de cálculos renais[13], de modo que uma dieta *low-carb* que promova perda de peso e melhora da saúde metabólica pode, em tese, reduzir a chance de formação de cálculos renais, mesmo que seja um pouco mais rica em proteínas. Idealmente, precisaríamos de um ensaio clínico randomizado com pacientes formadores crônicos de cálculos renais comparando cuidados usuais *versus low-carb*. Esse estudo, infelizmente, não existe. E vale lembrar que outros cuidados que efetivamente ajudam a reduzir a chance de novas pedras (aumento do consumo de potássio, magnésio e citrato, aumento do consumo de água, redução do consumo de sódio) são possíveis em qualquer estratégia alimentar.

Por fim, até onde eu saiba, a orientação tradicional de reduzir as proteínas de origem animal, as purinas (ver Capítulo 15), e aumentar as fibras e os vegetais para tentar reduzir a incidência de cálculos renais só foi testada uma única vez em um ensaio clínico randomizado[14] – e falhou. Nesse estudo, 99 pacientes formadores de cálculos foram randomizados para a intervenção descrita acima *versus* apenas consumir mais água. Não apenas a dieta com menos carne e mais fibra não adiantou como foi, de fato, muito pior: houve doze novas pedras em quem comeu menos carne *versus* duas no grupo que apenas consumiu mais água.

13. HAMMARSTEN; PEEKER, 2011.
14. HIATT; ETTINGER; CAAN *et al.*, 1996.

Assim, se você tem histórico de formação de cálculos renais, beba bastante líquido, não reduza o cálcio na dieta[15], consuma proteínas (inclusive as de origem animal) normalmente (mas sem exagero) e, principalmente, mantenha-se metabolicamente saudável – e a dieta *low--carb* é uma excelente alternativa para atingir esse objetivo.

---
15. A não ser que o seu médico tenha diagnosticado uma condição rara chamada hipercalciúria absortiva por meio de exames.

11

MITO: DIETAS *LOW-CARB* PREJUDICAM O GANHO DE MASSA MUSCULAR

Você já escutou muitas vezes, não há dúvida: "nessa dieta você até perde peso, mas é tudo água". Outras versões são mais assustadoras: "o que você perde nessa dieta é massa magra, ou seja, músculos". Às vezes, a afirmação vem com um lustro aparentemente científico: "o cérebro precisa de glicose; se não houver consumo de pelo menos 130 g de glicose por dia ou o cérebro deixa de funcionar ou o corpo será obrigado a utilizar as proteínas dos músculos para produzir glicose, causando perda de massa muscular". Recentemente, em um programa de TV, uma médica endocrinologista afirmou que "esse tipo de dieta poderia levar à sarcopenia"! Sarcopenia é um termo técnico que significa, literalmente, deficiência de massa muscular – o tipo de coisa que você encontrará em pacientes com câncer terminal ou aids.

De forma análoga ao que acontece no caso do mito dos rins, aqui também temos uma impressionante coleção de tolices com pequenos pontos de contato com a realidade. O primeiro ponto de contato diz respeito ao fato de que todas as dietas empregadas visando ao emagrecimento produzem alguma perda de massa magra. Sim, inclusive a "dieta balanceada" na qual não se restringem carboidratos, mas se restringem calorias. Só existem duas maneiras de mitigar a perda de massa muscular que tende a ocorrer com o emagrecimento: a prática de treino de força (musculação, por exemplo) é uma delas, e é a mais importante – e se aplica a qualquer dieta. A outra é consumir mais proteínas. E aqui a coisa toma um rumo meio cômico. Explico: na tentativa de pintar as dietas de baixo carboidrato como deletérias para a saúde, usam-se frequentemente argumentos contraditórios. Quando é para dizer que dietas *low-carb* fazem mal para os rins, alega-se que são muito altas em proteínas (o que, como vimos no Capítulo 10, não afeta negativamente a função renal). Mas, se são altas em proteínas, isso significa, evidentemente, que protegem a massa muscular, não é mesmo? Em uma dieta com aporte adequado de proteína, coisa com a qual até mesmo os detratores de *low-carb* concordam, por que o corpo precisaria ir buscar nos músculos os aminoácidos necessários para produzir glicose no fígado, se tais aminoácidos estão amplamente disponíveis na dieta?

> [...] todas as dietas empregadas visando ao emagrecimento produzem alguma perda de massa magra.

Mas nunca é demais relembrar que mecanismos são os ladrilhos com os quais se pavimenta o caminho para o inferno epistemológico. Se queremos saber se *low-carb* produz perda de massa muscular, nosso caminho passa pelos ensaios clínicos randomizados. Na verdade, a pergunta correta nem sequer é essa. A pergunta correta deve ser: "Em *low-carb* visando ao emagrecimento, perde-se mais massa muscular do que com outras dietas que produzem um emagrecimento similar?".

Um ensaio clínico randomizado publicado em 2014[1] avaliou, por doze meses, 148 indivíduos, homens e mulheres, negros e brancos, com IMC médio de 35, que foram randomizados em dois grupos: *low-carb* e *low-fat* (baixa gordura), ambos *ad libitum*, ou seja, com ingestão de calorias à vontade. A perda de peso foi muito maior no grupo *low-carb* – o que já era esperado. Assim, poderia ter havido uma perda maior de massa magra nesse grupo, visto que houve perda maior de peso total.

1. BAZZANO; HU; REYNOLDS *et al.*, 2014.

MITO: DIETAS *LOW-CARB* PREJUDICAM O GANHO DE MASSA MUSCULAR

Mas não foi o que aconteceu. Quando se avaliou a composição corporal, o grupo *low-carb* perdeu mais gordura e o grupo *low-fat* perdeu mais massa magra. Mas isso já não deveria ser novidade em 2014, pois um artigo de revisão de 2006[2] já concluía que

> Embora mais estudos de longo prazo sejam necessários antes que uma conclusão firme possa ser obtida, parece, a partir da maior parte da literatura revisada, que uma dieta de muito baixo carboidrato é, no mínimo, **protetora** contra o catabolismo muscular durante restrição energética, desde que contenha quantidades adequadas de proteína. (MANNINEN, 2006)

Muitos novos estudos foram feitos desde então.

Um estudo de 2012[3] avaliou o impacto de uma dieta cetogênica com praticamente zero carboidratos em ginastas de elite da equipe de ginástica artística da Itália. Segundo reza o mito, até mesmo você e eu, que não somos atletas de elite, teríamos nossa *performance*, já modesta, destruída por uma dieta nesses moldes. Imagine atletas de elite, que têm o corpo levado aos limites da força e resistência humanos! Se algum prejuízo existe aos músculos, ele seria amplificado sob tais condições. O que o estudo fez foi recrutar os atletas, que treinavam em média trinta horas por semana, realizar testes antropométricos e de força, submetê-los a trinta dias de dieta *very low-carb* cetogênica, realizar novamente os testes e, depois de um intervalo de três meses, repetir o teste, mas com a dieta ocidental padrão. De acordo com o mito, nos trinta dias de dieta cetogênica os músculos deveriam ter sido consumidos pelo corpo para alimentar o cérebro com glicose e a *performance* teria se degradado tremendamente. Será que isso aconteceu realmente?

Durante a dieta ocidental padrão não houve modificações – o que seria esperado, por ser essa a dieta que tais atletas já consumiam normalmente. Mas, durante a dieta *low-carb*, houve perda de peso (não muita, lembrando que eram atletas já muito magros): cerca de 400 g. E você

2. MANNINEN, 2006.
3. PAOLI; GRIMALDI; D'AGOSTINO *et al.*, 2012.

dirá "viu, perderam quase meio quilo de músculos"! Não. Quando se avaliou a composição corporal, identificou-se uma queda de cerca de 2 quilos de **gordura** em trinta dias. E houve um provável aumento da massa muscular (provável, pois não atingiu a significância estatística, mas é absolutamente certo que não houve perda). Ademais, constatou--se também que não houve nem perda de força nem redução de *performance*. Se não foi prejudicial nem mesmo para esses atletas de elite, é seguro dizer que você, que usa os pesinhos coloridos da academia, não requer banana com aveia para fazê-lo e não corre risco de perder a sua massa muscular, diferentemente do que afirmou aquela médica entrevistada em um programa matinal de TV.

Alguém poderia dizer que os métodos utilizados nos estudos citados são falhos. Afinal, um deles usou a análise de impedância bioelétrica (BIA), que, embora seja muito superior às balanças de bioimpedância mais tradicionais, ainda é menos precisa do que gostaríamos que fosse[4]. E o outro usou o método antropométrico, que, embora funcione bem em mãos experientes, é sem dúvida mais subjetivo. No caso do estudo dos atletas olímpicos, a dieta *low-carb* teve mais do que o dobro de proteínas do que a dieta ocidental padrão, o que certamente contribuiu para o resultado de aumento da massa muscular no grupo *low--carb* (embora o mito afirme peremptoriamente que *low-carb* produzirá **perda** de músculos, ignorando que dietas *low-carb* tendem a ser, por sua própria natureza, adequadas em proteína).

Em 2020[5] um ensaio clínico randomizado foi conduzido para avaliar a questão com todo o rigor metodológico necessário, superando todas essas limitações. Voluntários que já praticavam musculação foram recrutados e randomizados para duas dietas: uma dieta cetogênica,

---

4. A BIA requer muito rigor na testagem, pois, se os sujeitos estiverem desidratados, a massa adiposa tende a ser superestimada e pode ser detectada uma falsa perda de massa muscular, visto que a água se concentra na massa magra. É importante lembrar que, em *low-carb*, há uma redução inicial do glicogênio dos músculos, o que também tende a mostrar uma falsa redução de massa magra (pois não houve perda de fibras musculares). Mesmo assim, no ensaio clínico de 2014 houve mais perda de gordura e menos perda de massa magra no grupo *low-carb* – que tenderia a ser prejudicado pelo método.
5. WILSON; LOWERY; ROBERTS *et al.*, 2020.

MITO: DIETAS *LOW-CARB* PREJUDICAM O GANHO DE MASSA MUSCULAR

very low-carb, e uma dieta ocidental padrão. Tomou-se cuidado para que as dietas fossem isocalóricas e que contivessem a mesma quantidade de proteína, de modo que se garantisse que a única diferença entre os grupos fosse a quantidade de carboidratos e de gorduras consumidos. Os indivíduos foram colocados em um programa intenso de treino de força visando hipertrofia. A composição corporal foi medida com densitometria de corpo inteiro (DEXA – um dos melhores métodos). Mas os autores foram além e mediram também a espessura dos músculos com ultrassom, para aferir diretamente a hipertrofia obtida (ou a atrofia, caso o mito sobre *low-carb* e músculos estivesse correto). Além disso, a força e a potência muscular também foram mensuradas.

Uma coisa importante que você – sobretudo se for profissional da saúde – precisa saber sobre os métodos de aferição de composição corporal e dietas *low-carb*: existe uma perda ilusória de massa magra no início de uma dieta de baixo carboidrato por causa da redução do glicogênio muscular. Funciona assim: a maioria dos métodos (inclusive o DEXA) divide o corpo em massa magra e massa gorda. A água concentra-se na massa magra, visto que água e gordura não se misturam. O glicogênio, a forma na qual nosso corpo armazena glicose, é uma molécula hidratada, de modo que o corpo armazena, dentro dos músculos, três a quatro vezes o peso do glicogênio em água. Assim, quando se faz uma redução abrupta dos carboidratos, como nesse estudo, é esperado que haja uma redução do glicogênio e da água contida dentro dos músculos[6] – o que dá a falsa impressão de que houve perda de massa magra, sendo que o que houve, de fato, foi apenas perda de glicogênio e água, mas como ambos estão contidos na porção de massa magra e não na porção de massa gorda, ocorre o erro de medida. Mas os autores desse estudo sabiam disso e bolaram um método engenhoso para corrigir esse erro.

---

6. Note-se a palavra "abrupta". Após um período mais longo de adaptação, a quantidade de glicogênio muscular é **igual** em atletas que consomem muito ou quase nenhum carboidrato. Em um estudo seminal publicado em 2016 (VOLEK et al., 2016), Volek e colaboradores demonstraram, em atletas de *ultraendurance*, utilizando biópsias musculares, que o glicogênio muscular antes, logo após 3 horas correndo na esteira e após 2 horas de recuperação era exatamente o mesmo nos dois grupos.

> [...] existe uma perda ilusória de massa magra no início de uma dieta de baixo carboidrato por causa da redução do glicogênio muscular.

Por dez semanas, um grupo seguiu uma dieta cetogênica e outro grupo seguiu uma dieta ocidental padrão. Mas da décima à décima primeira semana ambos os grupos consumiram uma dieta ocidental padrão, a fim de recompor a quantidade de glicogênio e água perdidos pelos músculos do grupo que fez a dieta *low-carb*.

Nas primeiras dez semanas, o estudo mostrou que ambos os grupos perderam gordura e ganharam músculos (**ganharam**, eu disse), mas o grupo *low-carb* ganhou 2,4% de massa magra enquanto o grupo-controle ganhou 4,4%. Pessoas menos informadas poderiam agora dizer: "OK, concordo que eu estava errado em afirmar que era impossível ganhar massa magra em *low-carb*, mas *low-carb* atrapalha sim, afinal, o grupo-controle ganhou o dobro de massa magra durante as dez semanas". E estariam errados novamente. Da décima à décima primeira semana, quando houve a reintrodução dos carboidratos, somente o grupo *low-carb* teve aumento de massa magra (4,8%), que não mudou no grupo-controle. Obviamente, o que houve aqui não foi um ganho gigante e acelerado de fibras musculares no grupo da dieta cetogênica assim que voltou a comer carboidratos; ocorreu apenas e tão somente a recomposição do glicogênio e da água perdidas pelas fibras musculares durante as semanas anteriores.

Para comprovar isso, os autores usaram, além do DEXA, o ultrassom para medir a real espessura dos músculos, diretamente. Por esse critério, o grupo *low-carb* – aquele que o mito afirma que estaria perdendo músculos e desenvolvendo sarcopenia pela ausência de farinha e açúcar na dieta – apresentou hipertrofia maior (5,2%) do que o grupo-controle (3,5%) nas primeiras dez semanas. Além disso, somente o grupo *low-carb* teve um aumento adicional da espessura muscular da décima à décima primeira semana, por ocasião da reintrodução dos carboidratos (aumento, nesse último caso, explicado por mais água e glicogênio).

> [...] o grupo *low-carb* – aquele que o mito afirma que estaria perdendo músculos e desenvolvendo sarcopenia pela ausência de farinha e açúcar na dieta – apresentou hipertrofia maior (5,2%) do que o grupo-controle (3,5%) nas primeiras dez semanas.

Ah, e eu já ia me esquecendo de mencionar: o grupo *low-carb* perdeu mais gordura corporal do que o grupo-controle – o que se justifica pelo exposto nas primeiras duas partes deste livro.

Como também já era esperado, visto que o ganho de massa magra foi no mínimo semelhante entre os dois grupos, quiçá maior no grupo de baixo carboidrato, não houve diferença em força e potência muscular entre os grupos – o mesmo achado do estudo dos atletas olímpicos. A conclusão do estudo mais bem feito sobre o assunto é que uma dieta cetogênica resultou em melhora de composição corporal, com maior perda de gordura e maior ganho muscular, sem comprometimento funcional, em homens que realizam treino de força.

Em 2017 um interessante estudo foi publicado[7] sobre dieta cetogênica (*very low-carb*) e *crossfit*, modalidade que requer muita força, explosão e energia. Nesse estudo, diferentemente do anterior, havia tanto homens como mulheres, e os participantes eram pessoas comuns, e não atletas de elite. As dietas eram *ad libitum*, isto é, com consumo de calorias à vontade, e as medidas de composição corporal antes e depois da intervenção foram realizadas com DEXA. O leitor lembrará que o DEXA é bastante preciso e, em havendo erro, ele tende a desfavorecer o grupo *low-carb*, pois a perda de água e glicogênio muscular pode provocar uma falsa leitura indicando uma redução fictícia da massa magra.

Os participantes foram sorteados para uma dieta *very low-carb* cetogênica ou para o grupo-controle e todos iniciaram um programa de *crossfit* por seis semanas. De acordo com o mito, as pessoas randomizadas para o grupo de baixo carboidrato deveriam ter perdido apenas músculos, "que é o que se perde 'nessa dieta'", além de piorarem muito seu desempenho, visto que "todos sabem" que é impossível realizar

---

7. GREGORY; HAMDAN; TORISKY *et al.*, 2017.

atividade física, ainda mais se for extremamente vigorosa, sem muita glicose como fonte de energia.

O grupo *low-carb* perdeu mais peso – **água e músculos, será? Não. Perderam mais gordura. E a massa magra? Não houve diferença estatisticamente significativa entre os grupos.** E aqui é importante lembrar que o método DEXA tende a mostrar uma falsa perda de massa magra em *low-carb*, o que só reforça o fato de que a tal perda com *low-carb* é um mito. De fato, apenas o grupo *low-carb* apresentou melhoras significativas em sua composição corporal. As seis semanas de *crossfit* sem a dieta cetogênica não mudaram nenhum parâmetro antropométrico no grupo-controle, enquanto o grupo de baixo carboidrato reduziu em quase 12% sua massa gorda.

Figura 11.1

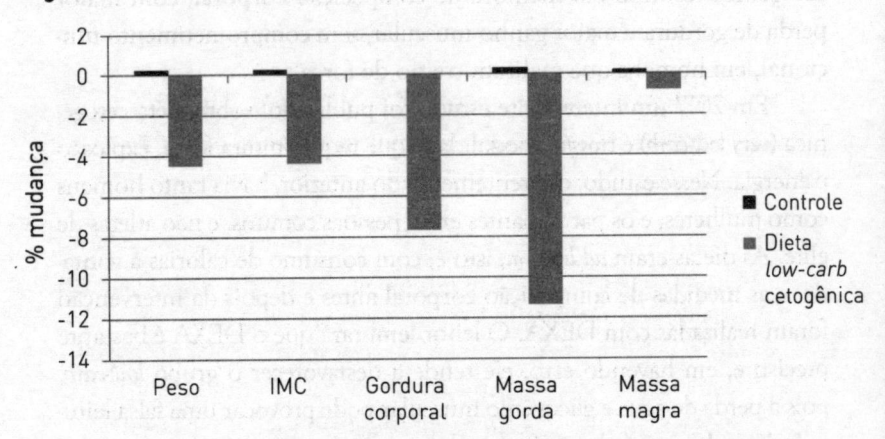

```
% mudança
          Peso    IMC   Gordura   Massa   Massa
                        corporal  gorda   magra
```

■ Controle
■ Dieta *low-carb* cetogênica

Elaborado com base em: GREGORY; HAMDAN; TORISKY *et al.*, 2017.

Quanto à *performance*, houve melhora em ambos os grupos, tanto no tempo para a realização do treino como em alguns testes específicos, como o salto vertical. Mas não houve diferença estatisticamente significativa entre os grupos.

Em resumo, uma dieta *low-carb* (na verdade *very low-carb*, cetogênica) não produziu nenhuma perda de massa muscular ou de *performance* em voluntários que fizeram *crossfit* quatro vezes por semana por seis semanas. O único "efeito colateral" foi a perda de gordura corporal – exclusivamente no grupo randomizado para o baixo carboidrato.

> [...] uma dieta *low-carb* (na verdade *very low-carb*, cetogênica) não produziu nenhuma perda de massa muscular ou de *performance* em voluntários que fizeram *crossfit* quatro vezes por semana por seis semanas. O único "efeito colateral" foi a perda de gordura corporal – exclusivamente no grupo randomizado para o baixo carboidrato.

Mais recentemente, em 2021, o mesmo grupo italiano que publicou o estudo nos atletas de ginástica olímpica publicou um ensaio clínico randomizado[8] de dieta cetogênica em jogadores semiprofissionais de futebol. Após trinta dias, o grupo que praticamente não consumia carboidratos perdeu gordura corporal, gordura visceral e circunferência abdominal. Mas, contrariamente ao que afirma o mito, não houve perda de músculos (aferido por ultrassom, medindo diretamente a espessura muscular), nem perda de força, potência ou *performance*.

> Após trinta dias, o grupo que praticamente não consumia carboidratos perdeu gordura corporal, gordura visceral e circunferência abdominal. Mas, contrariamente ao que afirma o mito, não houve perda de músculos (aferido por ultrassom, medindo diretamente a espessura muscular), nem perda de força, potência ou *performance*.

Para falsificar a teoria de que todos os cisnes são brancos, precisamos de apenas um cisne negro, já dizia Karl Popper. O verdadeiro bando de cisnes negros citados até aqui é, confesso, uma verdadeira covardia.

---

8. PAOLI; MANCIN; CAPRIO *et al.*, 2021.

Será que a dieta *low-carb* é a melhor abordagem para o ganho de massa muscular? Será que este capítulo sugere que todas as pessoas que visam à hipertrofia deveriam adotar uma dieta cetogênica? Longe disso.

A grande maioria dos atletas de fisiculturismo consome dietas de alta proteína e alto carboidrato (portanto com baixa gordura), na fase em que estão ganhando massa magra (*bulking*, a fase de ganhar músculos). Depois, ao se prepararem para uma competição, momento no qual precisam estar com muitos músculos mas pouquíssima gordura (bem menos de 10% de gordura corporal), adotam em geral uma dieta de baixo carboidrato e baixa gordura com alta proteína e pouquíssimas calorias (*cutting*, a fase do emagrecimento). É uma dieta muito difícil de seguir, que obviamente não será um estilo de vida, mas que produz resultados.

Será que essa estratégia tradicional do esporte – alta proteína com alto carboidrato – é a melhor para a hipertrofia máxima? Que é possível obter resultados incríveis em *very low-carb* é fato: procure na internet por *ketogains* e observe as fotos. Mas a esmagadora maioria dos fisiculturistas utiliza bastante carboidrato.

Mais uma vez, quem lançou luz sobre esse assunto foi o grupo italiano que estuda dietas cetogênicas em atletas[9]. Para tanto, recrutaram 19 fisiculturistas naturais competitivos, isto é, que participam de competições mas não usam esteroides anabolizantes. Como esperado, o grupo *low-carb* perdeu mais gordura, reduziu mais os triglicerídeos, a insulina e os marcadores de inflamação. Mas o grupo com alto carboidrato ganhou mais massa muscular (embora o ganho de força tenha sido igual nos dois grupos). Isso sugere que a hipertrofia é possível em dieta *very low-carb* cetogênica (como já vimos nos estudos citados anteriormente), mas que para ganhos extremos – como é o caso do fisiculturismo, uma dieta com mais carboidratos efetivamente produz melhores resultados. É um caso em que a prática usual efetivamente se alinha com a evidência científica.

A questão é que a maioria dos atletas de fisiculturismo é saudável e magra, e não diabética com sobrepeso. Se *low-carb* ou *high-carb* é a me-

---
9. PAOLI; CENCI; POMPEI *et al.*, 2021.

MITO: DIETAS *LOW-CARB* PREJUDICAM O GANHO DE MASSA MUSCULAR

lhor estratégia para o ganho máximo de músculos é, para o objetivo deste livro, irrelevante, tendo em vista que o foco é *low-carb* para emagrecimento e reversão de doenças metabólicas. O mito diz que uma dieta *low-carb* faz você "perder músculos sem perder gordura". O mito está, como vimos, completamente errado.

A maioria de nós não é atleta competitivo. Muitos de nós estamos com sobrepeso, obesidade, pré-diabetes, resistência à insulina, síndrome metabólica, gordura no fígado. Como já vimos no Capítulo 9, uma dieta de baixo carboidrato é uma estratégia que, comprovadamente, é capaz de melhorar ou até mesmo resolver todas essas condições que afetam a maioria das pessoas e que são as maiores causas de mortalidade na sociedade moderna (vamos lembrar que estão associadas a câncer, doença cardiovascular e Alzheimer). Para um atleta jovem, saudável e magro, pode até ser que o consumo de alto carboidrato juntamente com proteína e treino seja a diferença entre vencer ou não em uma competição de fisiculturismo. Para um diabético, porém, pode ser a diferença entre ficar cego ou enxergar. Entre manter ou não os dez dedos dos pés. E quando um paciente desses é desencorajado a seguir um estilo de vida *low-carb* por causa da afirmação mentirosa de que irá perder músculos, em vez de gordura, quem perpetua esse mito é corresponsável por toda essa carga de sofrimento e morte.

Perder peso com qualquer estratégia de dieta levará a uma perda combinada de massa gorda e massa magra se não houver treino de força concomitante. O que a ciência demonstra é que, em havendo treino de força, uma estratégia *low-carb* não apenas não provoca perda de massa magra como inclusive permite o ganho de músculos e de força, tudo isso ao mesmo tempo que favorece uma perda maior de gordura corporal. E se atletas de *crossfit*, jogadores de futebol e até mesmo ginastas de elite não têm problemas de *performance* nem de composição corporal, na virtual ausência de quaisquer carboidratos em sua dieta não é a pessoa de meia-idade, gordinha e diabética que vai precisar de banana com aveia para fazer seu treino na academia do clube.

O objetivo de uma dieta *low-carb* não é necessariamente aumentar a *performance*. O erro é sugerir que haverá *piora* da *performance* (os estudos mostram que não), ou piora da composição corporal (os estudos mostram que haverá melhora). Ou ainda indicar, para pessoas que adoecem com excesso de glicose, que a consumam em grande quantidade mesmo assim, porque essa é a dieta que parece funcionar melhor para atletas magros, jovens e saudáveis.

12

MITO: DIETAS *LOW-CARB* AUMENTAM OS RISCOS CARDIOVASCULARES

O que causa doença cardiovascular? A pergunta é simples, mas a resposta é extremamente complexa. Há livros inteiros dedicados ao tema e – definitivamente – este capítulo não pretende resolver essa questão. Podemos não conhecer ainda todas as peças do quebra-cabeça que leva às doenças cardiovasculares, mas sabemos, com certeza, que não é algo trivial. Infelizmente, a resposta mais conhecida, seja pela população em geral, seja por profissionais de saúde, é incompleta (ou até mesmo errada), embora seja sedutora em razão de sua simplicidade e plausibilidade.

Gary Taubes, em *Por que engordamos e o que fazer para evitar*, e Nina Teicholz, em *Gordura sem medo*, fazem uma detalhada reconstituição histórica sobre aquilo que ficou conhecido como a teoria dieta-coração (recomendo ao leitor interessado que leia ambas as obras, disponíveis e traduzidas no Brasil). Nos anos 1950, a incidência de doença cardiovascular – termo que abarca doenças das coronárias, como infarto do miocárdio, e também acidentes vasculares cerebrais e aneurismas – crescia assustadoramente nos Estados Unidos. Em 1955, o presidente Eisenhower teve um infarto agudo do miocárdio. Subitamente, o público norte-americano passou a ser exposto, diariamente, a notícias envolvendo aquela doença silenciosa e potencialmente fatal que estava produzindo a morte súbita de milhares de pessoas – incluindo muitos executivos de empresas e políticos. Havia forte demanda por respostas. Qual seria "a causa" dessa epidemia?

Desde o século XIX já se sabia que o principal conteúdo das placas que estreitavam as artérias era uma substância pastosa chamada colesterol. A palavra aterosclerose deriva do grego, *atheros*, que significa mingau, remetendo à textura pastosa do colesterol. Experimentos realizados no início do século XX mostraram que era possível induzir aterosclerose em coelhos alimentados com grande quantidade de colesterol. Vale notar que coelhos são herbívoros e, portanto, não consomem nenhum colesterol. Vale notar também que o mesmo experimento não funciona em cães, que são carnívoros e capazes de regular a produção de colesterol de acordo com a ingestão. Mas, enfim, a ideia de que reduzir os níveis de colesterol pudesse ser uma boa alternativa para diminuir o risco cardiovascular já era bastante antiga. Mas o que aumentava os níveis de colesterol no sangue?

Entre as várias teorias viria a predominar a ideia de que o problema era a gordura na dieta, mais especificamente a gordura saturada. Um dos principais proponentes dessa ideia, um fisiologista da Universidade de Minnesota chamado Ancel Keys, havia verificado uma correlação entre o consumo de gordura de seis países e a mortalidade cardiovascular. Em um extremo estavam os Estados Unidos, com muitos infartos e muita gordura na dieta. No outro extremo o Japão, com pouca gordura e poucos infartos. Havia diversos países nos quais tal correlação não ocorria – sendo o mais evidente a França. Os franceses consumiam muito mais gordura do que os norte-americanos e tinham um terço da mortalidade cardiovascular. Mas Keys optou por, convenientemente, ignorar tais cisnes negros[1].

Embora a epidemiologia fosse ainda uma disciplina extremamente jovem, já se sabia que esse tipo de estudo "ecológico", isto é, no qual se comparam dados de países inteiros, era extremamente problemático. Afinal, países diferem entre si em muitas outras características além

---

1. Na verdade, Keys tinha à sua disposição dados de 22 países, mas escolheu a dedo apenas os seis que lhe eram convenientes (YERUSHALMY; HILLEBOE, 1957).

das respectivas dietas. Por exemplo, diferentes países têm diferentes pirâmides etárias, diferentes proporções de fumantes e diferentes etnias. O Japão e os Estados Unidos dos anos 1950 diferiam em infinitas outras categorias além da quantidade de gordura em suas dietas.

Convencido de que sua hipótese estava correta, Ancel Keys lançou-se em um ambicioso projeto: um estudo epidemiológico realizado em sete países com a coleta das informações sobre alimentação de muitos milhares de pessoas. Foi, de fato, o primeiro estudo multicêntrico internacional da chamada "epidemiologia nutricional de doenças crônicas" na história. Keys escolheu seus sete países a dedo. Dessa vez, não se tratava apenas da comparação de estatísticas nacionais. A ideia era destacar pesquisadores para cada um dos sete países, selecionar 12.700 homens, aplicar questionários de frequência alimentar (falaremos mais sobre esses questionários, adiante), medir, pesar, fazer exames e acompanhar essas pessoas por mais de dez anos. Um trabalho notável, sem dúvida, mas com todos os problemas inerentes aos estudos de epidemiologia nutricional (ver adiante), além de um detalhe crucial: a escolha dos países não foi nada aleatória.

Mais uma vez, deixou de fora a França, a Alemanha, a Suíça e a Dinamarca, que tinham consumo elevado de gorduras saturadas e baixa incidência de doenças cardíacas. Escolheu como área representativa de alto consumo de gorduras saturadas e alta incidência de doenças cardíacas a Carélia do Norte, uma região da Finlândia oriental junto à Rússia. Por que essa região especificamente? Uma dica pode ser o fato de que na região ocidental da Finlândia os hábitos e o estilo de vida eram exatamente os mesmos, mas a mortalidade cardiovascular na Carélia do Norte era três vezes maior.

Por fim, muitos dos homens gregos que foram incluídos nesse estudo foram entrevistados durante a quaresma, que, entre os gregos ortodoxos, tende a ser observada com bastante rigor. Durante esse período de mais de quarenta dias, não se consomem produtos de origem animal, incluindo carne, leite, queijo, peixes, ovos e manteiga. A introdução desses dados no estudo – de uma forma de se alimentar que acontecia apenas naquele período do ano – deu a falsa impressão de que se consumia muito menos gordura saturada naquele país. Quem conhece a culinária mediterrânea sabe que leite, queijos, ovos e carne de carneiro e de porco são muito apreciados e consumidos.

De forma nada surpreendente, Keys encontrou exatamente o que procurava. Bem, quase. Não havia correlação entre o consumo de gordura em geral e doença cardiovascular. Mas havia uma correlação entre gordura **saturada** e ataques cardíacos. Estava formulada a teoria dieta--coração: comer gordura saturada eleva o colesterol, que se acumula nas artérias provocando infartos. Exceto que, se os países escolhidos tivessem sido outros, os resultados possivelmente teriam sido completamente diferentes.

O problema dos estudos epidemiológicos em geral e da epidemiologia nutricional em particular

Estudos epidemiológicos são aqueles em que você seleciona uma população, registra suas características (sexo, idade, etnia, dieta, doenças etc.) e tenta estabelecer correlações entre esses fatores. Você pode descobrir, por exemplo, que homens têm mais ataques cardíacos do que mulheres. Que pessoas mais velhas têm mais câncer. Ou seja, não são estudos inúteis, pois são capazes de evidenciar coisas importantes, mas não podem estabelecer causa e efeito.

Um exemplo muito utilizado em sala de aula (e apócrifo, até onde eu saiba) de correlação foi observado na Austrália, entre o consumo de sorvetes e o ataque por tubarões. Quanto maior o consumo de sorvetes, maior o número de ataques. Essa correlação é estatisticamente significativa. Você acredita que o consumo de sorvete **causa** os ataques de tubarões? Quem sabe pessoas que consumiram bastante sorvete ficam mais saborosas, mais doces? Se for assim, o mais correto a fazer seria proibir o consumo de sorvetes. Afinal, já que há evidente associação entre o consumo de sorvetes e os ataques de tubarões, proibir o sorvete seria um preço pequeno a pagar para evitar mortes e mutilações.

Eu e você sabemos que isso é absurdo. Contudo, isso significa que o estudo está errado? Não. O que acontece é que **estudos epidemiológi-**

cos podem ignorar variáveis de confusão. No caso, a variável oculta é o calor. Quanto mais quente, mais sorvetes e mais banhos de mar. O sorvete é apenas um **marcador** de calor, e o calor **causa** mais pessoas no mar, que **causa** aumento no número de ataques por parte dos tubarões (que não estão nem aí para o que você comeu).

[...] estudos epidemiológicos podem ignorar variáveis de confusão.

Como você resolve esse problema? Com outro tipo de estudo, chamado **ensaio clínico randomizado**. Esse é o Santo Graal da pesquisa médica. Aqui, um grupo grande de pessoas é sorteado para um de dois ou mais grupos. Um grupo será o grupo-controle e o outro grupo receberá a intervenção: o tratamento/remédio/dieta. O sorteio assegura que, estatisticamente, quaisquer variáveis de confusão (conhecidas ou desconhecidas) estejam igualmente distribuídas entre os grupos (mesmo número de fumantes, de sedentários etc.).

Os estudos prospectivos randomizados são fundamentais para o que chamamos de medicina baseada em evidências. Diferentemente dos estudos epidemiológicos, eles permitem avaliar se uma intervenção causa ou previne um desfecho. No caso da Austrália, significaria sortear pessoas para tomar ou não tomar sorvete e depois tomar banho de mar. A constatação de que a incidência de ataques de tubarões fosse semelhante em ambos os grupos demonstraria que a associação observada no estudo epidemiológico não era causal.

A importância de saber diferenciar esses dois tipos de estudo é gigantesca. Afinal, os estudos epidemiológicos (observacionais), por definição, podem apenas levantar hipóteses. Eles não podem estabelecer causa e efeito. Repita comigo, em voz alta: "ESTUDOS EPIDEMIOLÓGICOS NÃO PODEM ESTABELECER CAUSA E EFEITO". Eu não posso dizer que comer carne **causa** câncer. Portanto, eu também não posso dizer que reduzir o consumo de carne vai reduzir a incidência de câncer. Por quê? Porque isso é dado oriundo de estudos observacionais/epidemiológicos. Eu só posso dizer que há uma **associação** entre o consumo de carnes processadas e câncer. Lembre-se dos sorvetes e dos tubarões!

OK, mas no fundo, no fundo, não é a mesma coisa? Não é apenas uma questão de semântica (jogo de palavras)? Dizer que está "associado" ou que "causa" – tanto faz, significa que é ruim para você, não é mesmo?? Não. NÃO. NÃO, NÃO É A MESMA COISA!!

Vamos a um exemplo fora do mundo da saúde que espero que deixe esse assunto **bem** claro de uma vez por todas.

Em 2012, o portal IG publicou uma notícia referente às notas do Exame Nacional do Ensino Médio (Enem). Um estudo que comparou o desempenho dos estudantes de diferentes etnias na prova. Trata-se de um estudo observacional, epidemiológico. Não era um experimento. Estava-se apenas **observando** quem tirou qual nota e quem tinha qual cor de pele. Vamos à manchete:

> **Notas de alunos brancos no Enem são mais altas que dos negros**
>
> Dados do exame de 2010 nas capitais do País também confirmam a distância entre as médias de estudantes de colégios particulares e de escolas públicas
>
> Agência Estado | 12/08/2012 15:28:08
>
> Recorte inédito de dados de desempenho no Exame Nacional do Ensino Médio (Enem) de 2010 nas capitais do País, além de confirmar a distância entre as notas médias dos estudantes de colégios particulares e os de escolas públicas, revela o abismo que separa estudantes brancos e negros das duas redes.
>
> Os números mostram que as notas tiradas pelos alunos brancos de escolas particulares no exame são, em média, 21% superiores às dos negros da rede pública – acima da diferença de 17% entre as notas gerais, independentemente da cor da pele, dos estudantes da rede privada e os da rede pública.
>
> NOTAS de alunos brancos no Enem são mais altas que dos negros. Agência Estado, 10 ago. 2012.

Então está bem claro que há uma **associação** entre raça negra e mau desempenho do Enem. E aí, você ainda acha que associação é o mesmo que causa e efeito? Porque, se você acha que é a mesma coisa, você teria de acreditar que ser negro é a **causa** do mau desempenho, não é mesmo? E que o problema original, essencial, único, etiológico é a raça. Bom, no século XXI, suponho e espero que ninguém pense assim. A própria matéria jornalística deixa claro que a associação ocorre devido a outras variáveis ocultas:

> Na questão econômica, segundo ela, a explicação é que "entre os pobres, os negros são os mais pobres". O lado pedagógico refletiria a baixa expectativa. "Em uma sala de aula, se uma criança negra começa a apresentar dificuldade, a professora desiste de ensiná-la muito mais rapidamente do que desistiria de um estudante branco.
>
> NOTAS de alunos brancos no Enem são mais altas que dos negros. Agência Estado, 10 ago. 2012.

Então, como podemos ver, associação é apenas isso – associação. Associação não implica necessariamente causa e efeito – erros gigantescos podem advir dessa confusão. As reais causas, no caso da discrepância racial, podem ser especuladas a partir de outros raciocínios interpretativos da realidade. Mas, volto a dizer, as **causas** não estão demonstradas no estudo, e por que não? Porque ele é um estudo observacional – ele apenas identifica que duas coisas acontecem ao mesmo tempo ou se agrupam com mais frequência – não há como dizer que uma **causa** a outra.

OK, agora eu vou usar a criatividade e **reescrever** a notícia acima como se fosse uma notícia do caderno de saúde do jornal. Para isso, vou trocar as expressões "alunos brancos" e "alunos negros" por "quem come carne branca" e "quem come carne vermelha"; "estudantes de colégios particulares" por "vegetarianos"; "estudantes de escolas públicas" por "onívoros"; e "notas" por "mortalidade".

[notícia fictícia] Mortalidade de quem come carne branca é menor do que a de quem come carne vermelha

Dados de um levantamento de 2010 nas capitais do País também confirmam a distância entre vegetarianos e consumidores de carne.

Recorte inédito de dados de mortalidade do Ministério da Saúde de 2010 nas capitais do País, além de confirmar a distância entre a saúde dos vegetarianos em relação aos onívoros, revela o abismo que separa os consumidores de carne branca e os de carne vermelha.

Os números mostram que a mortalidade das pessoas que consumiam apenas carne vermelha é, em média, 21% superior à dos que consomem apenas carne branca – acima da diferença de 17% de mortalidade, independentemente do tipo de carne, entre vegetarianos e pessoas de dieta onívora.

Então, com base nessa notícia fictícia, poder-se-ia dizer que a carne vermelha **aumenta** a mortalidade? Que reduzir o consumo de carne vermelha salvaria vidas (humanas)? Se você disser que sim, por coerência, também terá de ser o racista do exemplo anterior. Percebe? É a mesma coisa! Não há como estabelecer causa e efeito em um estudo observacional. É um erro, e dos grandes. Se você afirmar, com base nesse texto de ficção, que carne vermelha aumenta a mortalidade, por uma questão de coerência você se verá obrigado a afirmar que o fato de uma criança ter nascido negra, a sua "raça", a predestina e condena a ter mau desempenho no Enem.

Tudo bem, você poderia dizer que no caso do Enem é óbvio que as causas são outras, mas no caso da carne, qual seria a explicação? Não é óbvio que, nesse caso, a carne é que faz mal mesmo?

Não.

Deixe-me ajudar. Quando estudos epidemiológicos/observacionais implicam carne vermelha na gênese de doenças, geralmente eles comparam, dentro de um universo de milhares de pessoas que respondem a questionários, os 20% que comem menos carne vermelha *versus* os 20% que comem mais. Chama-se isso de **quintil**, ou seja, o "um quinto" do grupo que come mais disso ou menos daquilo. Será que esses grupos ("quintis") são diferentes em outras coisas além do tipo de carne que comem? Será que, no Enem, a cor da pele acompanha **outras** diferenças sociais (renda, oportunidades)?

A maioria desses estudos observacionais de epidemiologia nutricional vem dos Estados Unidos, onde o consumo de carne vermelha é tipicamente feito na forma de hambúrgueres e cachorros-quentes. Que, obviamente, não são consumidos sozinhos, sendo em geral acompanhados de pão, molhos doces, refrigerantes e batatas fritas.

Agora faça um teste: procure, no Google imagens, pela seguinte combinação de palavras: "pessoa comida saudável". Você verá uma sequência de fotos de mulheres brancas magras comendo salada.

Assim eu pergunto de novo: será que o quintil de pessoas que come mais carne vermelha é diferente do quintil que come menos carne vermelha de outras formas, além do consumo de carne, que possam afetar seus desfechos de saúde? É evidente que sim.

Em 2013, foi publicado um grande estudo epidemiológico denominado European Prospective Investigation into Cancer and Nutrition (EPIC), ou Estudo Europeu Prospectivo sobre Câncer e Nutrição[2]. Ele incluiu mais de 500 mil pessoas de dez países diferentes que foram questionadas sobre um conjunto de diferentes fatores dietéticos, desde o que e quanto comiam até seu nível de escolaridade, idade, peso, altura e tabagismo. Uma excelente matéria publicada na revista *Mother Jones*[3] na ocasião descreveu assim os achados desse estudo: pessoas que comiam muita carne processada também tinham uma chance muito maior de fumar, comer menos frutas e saladas e ter níveis mais baixos de educação; eram muito mais gordas e se exercitavam muito menos do que o restante da amostra. E os homens que comiam mais carne processada bebiam muito. Ah, e os maiores comedores de carne eram também mais velhos – e sabemos que a idade é um dos maiores fatores de risco para doenças como câncer e infarto.

Um dos detalhes mais fascinantes do estudo são algumas associações bem improváveis: as pessoas que comiam a maior quantidade de carne processada – que o estudo qualificou como mais de 160 g por dia (equivalente a cerca de seis salsichas) – não morreram apenas de doenças cardiovasculares ou câncer, as coisas que costumamos associar a uma dieta ruim; elas também morreram mais de "outras causas", uma categoria que inclui acidentes de carro, ferimentos acidentais e outras causas não relacionadas à comida. Os maiores consumidores de carne

---

2. ROHRMANN; OVERVAD; BUENO-DE-MESQUITA *et al.*, 2013.
3. MENCIMER, 2013.

branca, por outro lado, eram os "escoteiros" do grupo: não fumavam muito, comiam bastante salada, faziam exercício, iam à faculdade e com certeza escovavam os dentes, usavam cinto de segurança e faziam seus *check-ups* regularmente.

> [...] as pessoas que comiam a maior quantidade de carne processada – que o estudo qualificou como mais de 160 g por dia (equivalente a cerca de seis salsichas) – não morreram apenas de doenças cardiovasculares ou câncer, as coisas que costumamos associar a uma dieta ruim; elas também morreram mais de "outras causas", uma categoria que inclui acidentes de carro, ferimentos acidentais e outras causas não relacionadas à comida.

Em um mundo onde quase 100% das pessoas consideram carne vermelha prejudicial à saúde, quem tende – tipicamente – a comer muita carne vermelha ou processada? Gente que se preocupa tão pouco com a saúde que não usa cinto de segurança e deixa armas carregadas ao alcance das crianças.

Isso vai refletir no estudo epidemiológico, independentemente de a carne ser boa ou má para a saúde. O que importa, nesse caso, é a **crença** de que ela faz mal. Se todo mundo achar que ela faz mal, só os irresponsáveis a comerão em maior quantidade. E como os irresponsáveis são irresponsáveis em outras áreas da vida, eles inevitavelmente morrerão e adoecerão mais. É a profecia autorrealizada: basta uma crença ou preconceito existir para ser detectado nesse tipo de estudo. E, em uma lógica circular, se todo mundo acredita em algo, o estudo mostrando a associação apenas reforçará a **crença** em uma relação **causal**.

> O que importa, nesse caso, é a **crença** de que ela faz mal. Se todo mundo achar que ela faz mal, só os irresponsáveis a comerão em maior quantidade. E como os irresponsáveis são irresponsáveis em outras áreas da vida, eles inevitavelmente morrerão e adoecerão mais.

Existe, em inglês, uma expressão que encapsula bem o primeiro grupo – o que tende a evitar a carne vermelha: *health conscious*, ou seja, pessoas focadas e preocupadas com a saúde. Essas pessoas, que em geral cuidam do peso, praticam atividade física, não fumam, dirigem de forma segura, fazem ioga e têm curso superior, são muito diferentes daquelas que vivem de *fast food* (muitas vezes porque é a única comida que conseguem comprar nos Estados Unidos). Esse grupo *health conscious* invariavelmente tem maior renda, vive em áreas mais afluentes nas quais há mais oportunidades de atividades ao ar livre com segurança e tem acesso a bons médicos e aos melhores tratamentos. E resulta que come menos carne vermelha também porque lhe disseram que faz mal – e tem o luxo de poder se preocupar até com esse detalhe. Então? Você ainda acha que é possível afirmar que a carne causa doenças? Na verdade, pode até ser que cause, ou pode ser que não, mas esse tipo de estudo não pode nos dizer. A carne pode ser apenas e tão somente um marcador de um tipo de pessoa que, por seu estilo de vida, tem melhores resultados de saúde. Da mesma forma que a cor da pele, no caso do Enem. Ou então teríamos de acreditar que comer salsichas estaria causando homicídios e acidentes de carro.

....

> Esse grupo *health conscious* invariavelmente tem maior renda, vive em áreas mais afluentes nas quais há mais oportunidades de atividades ao ar livre com segurança e tem acesso a bons médicos e aos melhores tratamentos. E resulta que come menos carne vermelha também porque lhe disseram que faz mal – e tem o luxo de poder se preocupar até com esse detalhe.

....

Portanto, quando salientarmos que um estudo é observacional, que é epidemiologia nutricional, isso não é um pequeno detalhe. Façamos um experimento mental: vamos imaginar que vivemos na África do Sul durante o regime do *apartheid*. Sobre esse regime de opressão racial, a Wikipédia diz que "o *apartheid* tem, como centro de suas crenças: (I) que outras raças diferentes da branca são inferiores; (II) que um tratamento inferior a raças 'inferiores' é apropriado; (III) e que tal tratamento deveria ser reforçado pela lei".

Digamos que, naquele contexto, surgisse aquela pesquisa que mostrava que os negros têm um desempenho pior no Enem. Qual você acha que seria a interpretação dada ao estudo? Obviamente seria considerado um resultado natural e esperado, **causado** pela reconhecida "inferioridade racial" dessa parcela da população.

Alguns poucos excêntricos diriam "é um estudo observacional, não pode estabelecer causa e efeito". E a resposta seria: "todo mundo, no fundo, sabe que a **causa** é a inferioridade". Isso de "causa e efeito *versus* associação" é só um jogo de palavras e todos os estudos observacionais mostram a mesma inferioridade.

Eu uso esse exemplo extremo para chamar a atenção sobre a importância fundamental de compreendermos as limitações dos estudos de epidemiologia nutricional (observacionais). E não importa quantos estudos mostrem a mesma coisa nem quantos milhares ou milhões de pessoas estejam representados nesses estudos – eles servem apenas para levantar hipóteses, e não implicam causa e efeito. Mesmo que haja dez estudos com 5 milhões de pessoas mostrando que a população negra tem desempenho médio pior no Enem, a causa continua não sendo a quantidade de melanina presente na pele.

....

E não importa quantos estudos mostrem a mesma coisa nem quantos milhares ou milhões de pessoas estejam representados nesses estudos – eles servem apenas para levantar hipóteses, e não implicam causa e efeito.

....

Estudos observacionais e epidemiológicos capturam os vieses, o *zeitgeist*, os preconceitos de uma época e o reproduzem. Mais do que isso, embora não possam estabelecer causa e efeito, acabam sendo interpretados de forma que se reforce a causa presumida daquilo que estudam, sob a ótica dos preconceitos e diretrizes vigentes.

Se todos acreditarem que brócolis faz mal à saúde, as pessoas mais preocupadas com a saúde serão as primeiras a parar de consumi-lo. Se vinte anos depois for feito um estudo observacional com questionários, a conclusão será que o consumo de brócolis estará associado a um aumento de todo tipo de desfecho ruim – pois apenas as pessoas que são desleixadas com a saúde seguirão comendo brócolis. Para que estudos de epidemiologia nutricional mostrem uma associação, a coisa em questão sequer precisa fazer mal. Basta que as pessoas acreditem que faz.

> Para que estudos de epidemiologia nutricional mostrem uma associação, a coisa em questão sequer precisa fazer mal. Basta que as pessoas acreditem que faz.

Mas existe uma situação em que os estudos de epidemiologia nutricional podem, sim, ser úteis: quando eles contrariam crenças de causalidade. Calma, pode deixar que eu explico.

Já explicamos, à exaustão, que a existência de uma associação entre duas coisas não implica que uma é causa da outra, ou seja, que associação não implica causa e efeito. Mas aqui a coisa fica interessante: quando uma coisa efetivamente CAUSA a outra, obrigatoriamente haverá também uma associação entre elas. Ou seja, a associação não implica necessariamente que haja relação de causa e efeito, mas a relação de causa e efeito, quando de fato existe, evidentemente engendra a existência de uma associação.

> [...] quando uma coisa efetivamente **causa** a outra, obrigatoriamente haverá também uma associação entre elas. Ou seja, a associação não implica necessariamente que haja relação de causa e efeito, mas a relação de causa e efeito, quando de fato existe, evidentemente engendra a existência de uma associação.

Corolário lógico? A ausência de associação entre variáveis, mesmo em estudo observacional, sugere fortemente a inexistência de uma relação de causa e efeito entre elas. Ainda complicado? Vamos a um exemplo:

Se um estudo observacional/epidemiológico sugere que o consumo de carne está associado com diabetes, isso não significa que consumir carne cause diabetes e não autoriza ninguém a dizer que as pessoas deveriam comer menos carne para evitar o diabetes (uma inferência de causalidade indevida). Até aqui, é a mesma coisa sobre a qual já falamos anteriormente.

Agora, vejamos o seguinte exemplo real: um estudo observacional/epidemiológico publicado em 2018[4] sugeriu que o consumo de laticínios integrais (*full fat*, com toda a sua gordura), como queijo, requeijão e manteiga, está associado a um risco **reduzido** de desenvolver diabetes. Isso **não** significa que consumir queijo e manteiga proteja contra o diabetes e **não** autoriza ninguém a dizer que as pessoas devem comer mais queijo e manteiga para evitar o diabetes (uma inferência de causalidade indevida). **Mas**, e esse é um **grande mas**, o fato de os laticínios *full fat* serem associados a uma redução do risco de diabetes praticamente elimina a possibilidade de que eles possam causar diabetes (algo não pode reduzir e causar a mesma coisa ao mesmo tempo). Então esse estudo, muito embora seja observacional/epidemiológico, nos autoriza, sim, a dizer que os laticínios integrais muito provavelmente **não aumentam** o risco de diabetes em quem os consome.

Mais uma vez: correlação não implica necessariamente causalidade, mas causalidade implica necessariamente correlação. Assim, a ausência de correlação torna a causalidade virtualmente impossível.

Por fim, vale salientar que um estudo é tão confiável quanto a qualidade dos dados com base nos quais ele é conduzido. A ferramenta de medida na qual os estudos de epidemiologia nutricional se baseiam é o questionário de frequência alimentar (QFA). A maioria de nós não lembra direito o que comeu no almoço de ontem, e somos notoriamente falhos em estimar as quantidades. Imagine responder a um documento com dezenas de páginas perguntando com que frequência você comeu brócolis ou cenoura nos últimos seis meses e você começará a entender **um dos maiores dilemas da epidemiologia nutricional:**

---

4. IMAMURA; FRETTS; MARKLUND et al., 2018.

os dados nos quais ela se baseia são, em grande parte, fictícios. Em um artigo devastador de 2015[5], Edward Archer demonstra que nenhuma outra área das ciências da saúde aceitaria algo tão pouco confiável quanto esse tipo de questionário. Por exemplo, quando você analisa os dados do NHANES, em que centenas de milhares de norte-americanos respondem questionários de frequência alimentar para ajudar a guiar as políticas de saúde dos Estados Unidos, mais de 60% das respostas são fisiologicamente implausíveis – ou seja, é impossível que as pessoas, tendo em vista idade, gênero, peso e altura, estejam de fato consumindo o que afirmam consumir. Um editorial do *British Medical Journal* afirmou que tais resultados são "incompatíveis com a vida". E como confiar que os outros 40% não estão errados também, apenas porque são plausíveis em termos calóricos? Uma análise de resultados de QFA sugeriu que o tamanho do "ruído" (erro) dos dados obtidos é nove vezes maior do que o "sinal" (informações válidas). Também foi bem demonstrado que as pessoas tendem a responder aquilo que imaginam que o investigador quer ouvir. Às vezes, até de forma inconsciente, afirmam consumir mais verduras e menos sobremesa do que realmente comem. As pessoas simplesmente têm vergonha de dizer que comem aquilo que é considerado pouco saudável – alterando de forma definitiva os dados sobre os quais conclusões serão tiradas.

....
[...] as pessoas tendem a responder aquilo que imaginam que o investigador quer ouvir.
....

O artigo deveria ser lido na íntegra por todos que se interessam pelo assunto, mas coloco aqui um trecho traduzido:

> Dada a esmagadora evidência em apoio às nossas hipóteses, concluímos que os dados dos questionários de frequência alimentar (QFA) não podem ser usados para informar as diretrizes alimentares nacionais, e que o financiamento contínuo de estudos baseados em QFA constitui um sig-

---
5. ARCHER; PAVELA; LAVIE, 2015.

nificativo mau uso anticientífico dos recursos de pesquisa [...]. Acreditamos que o ceticismo e o rigor são requisitos essenciais nas investigações científicas, e culpamos a natureza excessivamente crédula da epidemiologia nutricional pelas falhas óbvias e bem demonstradas da comunidade científica em informar adequadamente as diretrizes alimentares federais anteriores (por exemplo, a ideia errônea de que consumo de colesterol na dieta pudesse ser perigoso). Acreditamos que as diretrizes alimentares de nossa nação não devem ser baseadas nas anedotas pseudocientíficas e altamente editadas dos QFA e, embora outros possam discordar, pedimos que façam o que fizemos e forneçam evidências empíricas em vez de retórica para apoiar suas posições. Sem evidências válidas, a defesa dogmática do conhecimento ilusório e do *status quo* na pesquisa sobre nutrição e obesidade são impedimentos tanto para o progresso científico quanto para a política pública de nutrição e obesidade empiricamente apoiada. (ARCHER; PAVELA; LAVIE, 2015)

Ufa!
Tenha isso em mente quando ler afirmações baseadas nesse tipo de questionário, sugerindo que algo que as pessoas alegaram consumir vinte anos atrás está associado a determinado desfecho.

Depois desse gigantesco desvio, chegamos novamente a Ancel Keys e seu estudo observacional epidemiológico dos sete países, no qual se observou uma **associação** entre o consumo de gordura saturada e mortalidade cardiovascular. Já vimos que associação não implica causa e efeito e que um estudo nesses moldes não nos autoriza, portanto, a dizer que a gordura saturada causa doença cardiovascular ou que deveríamos reduzir a gordura na dieta para reduzir o colesterol, o que por sua vez reduziria os ataques cardíacos. O que tínhamos era uma **associação** apenas, em sete países escolhidos a dedo buscando justamente esse resultado – algo sujeito aos mesmos erros e vieses do estudo da cor da pele e do Enem.

Mas Keys, um sujeito influente e muito bem relacionado, conseguiu, em 1961, entrar para o comitê de nutrição da Associação Americana de Cardiologia (AHA). Sob sua influência, naquele ano, a AHA produziu um relatório dizendo que os norte-americanos deveriam reduzir o consumo de gorduras saturadas para reduzir as doenças e a mortalidade cardiovascular. Era a primeira vez na história que uma organização de saúde fazia tal recomendação. Se hoje isso parece incontestável, praticamente senso comum – o fato é que o relatório da AHA de 1961 é a origem de todas as diretrizes mundiais que se seguiram, e foi baseado essencialmente em um estudo – deveras enviesado – de epidemiologia nutricional.

Em 1970, a AHA iria ainda mais longe. Baseada em... Bem, na verdade, baseada em *nada*, as diretrizes passaram a recomendar que todas as gorduras fossem reduzidas – não apenas a gordura saturada. Nascia a onda da dieta *low-fat*. Tudo deveria ser pobre em gorduras, desnatado, *light*. E como há apenas três macronutrientes: proteínas, gorduras e carboidratos, a indústria tratou de seguir a sugestão dos cientistas e das diretrizes e lançou todo tipo de produtos ricos em carboidratos – mas com pouquíssima gordura. Biscoitos *fat-free* e cheios de açúcar viraram febre. Salgadinhos (feitos de amido puro) eram (e ainda são!) vendidos como saudáveis por serem "assados, e não fritos". Há quem ache que a concomitância dessa mudança de hábitos com o início da epidemia de obesidade não seja mera coincidência.

E foi nesse clima de condenação generalizada das gorduras, particularmente das saturadas, que o doutor Atkins lançou seu livro, em 1972, advogando a restrição de carboidratos mas o consumo livre de proteínas e de gordura (fosse ela saturada ou não). Não poderia ter havido pior *timing*. Desde então, dietas *low-carb* ficaram marcadas como perigosas – que talvez até fizessem perder peso, mas à custa de um ataque cardíaco.

Colesterol (ou qualquer outro exame de sangue) é o que chamamos de **desfecho substituto**. Ele tem esse nome porque substitui o desfecho que realmente importa – o desfecho concreto. O único motivo pelo qual você se importa com o colesterol é porque supõe que ele aumente seu risco de sofrer um infarto. Assim, quando falamos em uma dieta rica em gordura e as pessoas preocupam-se pois dietas com mais gordura estão associadas com colesterol elevado, a preocupação não é com o colesterol em si – que é um desfecho substituto. Na verdade, a preocupação é com desfechos concretos – mortes, infartos, derrames etc. Acontece que esses desfechos não são a mesma coisa. Há vários exemplos na medicina de intervenções e tratamentos que modificam desfechos substitutos, mas que não modificam (ou até pioram) os desfechos concretos. No Capítulo 9 falamos sobre um exemplo clássico, no qual se tratavam arritmias (um desfecho substituto) com a esperança de evitar mortes (desfecho concreto). Os medicamentos eram eficazes para o tratamento da arritmias, mas o grupo tratado morreu mais do que o grupo placebo[6]. Nosso objetivo com uma dieta não é reduzir o colesterol (isso é um desfecho substituto), e sim reduzir mortes e infartos. Quando não temos estudos medindo o desfecho concreto, usamos os desfechos substitutos – é justamente para isso que eles servem. Mas temos de ter clara a ideia de que, em havendo estudos com desfecho concreto, é isso que importa. Os antiarrítmicos utilizados no famoso estudo de 1991 deixaram de ser usados, muito embora eles fossem bons em reduzir arritmias.

Já se passaram mais de cinquenta anos desde a publicação do estudo dos sete países de Ancel Keys. O que a preponderância da evidência científica indica?

A gordura na dieta não está associada a risco cardiovascular

Já vimos que associação não significa causa e efeito, e que mesmo que estudos de epidemiologia nutricional indicassem que houve uma associação entre gordura na dieta – ou gordura saturada – e doença cardiovascular, isso não significaria que dietas com mais gordura fossem perigosas – no máximo, levantaria uma hipótese a ser testada. Mas e se eu lhe dissesse que até mesmo os estudos observacionais não demonstram essa associação?

Em 2010, uma metanálise[7] causou furor no mundo da nutrição. Publicada no *American Journal of Clinical Nutrition*, a metanálise reuniu

---
6. ECHT; LIEBSON; MITCHELL et al., 1991.
7. SIRI-TARINO; SUN; HU et al., 2010.

resultados de 21 estudos observacionais totalizando quase 350 mil pessoas com o objetivo de avaliar a associação entre o consumo de gordura saturada e mortalidade cardiovascular. A conclusão é de que não havia associação entre gordura saturada e doença coronariana em particular ou cardiovascular em geral. E essa metanálise está longe de ser a única.

Em 2014, uma nova metanálise[8] reuniu tudo o que havia sobre o assunto até então: estudos epidemiológicos (observacionais), estudos com o uso de biomarcadores (também observacionais, mas um pouco mais confiáveis do que os estudos tradicionais, como o de Keys, que utilizam questionários pouco confiáveis; utilizam-se aqui exames de sangue que permitem ter-se uma ideia do que as pessoas comem), e ensaios clínicos randomizados, os estudos que realmente estabelecem causa e efeito. Permito-me aqui reproduzir parte do resumo:

> Houve 32 estudos observacionais (512.420 participantes) do consumo de gordura na dieta; 17 estudos observacionais (25.721 participantes) de biomarcadores de ácidos graxos no sangue e 27 estudos prospectivos, controlados e randomizados (105.085 participantes) com suplementação de diferentes ácidos graxos.
> Conclusão: as evidências atuais não dão sustentação às diretrizes cardiovasculares que encorajam o alto consumo de óleos poli-insaturados (óleos refinados de sementes – soja, canola etc.) e o baixo consumo de gorduras saturadas. (CHOWDHURY; WARNAKULA; KUNUTSOR *et al.*, 2014)

Naquele ano, até mesmo a AHA postou uma mudança em seu *blog* no dia 25 de setembro de 2014 – que posteriormente desapareceu. Felizmente, tenho uma cópia: "Há uma percepção equivocada de que a American Heart Association apoia uma dieta com baixo teor de gordura ", disse Rachel Johnson, PhD, MPH, RD, professora de nutrição da Universidade de Vermont e ex-presidente do Comitê de Nutrição da American Heart Association. "Não estamos mais dizendo que uma dieta com baixo teor de gordura é a resposta. [...] suas escolhas em relação

---
8. CHOWDHURY; WARNAKULA; KUNUTSOR *et al.*, 2014.

aos carboidratos precisam ser focadas. [...] Isso significa limitar os açúcares adicionados e os carboidratos refinados". Nos últimos dez anos, a organização deu grande ênfase à limitação de açúcares adicionados na dieta. "A ciência evoluiu, e comer muitas calorias de açúcares adicionados é prejudicial à saúde cardiovascular", disse Johnson. "Açúcares adicionados de bebidas adoçadas com açúcar representam um risco maior de excesso de peso e desenvolvimento de obesidade." Ancel Keys deve ter se revirado no túmulo. No mesmo ano de 2014, em abril, o UpToDate, outra importante e respeitada organização que fornece textos atualizados e baseados em evidência sobre todos os aspectos da medicina, dizia em sua seção sobre consumo de gorduras e risco coronariano:

> [...] uma metanálise de 2014 de estudos observacionais prospectivos não encontrou associação entre a ingestão de gordura saturada e o risco de doença coronariana. A metanálise também não encontrou relação entre ingestão de gordura monoinsaturada e doença coronariana [...] Diante desses resultados, não sugerimos evitar as gorduras saturadas *per se*, embora muitos alimentos ricos em gorduras saturadas sejam menos saudáveis do que os alimentos com níveis mais baixos. Em particular, não consideramos mais que haja evidências substanciais para a escolha de produtos lácteos com base no baixo teor de gordura (como a escolha de leite desnatado em detrimento de leite com alto teor de gordura). Continuamos a aconselhar a redução da ingestão de ácidos graxos trans[9]. (UPTODATE, 2014)

Já na versão 2022 do UpToDate, lê-se o seguinte:

> [...] revisões sistemáticas e metanálises de estudos observacionais prospectivos não encontraram associação entre a ingestão total de gordura saturada total e risco de doença coronariana ou aparecimento de diabetes tipo 2. [...] Ingestão muito baixa de gordura saturada, como níveis abaixo de 7% do total de calorias, como observado em alguns países asiáticos, tem sido associada a maior risco de acidente vascular cerebral, especialmente acidente vascular cerebral hemorrágico, em estudos de

---

[9]. Disponível em: https://www.uptodate.com/. Acesso em: 24 out. 2014.

coorte individuais, bem como no PURE, o grande estudo de coorte envolvendo vários países[10]. (UPTODATE, 2022)

O que nos traz ao estudo PURE – sigla para Prospective Urban and Rural Epidemiological Study (Estudo Epidemiológico Prospectivo Urbano e Rural), publicado no prestigioso periódico científico *The Lancet* em 2017[11]. Trata-se de um estudo muito grande – 135 mil pessoas – com seguimento médio de 7,4 anos e questionários e exames realizados a cada quatro anos. Diferentemente de todos os estudos que citamos, este incluiu não apenas países ricos do hemisfério norte, mas um total de 18 países, desde países com alta renda, passando por países de renda média (incluindo o Brasil), até países muito pobres. Diferentemente do estudo de Ancel Keys, a ideia foi fazer uma amostra representativa – e não viciada – da população mundial. E os achados foram bem diferentes. Seguem alguns trechos traduzidos diretamente do artigo:

> A ingestão elevada de carboidratos foi associada com maior risco de mortalidade total, enquanto a gordura total e os tipos individuais de gordura estavam relacionados a menor mortalidade total. A gordura total e os tipos de gordura não foram associados a doenças cardiovasculares, infarto do miocárdio ou mortalidade por doenças cardiovasculares, enquanto a gordura saturada teve associação inversa com AVC. As diretrizes dietéticas globais devem ser reconsideradas à luz desses achados.
>
> [...]
>
> A ingestão de proteína animal foi associada com menor risco de mortalidade total e não houve associação significativa entre proteína vegetal e o risco de mortalidade total.
>
> Nossos achados não dão suporte às recomendações atuais para limitar a ingestão de gordura total para menos de 30% das calorias e ingestão de gordura saturada para menos de 10% das calorias. Indivíduos com alto consumo de carboidratos podem se beneficiar de uma redução na ingestão de carboidratos e do aumento do consumo de gorduras.
>
> (DEHGHAN; MENTE; ZHANG *et al.*, 2017)

---
10. Disponível em: https://www.uptodate.com/. Acesso em: 14 ago. 2022.
11. DEHGHAN; MENTE; ZHANG *et al.*, 2017.

....
"Nossos achados não dão suporte às recomendações atuais para limitar a ingestão de gordura total para menos de 30% das calorias e ingestão de gordura saturada para menos de 10% das calorias."
....

O leitor mais atento dirá: "mas esse é um estudo observacional de epidemiologia nutricional, o tipo que você já disse que não pode estabelecer causa e efeito". E o leitor terá razão! O que queremos demonstrar aqui é que nem mesmo os estudos de epidemiologia nutricional justificam a alegação de que dietas *low-carb* **são perigosas por incluírem mais gordura (total ou saturada)**. A forma correta de interpretar os resultados do estudo PURE são as seguintes: o fato de que um maior consumo de gordura saturada foi **associado** a uma menor mortalidade não significa que a gordura saturada seja a **causa** dessa redução. No entanto, tal associação **inversa** (entre gordura saturada e mortalidade) essencialmente **refuta** a hipótese de que a gordura saturada na dieta seja uma **causa** de mortalidade. Isso é tão importante que vou tentar dizer de outra forma: as diretrizes vigentes indicam a redução das gorduras na dieta, em especial as saturadas. Isso porque se baseiam na ideia de que a gordura saturada da dieta aumenta o risco de morbidade e mortalidade. Tal hipótese é uma hipótese causal. Ou seja, as diretrizes baseiam-se na hipótese de que a gordura saturada da dieta causa um aumento de mortes; em sendo a gordura a causa, sua redução se justificaria, pois isso produziria uma redução das mortes. Porém, o estudo epidemiológico mostra uma associação inversa entre o consumo de gorduras em geral, incluindo a saturada, e mortalidade e AVC. Como o estudo é observacional, ele não prova que mais gordura previne mortes (apenas levanta essa hipótese). Mas ele é essencialmente **incompatível** com a hipótese de que a gordura saturada **causa** mortes. Nesse sentido, embora observacional, é mais um estudo que ajuda a refutar a hipótese.

E o leitor mais atento deve estar louco para perguntar: "E não temos nada melhor do que estudos epidemiológicos com suas limitações? Não temos ensaios clínicos randomizados para resolver esse assunto?". Por incrível que pareça, temos. O MRFIT (Multiple Risk Factor Intervention Trial)[12] foi um grande ensaio clínico randomizado que tinha como objetivo testar a hipótese de que a modificação de vários fatores de risco, incluindo adotar uma dieta pobre em gorduras, fosse diminuir a mortalidade. O ano era 1972, e o estudo recrutou 12.866 homens considerados de alto risco cardiovascular e os sorteou para dois grupos: um grupo-controle e outro com orientação para cessar o tabagismo, tratar a hipertensão e uma dieta para baixar o colesterol. A dieta consistia no seguinte: reduzir a gordura saturada para menos de 10% das calorias (em 1976 foi baixado para menos de 8%), colesterol na dieta para menos de 300 mg, e aumento das gorduras poli-insaturadas para 10% das calorias. Após sete anos de seguimento, não houve nenhuma diferença estatisticamente significativa na mortalidade entre os grupos (o grupo-controle morreu um pouco menos, mas sem significância estatística). Os fumantes, quando considerados isoladamente, morreram mais que os não fumantes. Se fosse um estudo positivo, ficaria a dúvida sobre o que havia funcionado, já que várias coisas foram modificadas (dieta, tabagismo e pressão). Mas o fato é que foi negativo.

Muitos anos depois, em 2006[13], viria a ser publicado o maior ensaio clínico randomizado já conduzido sobre dieta, o WHI (Women's Health Initiative). Esse estudo, diferentemente do MRFIT, que tinha apenas homens, recrutou apenas mulheres (num total de 48.835!). Tinha como objetivo avaliar o efeito de uma dieta pobre em gorduras na saúde cardiovascular e na incidência de câncer de mama. As mulheres foram orientadas a consumir menos gordura e mais frutas e vegetais. Depois de oito anos de seguimento, a insossa dieta sem gordura não teve efeito significativo em nenhum dos desfechos: câncer de mama, todos os cânceres, doença coronariana, conjunto das maiores doenças crônicas ou mortalidade total.

---

12. MULTIPLE Risk Factor Intervention Trial [...], 1982.
13. HOWARD; VAN HORN; HSIA *et al.*, 2006.

> Depois de oito anos de seguimento, a insossa dieta sem gordura não teve efeito significativo em nenhum dos desfechos: câncer de mama, todos os cânceres, doença coronariana, conjunto das maiores doenças crônicas ou mortalidade total.

A história mais incrível nessa saga das tentativas infrutíferas de provar que a gordura saturada da dieta aumenta o risco cardiovascular, digna do roteiro de um filme, veio à tona em 2016.

Houve um ensaio clínico randomizado com 9.423 participantes sorteados para uma dieta rica em gordura saturada ou uma dieta na qual a gordura saturada havia sido trocada por óleo de milho (poli-insaturada) – que reduz o colesterol. Esse estudo de grandes proporções havia sido conduzido de 1968 a 1973 e sua grande "vantagem" era a adesão assegurada às dietas prescritas por parte de todos os participantes: todos estavam institucionalizados (em casas de repouso ou em hospitais psiquiátricos), sendo obrigados a comer o que lhes era fornecido pelo serviço de nutrição. Mas se o estudo foi conduzido há cinquenta anos, ainda na época em que Ancel Keys dominava completamente o mundo da nutrição, como é possível que só tenha vindo à tona em 2016? Acontece que os resultados desse ensaio clínico randomizado foram diferentes do que Keys supunha – e ele era um dos coautores. Os dados foram ocultados e nunca mais veriam a luz do dia se não fosse por um intrépido pesquisador chamado Christopher Ramsden.

Ramsden é uma espécie de arqueólogo de estudos científicos, especializado na recuperação dos dados originais de pesquisas feitas há muitas décadas. Em 2013 ele já causara sensação (bem, ao menos para mim) ao publicar dados recuperados de um ensaio clínico randomizado conduzido em Sydney, na Australia, entre 1966 e 1973[14], no qual 458 homens que já haviam tido um evento coronariano recente foram randomizados para um grupo-controle ou para um grupo no qual as gorduras saturadas foram substituídas por óleo de cártamo (um óleo vegetal com características semelhantes às do óleo de girassol ou de milho). Naquele estudo, o grupo que trocou a gordura animal, saturada, por óleo vegetal

---

14. RAMSDEN; ZAMORA; LEELARTHAEPIN et al., 2013.

morreu mais do que o grupo-controle – diferentemente do que se imaginava que aconteceria. Mas era um estudo relativamente pequeno.

> Naquele estudo, o grupo que trocou a gordura animal, saturada, por óleo vegetal morreu mais do que o grupo-controle.

Ramsden sabia que um estudo muito maior, conduzido em Minnesota na mesma época, existia. E ele estava disposto a escavar mais esse fóssil[15]. O doutor Ivan Frantz, autor principal do estudo e colega de Ancel Keys, havia morrido em 2009. Mas em 2011 Ramsden conseguiu entrar em contato com seus filhos, Robert Frantz, médico na Mayo Clinic, e Ivan Frantz III, médico no Beth Israel Deaconess Medical Center, em Boston. Ivan se lembrava da existência de uma grande quantidade de arquivos e fitas de computador IBM que pertenciam a seu pai e que ficaram guardadas no sótão da casa onde ele cresceu. E Robert se dispôs a dirigir uma hora e meia até a casa de sua infância. Estava prestes a descobrir um verdadeiro baú do tesouro.

No canto do sótão empoeirado havia muitas caixas com milhares de fichas amareladas com dados do estudo e fitas antigas de computador. Após traduzir as fitas para formatos que os computadores atuais pudessem ler, Ramsden e colaboradores encontraram um tesouro inestimável: os dados dos 9.423 participantes do Minnesota Coronary Experiment, o maior e mais rigoroso estudo do gênero jamais feito.

O estudo demonstrou que trocar a gordura saturada por óleos vegetais (poli-insaturada) reduziu, de fato, o colesterol em 13,8%. Mas colesterol é um desfecho substituto, e o que queremos saber, de fato, são os desfechos concretos (infartos, mortes). Não houve redução da incidência de infartos nem na quantidade de mortes. Para piorar as coisas, os pacientes cujo colesterol foi mais reduzido pela dieta foram os que mais morreram: um aumento de 22% do risco para cada 30 mg/dL de queda dos valores de colesterol[16].

---

15. BEGLEY, 2017.
16. RAMSDEN; ZAMORA; MAJCHRZAK-HONG et al., 2016.

Dos 517 pacientes que morreram durante o estudo, 295 foram submetidos a necropsia, e os dados de 149 desses pacientes puderam ser recuperados cinquenta anos depois. Os resultados foram bem diferentes do esperado:

> Nesta coorte de autópsia, no entanto, 41% (31/76) dos participantes do grupo de intervenção tiveram pelo menos um infarto do miocárdio, enquanto apenas 22% (16/73) dos participantes do grupo-controle tiveram infartos [...]. Além disso, os participantes do grupo de intervenção não apresentaram menos aterosclerose coronariana ou aterosclerose aórtica. Esses achados devem ser interpretados com cautela devido à recuperação parcial dos arquivos de autópsia. Não houve associação entre colesterol sérico e infarto do miocárdio, aterosclerose coronariana ou aterosclerose aórtica em modelos ajustados por covariáveis. (RAMSDEN *et al.*, 2016)

Ou seja, embora esse resultado não seja robusto, por ser uma análise de um subgrupo, é no mínimo impressionante que o grupo do óleo vegetal tenha apresentado o dobro de infartos que o grupo da gordura saturada.

Por fim, o estudo de Ramsden continua uma metanálise dos ensaios clínicos randomizados (são apenas cinco) que testaram a hipótese de que gorduras saturadas deveriam ser evitadas e substituídas a fim de reduzir desfechos concretos. Não houve redução de mortalidade por doença coronariana nem tampouco por outras causas. Nem mesmo eventos cardiovasculares não fatais foram reduzidos por tais dietas pobres em gordura saturada.

Em suma, a hipótese de que a gordura da dieta em geral, e de que a gordura saturada em particular, estivesse associada a doença cardiovascular foi convertida em dogma há mais de cinquenta anos por um autor altamente influente, mas baseado em um único estudo de epidemiologia nutricional em sete países escolhidos a dedo. Nem mesmo os estudos observacionais epidemiológicos modernos indicam haver tal associação. E os ensaios clínicos randomizados, que podem estabelecer relações de causa e efeito, também refutaram essa hipótese. Afirmar que uma dieta pobre em carboidratos é perigosa para o coração por ter mais gordura total e saturada do que uma dieta mais rica em carboidratos é, portanto, incorreto, e é um mito.

....

Afirmar que uma dieta pobre em carboidratos é perigosa para o coração por ter mais gordura total e saturada do que uma dieta mais rica em carboidratos é, portanto, incorreto, e é um mito.

....

Mas o único motivo pelo qual essa ideia equivocada surgiu é por causa do efeito da gordura saturada sobre o colesterol. Afinal, embora jamais tenha sido demonstrado que a redução do colesterol com dieta reduza o risco cardiovascular, a redução com alguns medicamentos comprovadamente reduz tal risco. Precisamos falar sobre colesterol.

Dietas *low-carb* e colesterol: uma relação complicada

Sejamos claros. O grande motivo pelo qual a dieta *low-carb* foi considerada perigosa pela medicina foi a crença na teoria dieta-coração, segundo a qual a gordura saturada aumenta o colesterol, que por sua vez aumenta o risco cardíaco. Já vimos que, no que diz respeito à dieta, isto comprovadamente não é verdadeiro, visto não haver relação entre gordura saturada e doença cardiovascular. Mas e o colesterol? Não está comprovado que colesterol alto aumenta o risco cardiovascular e que quanto mais baixo melhor? Seria bom se fosse tão simples, mas o assunto é complexo. Este capítulo está longe de cobrir adequadamente todo o assunto e precisa se equilibrar entre não ser tão complexo a ponto de alienar o leigo nem tão simplista a ponto de deixar os profissionais de saúde insatisfeitos.

Colesterol é uma molécula fundamental, presente em todos os animais, que faz parte das membranas das células, sendo a base de diversos hormônios e ajudando no isolamento elétrico das células nervosas. Ou seja, é absolutamente essencial à vida e, como tal, não é um veneno.

Fala-se muito em "bom" colesterol e "mau" colesterol – o que é um equívoco. Só existe uma molécula de colesterol. Para entender melhor essa ideia, temos de voltar no tempo para 1948 – o ano em que se iniciou o Estudo de Framingham.

Framingham é uma pequena cidade em Massachusetts, perto de Boston. Adultos sem doença cardíaca prévia foram recrutados e acompanhados ao longo da vida (o estudo está em andamento até hoje, já na terceira geração). Muito do que hoje para nós é óbvio – a importância de fatores de risco cardiovasculares como hipertensão, obesidade, tabagismo, atividade física (de fato, o próprio conceito de fator de risco) – veio do estudo de Framingham. Na época, só se conhecia o colesterol total – as frações como LDL e HDL ainda viriam a ser descobertas. E uma fraca associação estatística foi encontrada entre os níveis de colesterol de homens (mas não de mulheres) jovens (mas não mais velhos) e o risco de infartos.

Ainda assim, tal descoberta teve um profundo impacto sobre o pensamento médico: colesterol no sangue, aquela mesma substância que se encontrava dentro das placas de aterosclerose das artérias, estava associado a um risco maior de infarto e mortes. Sendo assim, prevenir infartos virou sinônimo de reduzir o colesterol. Se você já leu até aqui, sabe que esse é um pensamento perigosamente simplista. Primeiro, porque essa é uma conduta baseada em mecanismos – e mecanismos pavimentam o caminho para o inferno epistemológico. Segundo, porque colesterol é um desfecho substituto – nosso objetivo final não é morrer com um colesterol baixo; nosso objetivo é não morrer antes da hora. E, como já vimos na seção anterior deste capítulo, dietas desenhadas para reduzir o colesterol não tiveram sucesso em reduzir eventos cardiovasculares ou mortes. Seria bom se fosse mais simples, mas não é.

....

[...] nosso objetivo final não é morrer com um colesterol baixo; nosso objetivo é não morrer antes da hora. [...] dietas desenhadas para reduzir o colesterol não tiveram sucesso em reduzir eventos cardiovasculares ou mortes.

....

Como vimos, quando os primeiros resultados de Framingham vieram à tona no início dos anos 1960, identificou-se uma correlação entre colesterol total elevado e doença cardiovascular em homens jovens. Mas elevado aqui significava quase 300 e, vale repetir, não eram conhecidas ainda as frações – que o próprio estudo de Framingham viria a provar, anos depois, que eram bem mais importantes.

Décadas depois, em 1987, foram publicados os dados com trinta anos de seguimento do estudo de Framingham[17]. Os resultados são bastante curiosos: houve uma correlação entre colesterol elevado e mortalidade apenas em indivíduos com menos de 50 anos. Para homens e mulheres com mais de 50 anos, os níveis de colesterol total simplesmente não mostravam associação nenhuma com mortalidade. E, assim como foi visto no *Minnesota Coronary Experiment*, aquele estudo de 1973 desenterrado por Ramsden em 2016, também em Framingham havia o curioso fenômeno de que as pessoas cujo colesterol reduziu-se mais durante os trinta anos do estudo morreram **mais**, e não menos.

Não se está aqui querendo negar o papel que o colesterol tem na doença cardiovascular. Mas, mesmo para médicos, é um pouco chocante descobrir que um marcador que, na cabeça de muitos, é o mais importante de todos, tenha correlação tão fraca e inconstante com mortalidade. Isso pode ser apreciado no seguinte gráfico, reproduzido do estudo de trinta anos de seguimento da coorte de Framingham.

Figura 12.1

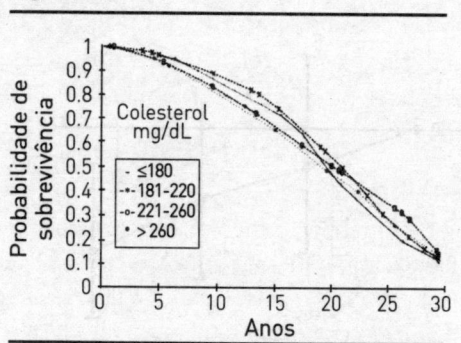

Mortalidade ao longo de trinta anos relacionada ao nível de colesterol para homens entre 56 e 65 anos de idade

Elaborado com base em: ANDERSON; CASTELLI; LEVY, 1987.

---

17. ANDERSON; CASTELLI; LEVY, 1987.

Perceba que a maioria dos homens que tinha entre 56 a 65 anos no início do estudo já havia morrido trinta anos depois (com 86 a 95 anos de idade). Mas é notável que as curvas de quem tinha um colesterol menor do que 180 (considerado ótimo) ou maior do que 260 (considerado muito elevado) são absolutamente indistinguíveis.

Fiz questão de citar Framingham por ser um nome que soa familiar para todos os médicos. Mas era uma coorte relativamente pequena para os parâmetros modernos – apenas 4.374 indivíduos foram incluídos nesse estudo.

Mas estudos muito maiores parecem confirmar a ideia de que colesterol total – o número que a maioria das pessoas sabe de cor – é um péssimo preditor de risco. Em 2012 foi publicado um estudo[18] dez vezes maior do que o de Framingham. Com 52.087 pessoas seguidas por dez anos, esse estudo norueguês conta com a vantagem de que, naquele país, os registros médicos e de óbito são extremamente organizados e confiáveis. Os resultados são ainda mais confusos do que os que vimos até aqui:

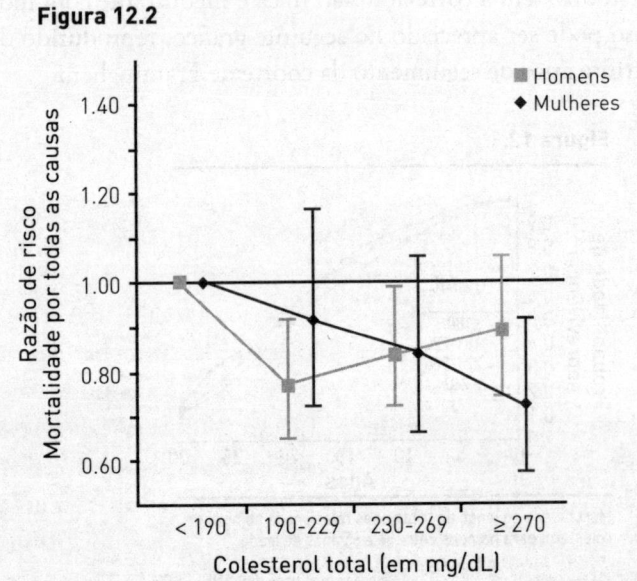

Figura 12.2

Elaborado com base em: PETURSSON; SIGURDSSON; BENGTSSON et al., 2012.

----
18. PETURSSON; SIGURDSSON; BENGTSSON et al., 2012.

Quando observamos o gráfico do colesterol total *versus* mortalidade por todas as causas, o risco maior está associado aos níveis mais baixos de colesterol (que hoje chamaríamos de desejáveis). Nos homens, há uma curva em "U" dos valores, com valores extremos sendo menos favoráveis (abaixo de 190 e acima de 270). Nas mulheres, contudo, há uma clara correlação inversa - mulheres com colesterol mais alto, ao menos nesse estudo, claramente vivem mais. O mesmo, incrivelmente, se observa com relação à mortalidade cardiovascular - uma curva em "U" para homens e uma relação inversa para mulheres. Apenas para morte por doença coronariana parece haver uma leve associação positiva entre colesterol total e mortalidade por essa causa - e somente em homens.

A conclusão do estudo Norueguês diz assim:

> nosso estudo fornece uma indicação epidemiológica atualizada de possíveis erros nos algoritmos de risco cardiovascular em muitas diretrizes clínicas. Se nossos achados forem generalizáveis, recomendações clínicas e de saúde pública no que diz respeito aos "perigos" [aspas no original] do colesterol deveriam ser revistas. Isto é especialmente verdadeiro para mulheres, para as quais níveis moderadamente elevados de colesterol (de acordo com os padrões atuais) podem ser não apenas inofensivos, mas até mesmo benéficos. (PETURSSON *et al.*, 2012)

Sem dúvida, uma afirmação forte!

Por fim, uma revisão sistemática publicada em 2016[19] chamou a atenção para o fato de que os achados de Framingham - de que a pequena associação que parece haver entre colesterol total e LDL e mortalidade em homens mais jovens efetivamente desaparece em pessoas mais velhas - também foi observada em outros grandes estudos observacionais. Intitulada "Ausência de associação ou associação inversa entre colesterol LDL e mortalidade em idosos: uma revisão sistemática", essa publicação indicava que, nessa faixa etária, ter níveis mais altos de colesterol - inclusive de LDL, o chamado "colesterol" ruim - parecia aumentar a longevidade. Como é possível?

---

19. RAVNSKOV; DIAMOND; HAMA *et al.*, 2016.

A questão é que o colesterol total, por si só, não é uma causa de doença cardiovascular. Como veremos, o colesterol medido é apenas uma forma de estimar a quantidade de determinadas partículas (LDL, HDL etc.) no sangue que levam o colesterol como passageiro. De fato, o próprio diretor do estudo de Framingham, William Castelli, publicou um artigo em 1988[20] chamando a atenção para o fato de que a razão entre colesterol total e o chamado HDL (sobre o qual falaremos mais adiante) é muito mais preditiva (essa razão ficou conhecida como índice de Castelli). O gráfico a seguir, publicado por Castelli com base nos dados da coorte de Framingham, é muito esclarecedor:

Figura 12.3

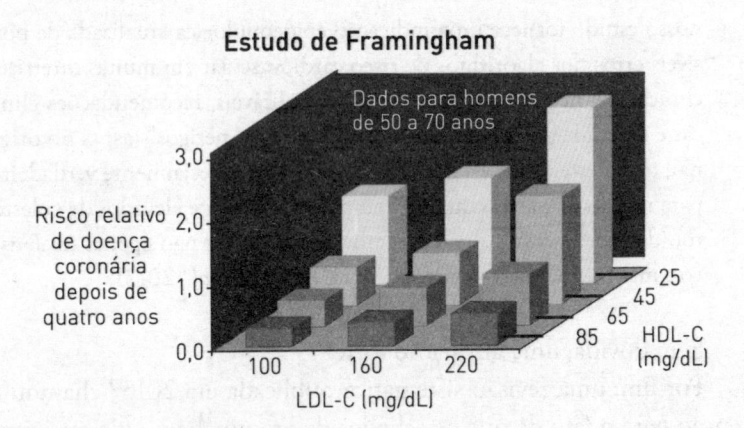

Estudo de Framingham

Dados para homens de 50 a 70 anos

Risco relativo de doença coronária depois de quatro anos

LDL-C (mg/dL): 100, 160, 220
HDL-C (mg/dL): 85, 65, 45, 25

Elaborado com base em: CASTELLI, 1988.

Nesse gráfico, quanto mais alta a barra, maior o risco de doença coronariana. Mas repare que mesmo pessoas com LDL ("ruim") muito alto (220) têm risco relativamente baixo quando o HDL ("bom") é alto também (85). Ao contrário, mesmo pessoas com LDL mais baixo têm risco alto quando o HDL é baixo. Em outras palavras, o HDL parece modular o risco do LDL. Mas o que são LDL e HDL?

....
20. CASTELLI, 1988.

> [...] repare que mesmo pessoas com LDL ("ruim") muito alto (220) têm risco relativamente baixo quando o HDL ("bom") é alto também (85).

Em 1955, John Gorman, um médico da Universidade da Califórnia, foi o primeiro a centrifugar o sangue e descobrir que o colesterol aparecia em alturas distintas no tubo de ensaio, que representavam "lipoproteínas" de diferentes densidades. As que ficam em cima, menos densas, foram chamadas de LDL (lipoproteínas de baixa densidade) e as que ficam mais embaixo, mais densas, portanto, foram chamadas de HDL (lipoproteínas de alta densidade). Mais do que isso, analisando o sangue de pacientes que haviam tido um ataque cardíaco, Gorman descobriu que eles apresentavam, consistentemente, níveis mais altos de LDL e mais baixos de HDL – exatamente o que Castelli demonstraria anos mais tarde com os milhares de pacientes de Framingham. Mas, nos anos 1950, o método utilizado (ultracentrifugação) era trabalhoso e caro e não tinha como ser feito em massa. Levaria ainda muitos anos para que LDL e HDL pudessem ser medidos de forma simples e barata.

Ônibus e passageiros

O sangue é um meio aquoso. O colesterol comporta-se como uma gordura, ou seja, não é solúvel em água. O mesmo ocorre com os triglicerídeos, a gordura utilizada pelo corpo como combustível. Para transportar o colesterol e os triglicerídeos, o corpo lança mão de partículas microscópicas, chamadas de lipoproteínas. A parte de fora dessas partículas esféricas é solúvel em água, enquanto seu interior é hidrofóbico, isto é, um ambiente propício para dissolver gorduras. Dessa forma, o colesterol e as gorduras são transportados no sangue dentro de tais partículas.

De forma muito simplificada, podemos pensar nas partículas de LDL como partículas que distribuem os triglicerídeos e o colesterol oriundos do fígado para os tecidos nos quais serão utilizados. Já o HDL faz o chamado transporte reverso, isto é, da periferia em direção ao fígado. As partículas de LDL que estão circulando também acabam sendo removidas pelo fígado, que tem receptores especializados para isso.

Podemos pensar nas partículas como sendo ônibus, e no colesterol como sendo passageiros. O que realmente está associado com doença coronariana não é o colesterol em si, e sim as partículas: é a partícula de LDL que penetra na parede dos vasos e se acumula nas placas de aterosclerose. Quando medimos o colesterol total, estamos medindo o número total de passageiros – mas não sabemos em quais ônibus eles estão – no LDL ou no HDL. Como veremos adiante, a coisa é ainda mais complicada: partículas de diferentes tamanhos têm diferentes efeitos sobre o risco cardiovascular. Sabendo isso, não deveria ser surpresa que o colesterol total seja tão ruim como preditor de risco cardiovascular! Por isso mesmo, não faz sentido alegar que uma dieta *low-carb* é perigosa por poder aumentar o colesterol total – a depender do que ocorre com as partículas, isso pode até mesmo ser algo bom.

Quando Castelli propôs que se utilizasse uma proporção (colesterol total/HDL) em vez do valor absoluto, não havia ainda forma de medir diretamente as partículas. Assim, o que se fazia (e se faz até hoje, nos exames de sangue mais comuns) é medir quanto colesterol há nas partículas de LDL e quanto colesterol há nas partículas de HDL. Na nossa analogia, significa medir quantos passageiros existem para deduzir quantos ônibus são necessários. O ideal seria saber o número de ônibus e o tamanho deles (ônibus grandes ou micro-ônibus), mas ainda assim é muito melhor do que medir apenas o colesterol total. Castelli propôs, baseado em Framingham, que uma relação colesterol total/HDL inferior a 4,5 seria razoável, e um valor inferior a 3,5 seria excelente.

Imaginemos a seguinte situação. Um paciente obeso com colesterol total de 180 (abaixo, portanto, do limite de 190 considerado ideal no Brasil) e com um colesterol HDL de 33 resolve fazer uma dieta *low--carb*. Após quatro meses, o paciente perdeu 15 quilos e 16 centímetros de circunferência abdominal, eliminou a gordura no fígado e teve de reduzir seu remédio para pressão. Seu colesterol total, porém, subiu para

240, e seu HDL subiu para 70. Esse paciente deveria abandonar urgentemente essa dieta suicida? Seu colesterol perfeito, de 180, está agora perigosamente elevado? Se fizermos as contas, veremos que o índice de Castelli (total/HDL) era de 5,45 e, agora, baixou para 3,42. O colesterol total aumentou, mas o risco diminuiu. A solução para o paradoxo está na compreensão de que a proporção é mais importante do que o valor absoluto – que colesterol total é praticamente inútil como preditor de risco e, portanto, condenar um estilo de alimentação com base nisso é francamente irracional.

> O colesterol total aumentou, mas o risco diminuiu. A solução para o paradoxo está na compreensão de que a proporção é mais importante do que o valor absoluto – que colesterol total é praticamente inútil como preditor de risco e, portanto, condenar um estilo de alimentação com base nisso é francamente irracional.

A verdade é que a doença cardiovascular tem origem multifatorial e, ao mesmo tempo que indivíduos com condições genéticas associadas com níveis excepcionalmente baixos de LDL estão praticamente livres de DCV e, ao contrário, aqueles com quadro de hipercolesterolemia familiar homozigótica com valores muito elevados de LDL podem infartar antes dos 40 anos de idade, a esmagadora maioria das pessoas não se encontra nesses dois extremos. Para essas pessoas, qual seria o *ranking* dos diferentes fatores de risco? Você deveria estar mais preocupado com seu colesterol ou com a sua circunferência abdominal, por exemplo? Vários estudos já responderam a essa pergunta.

Em 2005, foi publicado um estudo avaliando o poder preditivo de diversos marcadores de risco em mais de 28 mil mulheres com seguimento de mais de dez anos participantes do WHI – *Women's Health Initiative*[21]. O resultado confirmou a impressão de Castelli ainda nos anos 1990: os marcadores menos úteis, entre os disponíveis no perfil

---

21. RIDKER; RIFAI; COOK *et al.*, 2005.

lipídico, foram colesterol LDL e colesterol total, e o mais preditivo foi a razão colesterol total/HDL, ou seja, o índice de Castelli:

Figura 12.4

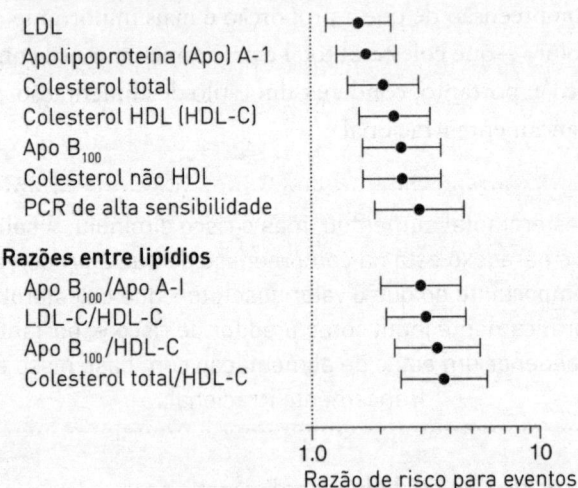

Variáveis individuais
- LDL
- Apolipoproteína (Apo) A-1
- Colesterol total
- Colesterol HDL (HDL-C)
- Apo B_{100}
- Colesterol não HDL
- PCR de alta sensibilidade

Razões entre lipídios
- Apo B_{100}/Apo A-I
- LDL-C/HDL-C
- Apo B_{100}/HDL-C
- Colesterol total/HDL-C

Razão de risco para eventos cardiovasculares

Elaborado com base em: RIDKER; RIFAI; COOK et al., 2005.

Chama a atenção ainda que inflamação (representada aqui pela PCR ultrassensível) e HDL (que está associado com menor risco) foram ambos mais importantes do que colesterol total ou LDL.

Um estudo mais recente[22], conduzido na mesma coorte de pacientes do estudo anterior mas publicado em 2021, mostra resultados ainda mais impressionantes, ao avaliar não apenas o perfil lipídico, mas também marcadores de resistência à insulina e diabetes.

Nesse tipo de estudo, utiliza-se um número chamado "razão de risco" (*hazard ratio*, em inglês – abreviado para HR). Uma HR de 2, por exemplo, significa duas vezes mais risco – o dobro. Uma HR de 1,15 significa 15% a mais de risco.

22. DUGANI; MOORTHY; LI et al., 2021.

Mais uma vez, colesterol total e colesterol LDL foram marcadores de muito baixo poder preditivo, mesmo quando se comparam os 20% com valores mais baixos aos 20% com valores mais altos (os chamados "quintis"). A HR de ter os níveis mais altos de colesterol LDL *versus* os mais baixos foi de 1,38, ou seja, LDL tem, sim, impacto no risco cardiovascular, ao menos quando visto isoladamente. Mas uma pessoa diabética tem uma HR de inacreditáveis 10,71 – ou seja, quase onze vezes mais risco. Se um paciente diabético colocar a doença em remissão com *low-carb* e seu colesterol LDL aumentar no processo, você acha que ele passará a ter mais ou menos risco cardiovascular do que tinha antes? Quando você aumenta um fator que multiplica o risco por 1,38, mas elimina outro que multiplica o valor por 10, é evidente que a possibilidade de que venha a ocorrer uma elevação do LDL não poderia jamais ser um motivo para não adotar uma estratégia que comprovadamente pode colocar o diabetes em remissão. Não se pode pensar o mundo como se apenas o LDL existisse.

> A HR de ter os níveis mais altos de colesterol LDL *versus* os mais baixos foi de 1,38, ou seja, LDL tem, sim, impacto no risco cardiovascular, ao menos quando visto isoladamente. Mas uma pessoa diabética tem uma HR de inacreditáveis 10,71 – ou seja, quase onze vezes mais risco.

Vou citar mais alguns fatores de risco (baseado em DUGANI, 2021) cujas razões de risco (HR) são muito maiores do que as relacionadas a colesterol total (1,39) e LDL (1,38), para ver se o leitor percebe um padrão:
- Diabetes: 10,71
- Pressão alta: 4,58
- Obesidade: 4,33
- Resistência à insulina: 6,40
- Triglicerídeos: 2,14
- Colesterol total/HDL: 2,40
- HDL: 0,39 (ou seja, 61% a menos de risco com HDL mais alto)

Como vimos no Capítulo 9, o padrão apresentado acima tem nome: **síndrome metabólica**. Relembrando, a síndrome metabólica inclui vários dos itens mencionados, e cada um deles é, isoladamente, um preditor muito maior de risco cardiovascular do que o colesterol total ou o LDL isoladamente. Aliás, o próprio estudo calculou o impacto de ter síndrome metabólica (ou seja, pelo menos três dos itens acima): uma razão de risco de 6,09. Basicamente, a única coisa pior (para risco cardiovascular) do que ter síndrome metabólica é ter diabetes – e como quase todos os casos de diabetes nessa coorte eram tipo 2, pode-se assumir com segurança que quase todos tinham síndrome metabólica também. Não obstante, muitas pessoas sequer ouviram falar em síndrome metabólica – mas quase todo mundo sabe o valor de seu colesterol de cor.

Hoje, tudo isso é (ou deveria ser) fácil de enxergar. Mas Gerald Reaven, o pai da síndrome metabólica, teve a lucidez de chamar a atenção para isso em um artigo publicado em 1986[23], quando os Estados Unidos estavam começando a implementar para **todos** os norte-americanos uma dieta focada única e exclusivamente na redução dos níveis de colesterol LDL (como já vimos, os ensaios clínicos randomizados para redução de LDL com dieta jamais demonstraram redução de mortalidade). Em 1986, acabara de ser publicado o resultado de um consenso para definir as diretrizes alimentares para os americanos.

O título do artigo é realmente maravilhoso: "Vendo o mundo através de óculos com lentes de LDL". Faz referência à conhecida analogia de que, se você usa óculos de cor verde, por exemplo, tudo no mundo lhe parecerá verde e você não verá outras cores, pois seus óculos não permitem. Da mesma forma, explica o doutor Reaven, se tudo o que você enxerga é LDL, você vai montar uma dieta para baixar o LDL; se a mesma dieta piorar a saúde dos diabéticos, piorar a resistência à insulina e promover ganho de peso – bem, você é **incapaz** de enxergar isso – seus óculos de LDL simplesmente não permitem.

Primeiramente, Reaven explica quais foram as recomendações do Consenso de 1986:

....
23. REAVEN, 1986.

Sugeriu-se que programas massivos de educação deveriam ser montados para alertar os profissionais de saúde sobre a importância do tratamento da hipercolesterolemia; a indústria de alimentos deve ser incentivada a desenvolver e comercializar alimentos que tornem mais fácil aderir às modificações dietéticas destinadas a reduzir os níveis de colesterol LDL. (REAVEN, 1986)

E foi assim que surgiu a ideia de que qualquer tipo de tranqueira cheia de açúcar (mesmo que açúcar mascavo) e amido (mesmo que integral – biscoitos sem gordura, por exemplo) e salgadinhos (desde que não sejam fritos) são bons para a saúde mas o ovo ou o abacate são letais.

Em seguida, ele enuncia as recomendações de 1986 (basicamente as mesmas de hoje):

Por outro lado, acredito que a sugestão de que "**todos os norte-americanos** (exceto crianças menores de 2 anos) sejam aconselhados a adotar uma dieta que reduza o total de ingestão de gordura na dieta do nível atual de cerca de 40 por cento do total de calorias para 30 por cento do total de calorias, reduz a ingestão de gordura saturada para menos de 10 por cento do total de calorias, aumenta a ingestão de gordura poli-insaturada, mas não atinge mais de 10 por cento do total de calorias, e reduz a ingestão diária de colesterol para 250 a 300 mg ou menos" merece ser examinada de perto. (REAVEN, 1986)

A partir desse ponto, Reaven começa a questionar aquilo que é o cerne do problema até hoje: a total inadequação dessa estratégia alimentar para boa parte da população (quem tem resistência à insulina, diabetes, síndrome metabólica, sobrepeso etc.), e a absurda arrogância com que se sugere que essa seja a alimentação ideal para **todos os norte-americanos** (ele sempre grifa essa expressão no texto).

Primeiramente, Reaven comenta, com evidente ironia, que orientar a mesma abordagem uniforme para **todos os americanos** não deve ter sido uma coisa impensada, visto que os membros de tal painel são pessoas ilustres... E então começa a enunciar o ponto principal: que uma dieta *low-fat high-carb* poderia **aumentar** o risco cardiovascular de uma proporção substancial dos norte-americanos. Proporção essa que, hoje, já é a esmagadora maioria da população.

Reaven explica que a dieta proposta contém 55% de carboidratos. E pergunta: "Qual é o efeito metabólico de consumir dietas tão altas em carboidratos?". E explica que ninguém, nem ele nem o painel de consenso, poderia responder isso em 1986. Hoje, infelizmente, já temos a resposta – basta olhar para os lados. As evidências disponíveis em 1986 permitiam supor que mandar **todos os norte-americanos** comer mais carboidratos poderia trazer "sequelas metabólicas deletérias para boa parte da população", e que "há razões para crer que o aumento da glicemia, da insulina, dos triglicérides, e a redução do HDL que podem ocorrer em resposta a uma dieta *low-fat high-carb* poderia de fato **aumentar** o risco de doença cardiovascular". Como vimos, Reaven acertou tudo – em 1986.

Ele segue então citando literatura que indica que pessoas que apresentam as maiores elevações de glicemia após um teste de tolerância oral à glicose (mas sem serem diabéticas ainda) têm risco duas a três vezes maior de desenvolver doença coronariana. E questiona se, já que um aumento modesto da glicemia – mesmo em pessoas não diabéticas – está associado com um grande aumento de risco cardiovascular, imagine o que poderia acontecer caso se orientasse "**todos os norte-americanos**" a consumir mais carboidratos. Pois é...

A seguir, ele é ainda mais explícito: "é de se supor que o termo "todos os norte-americanos" inclua pessoas com intolerância à glicose e/ou diabéticas". É completamente irresponsável orientar esses indivíduos a consumir uma dieta pobre em gorduras e rica em carboidratos. Isso vai piorar os episódios de hiperglicemia e aumentar a chance de sequelas de microangiopatia (como problemas de retina ou de rins que levam os diabéticos à cegueira ou à hemodiálise), argumentava Reaven. Mas, lembre-se, os autores de tal consenso usavam óculos de LDL. Tais óculos só permitem ver LDL; diabetes, síndrome metabólica, hemodiálise, cegueira são invisíveis através das lentes de tais óculos.

Três estudos prospectivos indicaram que a hiperinsulinemia aumenta o risco de desenvolver doença coronariana aguda em populações não diabéticas. Em contraste com o efeito variável do aumento da ingestão de carboidratos na concentração de glicose no plasma, há evidências abundantes de que essa mudança [aumento de carboidratos na dieta] aumentará a insulina plasmática de indivíduos normais. Portanto, se "**todos os norte-americanos**" consumirem dietas com baixo teor de gordura e alto teor de carboidratos, a consequência previsível é que eles também terão níveis plasmáticos pós-prandiais mais elevados de insulina. Na verdade, o único imprevisível é o quão altas ficarão as concentrações de insulina. A este respeito, é claro que o grau de hiperinsulinemia irá variar em função da sensibilidade à insulina do indivíduo. Se "**todos os norte-americanos**" fossem jovens, magros e fisicamente ativos, o impacto da mudança dietética proposta nos níveis de insulina no plasma seria minimizado. Dada a nossa população envelhecida, supernutrida e relativamente sedentária, é bastante provável que um grau significativo de hiperinsulinemia ocorresse em um número substancial de indivíduos se "**todos os norte-americanos**" consumissem dietas com baixo teor de gordura e alto teor de carboidratos." (REAVEN, 1986)

Eu não sei você, mas eu me arrepiei ao ler o parágrafo acima. Pois é fácil ser profeta do acontecido. Um estudo publicado em 2019[24] mostrou que, nos dias de hoje, apenas 12% dos norte-americanos são metabolicamente saudáveis, ou seja, não têm diabetes, pré-diabetes, resistência à insulina ou síndrome metabólica, sobrepeso ou obesidade. Doze por cento. Que tipo de dieta destinada a "**todos os norte-americanos**" é essa que só pode ser seguida por 12% da população? Afinal, está **bem** estabelecido que para os demais 88% uma dieta pobre em carboidratos produz melhores resultados. O incrível é saber que em 1986 tais *insights* já estavam disponíveis. Não se trata de julgar 1986 com base no que sabemos em 2022. Por isso vale tanto ler o artigo de Reaven, escrito à época. Não podemos absolver os membros da Conferência de Consenso promovida pelo NIH nos anos 1980, pois as consequências nefastas eram previsíveis (ou então Gerald Reaven era um vidente).

Após alguns parágrafos explicando que triglicerídeos e VLDL são fatores de risco cardiovascular (e que dietas *low-fat high-carb* elevam os triglicerídeos), o doutor Reaven explica que dietas de alto carboidrato

---

24. ARAÚJO; CAI; STEVENS, 2019.

e baixa gordura reduzem o HDL, o que está associado com maior risco cardiovascular. Alguns poderiam argumentar que tudo bem, desde que o LDL caia ainda mais. Mas não é o que acontece. Já em 1986 era sabido que a relação LDL/HDL piora em dietas de alto carboidrato.

O artigo termina assim:

> Concluindo, tenho sérias reservas em relação à recomendação de que **"todos os norte-americanos"** devem comer dietas com baixo teor de gordura e alto teor de carboidratos, e tentei explicar o porquê. Há, no entanto, outra questão que não abordei, que se refere à utilidade das Conferências de Consenso apoiadas pelo NIH. A maneira mais eficiente de chegar a um consenso sobre uma questão complexa em curto período é certificar-se de que pontos de vista controversos não estejam representados no painel. E está claro que o painel formado pelo NIH atendeu a esse critério; ou seja, ninguém que publicou evidências científicas que possam ter levado à apresentação de argumentos formidáveis contrários à sabedoria convencional foi membro do painel. Acredito que seja responsabilidade dos organizadores de tais conferências garantir que vozes dissidentes estejam presentes, e sua ausência levanta questões substanciais sobre a utilidade das recomendações que são emitidas. (REAVEN, 1986)

Certas coisas nunca mudam.

Já vimos que o índice de Castelli – colesterol total/HDL – tem um valor preditivo muito melhor para DCV do que colesterol total ou colesterol LDL. Vimos também que colesterol HDL alto está associado a menor risco cardiovascular, mas isso não se deve ao HDL em si (pessoas com HDL geneticamente muito alto podem ter risco aumentado, e medicamentos para elevar artificialmente o HDL aumentaram a mortalidade[25]). Acontece que o HDL é um marcador de sensibilidade à insulina, e pessoas com resistência à insulina tendem a ter HDL baixo. **Outro marcador de resistência à insulina são os triglicerídeos: indivíduos resistentes à insulina costumam ter triglicerídeos altos.** Dessa forma, existe outra razão que tem muita importância: **triglicerí-**

---
25. Ver SOUTO, 2013a.

deos/HDL. Como tanto o numerador quanto o denominador são altamente correlacionados com resistência à insulina, esse índice tem tudo para ser altamente preditivo para doença cardiovascular – afinal, como vimos, resistência à insulina (e diabetes tipo 2, que representa resistência à insulina mais severa) é o fator de risco mais importante de todos – superando inclusive o tabagismo. Valores abaixo de 2 são considerados bons.

Em interessante estudo publicado em 2008[26] por um grupo do Instituto do Coração da Faculdade de Medicina da Universidade de São Paulo, avaliaram-se os diferentes lipídios do sangue de 374 pacientes de alto risco que foram submetidos a cateterismo cardíaco e angiografia. A ideia era identificar quais estavam mais associados à extensão da doença coronariana. No gráfico abaixo, a linha vertical marca o 1, ou seja, ausência de efeito (multiplicar por 1 não muda o resultado); os traços horizontais são os intervalos de confiança (margens de erro, digamos assim). Dessa forma, o que está à direita aumenta o risco, e o que está à esquerda o reduz:

Figura 12.5

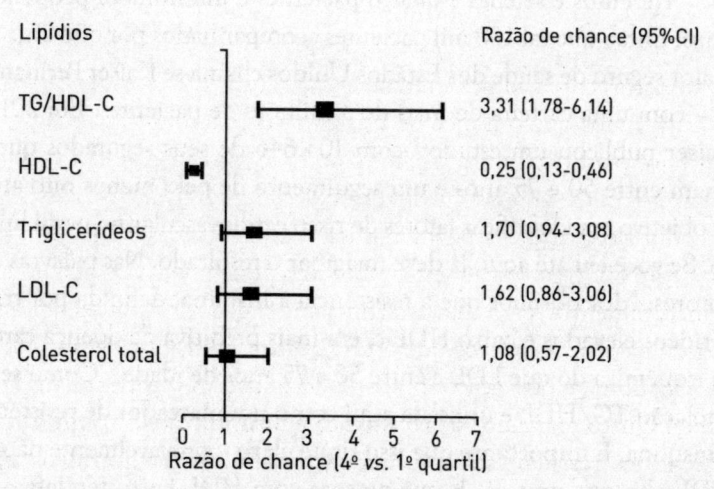

Lipídios	Razão de chance (95%CI)
TG/HDL-C	3,31 (1,78-6,14)
HDL-C	0,25 (0,13-0,46)
Triglicerídeos	1,70 (0,94-3,08)
LDL-C	1,62 (0,86-3,06)
Colesterol total	1,08 (0,57-2,02)

Razão de chance (4º vs. 1º quartil)

Elaborado com base em: LUZ; FAVARATO; FARIA-NETO JUNIOR et al.

26. LUZ; FAVARATO; FARIA-NETO JUNIOR et al., 2008.

Nessa população de alto risco, os únicos marcadores que realmente ajudaram a predizer a extensão da doença coronariana foram o HDL (quanto mais alto, melhor) e a relação triglicerídeos/HDL (TG/HDL). Chama a atenção ainda que o colesterol total (aquele que você sabe de cor) não teve nenhuma associação com o grau de comprometimento das artérias nesse estudo. Mais uma vez, não significa dizer que o colesterol não é fator de risco, mas significa colocar os diferentes riscos em perspectiva: pessoas (inclusive profissionais de saúde) condenam dietas de baixo carboidrato porque podem levar ao aumento do colesterol total, ao mesmo tempo que – sabidamente – reduzem drasticamente a relação TG/HDL. Olhe novamente para o gráfico acima e pergunte-se: faz sentido?

> Nessa população de alto risco, os únicos marcadores que realmente ajudaram a predizer a extensão da doença coronariana foram o HDL (quanto mais alto, melhor) e a relação triglicerídeos/HDL (TG/HDL).

Trezentos e setenta e quatro pacientes é um número pequeno, é claro. Então que tal 100 mil pacientes acompanhados por oito anos? O maior seguro de saúde dos Estados Unidos chama-se Kaiser Permanente – com uma carteira de mais de 3 milhões de pacientes. Em 2015 a Kaiser publicou um estudo[27] com 103.646 de seus segurados que tinham entre 50 e 75 anos e um seguimento de pelo menos oito anos. O objetivo era identificar fatores de risco cardiovascular no perfil lipídico. Se você leu até aqui, já deve imaginar o resultado. Nas palavras dos autores: "descobrimos que a resistência à insulina, definida por triglicerídeos elevados e baixo HDL-c, era mais preditiva da doença cardíaca isquêmica do que LDL-c entre 50 a 75 anos de idade". Como se vê, a relação TG/HDL é utilizada aqui como um marcador de resistência à insulina. **É importante que isso fique claro** – provavelmente não é o HDL alto que protege. É que pessoas com HDL baixo tendem a ter

---

27. BERTSCH; MERCHANT, 2015.

MITO: DIETAS *LOW-CARB* AUMENTAM OS RISCOS CARDIOVASCULARES 297

resistência à insulina, e a resistência à insulina é o maior fator de risco cardiovascular de todos. Veja o gráfico a seguir, oriundo desse estudo:

Figura 12.6

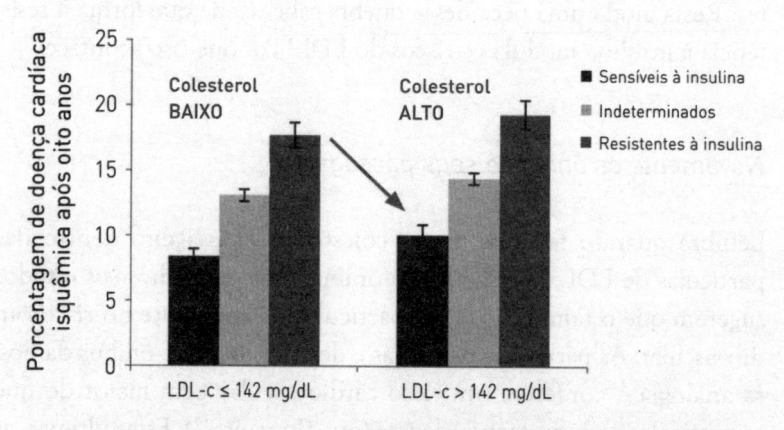

Gráfico de barras: Porcentagem de doença cardíaca isquêmica após oito anos.

- Colesterol BAIXO (LDL-c ≤ 142 mg/dL): Sensíveis à insulina ~8; Indeterminados ~13; Resistentes à insulina ~17,5
- Colesterol ALTO (LDL-c > 142 mg/dL): Sensíveis à insulina ~10; Indeterminados ~14; Resistentes à insulina ~19

Elaborado com base em: BERTSCH; MERCHANT, 2015.

Exatamente da mesma forma que vimos no gráfico de Castelli sobre o estudo de Framingham (Figura 12.3), aqui também o impacto dos valores de LDL sobre o risco cardiovascular depende do grau de resistência à insulina do indivíduo. Observe que é muito melhor ter colesterol LDL alto mas ser sensível à insulina do que ter colesterol LDL mais baixo e ser resistente à insulina (resistente à insulina aqui foi definido como triglicerídeos altos e HDL baixo). Mas observe também que o LDL tem, sim, algum impacto – não é correto dizer que o LDL é completamente irrelevante: as barras do grupo com colesterol elevado são levemente mais altas, se você olhar com atenção. É correto, porém, afirmar que seu impacto é diminuto quando comparado ao da resistência à insulina – uma condição para a qual a estratégia *low-carb* é uma das mais eficazes.

> Observe que é muito melhor ter colesterol LDL alto mas ser sensível à insulina do que ter colesterol LDL mais baixo e ser resistente à insulina (resistente à insulina aqui foi definido como triglicerídeos altos e HDL baixo).

Eu poderia continuar citando estudos aqui, mas seria mais do mesmo. A esta altura, você já deve ter retirado os proverbiais óculos com lentes de LDL do doutor Reaven, e os riscos maiores – diabetes, síndrome metabólica e resistência à insulina – já devem estar evidentes. Resta ainda uma peça desse quebra-cabeças: de que forma a resistência à insulina modula os riscos do LDL? Por que isso acontece?

Novamente os ônibus e seus passageiros

Lembra quando falamos que o colesterol é passageiro dentro das partículas de LDL, que são como ônibus? Pois bem, diversos estudos sugerem que o tamanho dessas partículas é importante no risco cardiovascular. As partículas pequenas e densas – o micro-ônibus da nossa analogia – conferem um risco cardiovascular bem maior do que as partículas maiores menos densas (ou "flutuantes"). Estas últimas, as partículas grandes, são como ônibus de dois andares, que levam mais passageiros. O importante dessa analogia é o seguinte: eu posso ter **o mesmo** número de passageiros (colesterol) sendo transportado por muitos micro-ônibus (muitas partículas pequenas de LDL) ou por poucos ônibus grandes de 2 andares (poucas partículas grandes de LDL). Saber que o colesterol LDL da pessoa é 135 (o que seria considerado elevado) não nos diz se esses 135 estão trafegando em partículas grandes ou pequenas. Mas – você perguntará – qual é a importância disso?

Entrar em todos os mecanismos que explicam de que forma as partículas pequenas e densas podem ser piores vai além do escopo deste livro – e já vimos que não sou exatamente fã de mecanismos. De forma extremamente breve, sabe-se que partículas de LDL pequenas têm menor afinidade pelos receptores de LDL do fígado (que as removem de circulação), fazendo com que circulem por mais tempo e sejam mais sujeitas à oxidação – e partículas oxidadas, uma vez que penetrem na parede dos vasos, atraem os macrófagos (células de defesa) que dão início ao processo inflamatório gerador das placas de aterosclerose.

MITO: DIETAS LOW-CARB AUMENTAM OS RISCOS CARDIOVASCULARES 299

Mas dizem que uma imagem fala mais do que mil palavras. Então, vejamos o seguinte gráfico, publicado em 2014[28], oriundo do ARIC, famosa coorte de cerca de 11.400 pessoas acompanhadas por onze anos para identificar fatores de risco para aterosclerose:

Figura 12.7

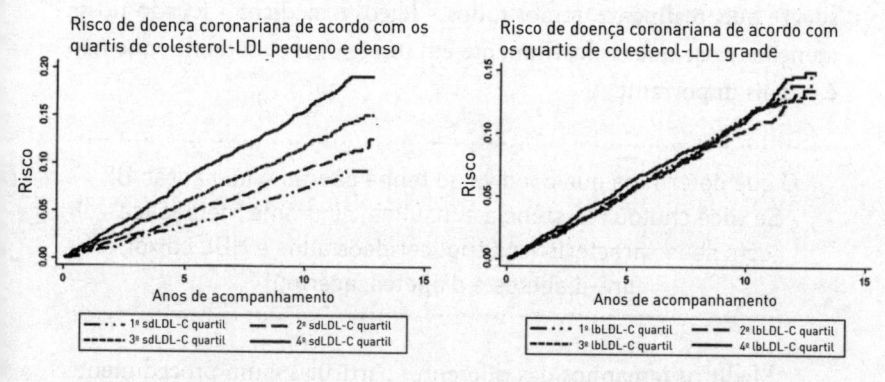

Risco de doença coronariana de acordo com os quartis de colesterol-LDL pequeno e denso

Risco de doença coronariana de acordo com os quartis de colesterol-LDL grande

Elaborado com base em: HOOGEVEEN et al., 2014.

À esquerda, você observa a relação entre os quartis de partículas de LDL pequenas e densas e o risco de doença coronariana. A relação é evidente – os 25% com os valores mais baixos (linha inferior) têm o menor risco, e os 25% com valores mais altos têm o maior risco. Mas e à direita? Você consegue diferenciar as quatro curvas? São todas essencialmente iguais! Aqueles com os níveis mais elevados de colesterol LDL e os com os níveis mais baixos têm riscos rigorosamente iguais – mas aqui estamos olhando apenas o colesterol carreado por partículas grandes e flutuantes. O tamanho, no mundo das partículas de LDL, importa.

Os cardiologistas deram nome a esses dois padrões – predomínio de partículas pequenas e densas ou predomínio de partículas grandes e flutuantes. O padrão A, em que predominam partículas grandes, é o mais benigno, e o padrão B, das partículas pequenas e densas, é o de maior risco (pense em B de *bad*, ruim em inglês).

---

28. HOOGEVEEN; GAUBATZ; SUN *et al.*, 2014.

E qual seria o principal determinante do tamanho de tais partículas? O que determina que o indivíduo tenha padrão A ou padrão B? Se você chutou resistência à insulina, síndrome metabólica (com seus característicos triglicerídeos altos e HDL baixo), pré-diabetes e diabetes, acertou! "Nossa, mas é sempre a mesma coisa!", você dirá. Sim, parece que damos voltas e chegamos sempre ao mesmo lugar, o que sugere que, realmente, temos todos – leigos e médicos – focado nossa atenção quase que exclusivamente em um fator – colesterol – que não é o mais importante.

> O que determina que o indivíduo tenha padrão A ou padrão B? Se você chutou resistência à insulina, síndrome metabólica (com seus característicos triglicerídeos altos e HDL baixo), pré-diabetes e diabetes, acertou!

Medir os tamanhos das diferentes partículas é um procedimento caro, disponível apenas em um pequeno punhado de laboratórios do centro do país, que, no momento em que escrevo, enviam as amostras para o exterior (e o exame não é coberto pelos convênios). Ou seja, não é algo prático (ou economicamente acessível) para a maioria de nós. Mas talvez não seja necessário. Estudos mostram que quando a relação TG/HDL é inferior a 2, quase todos os pacientes têm padrão A – o das partículas grandes. O que faz todo sentido, pois uma relação baixa como essa é característica de quem não tem resistência à insulina.

Implícito em toda essa história está o fato de que, se uma abordagem *low-carb* produzir uma elevação do colesterol LDL, mas – concomitantemente – houver uma redução dos triglicerídeos e um aumento do HDL, perda de peso, redução da circunferência abdominal, normalização da glicose, enfim, aquilo que **sabemos** que ocorre com a restrição de carboidratos, é bem provável que a pessoa tenha migrado de um padrão B (ruim) para um padrão A no que diz respeito às partículas de LDL. Dizer que o colesterol LDL subiu não é suficiente. Subiu à custa de partículas de LDL pequenas e densas ou à custa de partículas grandes e flutuantes?

Mas não precisamos especular sobre esse assunto – já temos estudos experimentais, tanto de curta duração, mostrando que, com *low-carb*, ocorre elevação da partículas de LDL grandes e redução das pequenas[29], como de longa duração[30] – dados do Virta Health de dois anos – indicando a mesma coisa. No estudo do Virta, após dois anos, houve melhora de toda a chamada "dislipidemia aterogênica", isto é, a combinação de triglicerídeos altos, HDL baixo e de partículas de LDL pequenas e densas. Embora a concentração total de LDL tenha aumentado nesses pacientes, foi à custa de partículas grandes. E, durante esses dois anos, não houve mudança na espessura das paredes das carótidas dos pacientes.

Um exemplo indireto de que nem toda a elevação de colesterol LDL é ruim pode ser observado em uma classe de drogas para diabetes chamada iSGLT-2. Esses medicamentos, também chamados de glicosúricos, funcionam fazendo com que os pacientes eliminem glicose pela urina. E são uma das poucas classes de drogas para diabetes que, comprovadamente, reduzem a mortalidade cardiovascular, de acordo com mais de um ensaio clínico randomizado. Pacientes em uso de glicosúricos eliminam cerca de 70 g de glicose na urina todos os dias. É como se essas pessoas passassem a consumir 70 g a menos de glicose. É, em essência, *low-carb* (moderada) em um comprimido. Os efeitos dessas drogas e de dietas *low-carb* terapêuticas são incrivelmente (mas não surpreendentemente) semelhantes em uma série de parâmetros[31]: redução da Hb glicada, redução da insulina, redução do peso, redução da pressão arterial, aumento do LDL, aumento do HDL, redução de triglicerídeos e aumentos dos corpos cetônicos. Sempre deixando claro que são intervenções diferentes (um comprimido *versus* uma dieta), o fato é que, no caso dos glicosúricos, não resta dúvida de que pode haver aumento do colesterol LDL com redução concomitante de mortalidade cardiovascular, desde que no contexto da melhora dos parâmetros da síndrome metabólica e da mudança de padrão B para padrão A nas partículas de LDL.

29. KRAUSS; BLANCHE; RAWLINGS *et al.*, 2006.
30. ATHINARAYANAN; HALLBERG; McKENZIE *et al.*, 2020.
31. MURRAY; McKELVEY; HESELTINE *et al.*, 2021.

Até aqui vimos que não existe relação entre gordura na dieta e mortalidade cardiovascular – de modo que afirmar que *low-carb* é perigosa por conter mais gordura não é um motivo válido. A seguir, vimos que colesterol total ou mesmo o LDL não são os principais fatores de risco cardiovascular, e que fatores muito mais importantes (diabetes, resistência à insulina, síndrome metabólica etc.) melhoram com dietas *low-carb*, de modo que alegar que uma dieta *low-carb* é perigosa por ter o potencial de elevar os níveis de LDL, mesmo sabendo que há melhora de numerosos outros fatores de importância muito maior, é se recusar a tirar os proverbiais óculos com lentes de LDL, de Gerald Reaven. Por fim, vimos que nem todas as elevações de LDL são iguais. Que uma moderada elevação de LDL à custa de aumento de partículas grandes e redução de partículas pequenas e densas pode ser uma coisa boa, e não ruim – como, aliás, ocorre com os medicamentos glicosúricos (que reduzem a mortalidade).

Mas e quando a elevação do LDL não é moderada? E quando há uma disparada estratosférica dos valores de colesterol total e LDL com uma dieta *very low-carb*?

O fenômeno da hiper-resposta

Durante muito tempo, quase todo mundo que seguia uma dieta *very low-carb* ou cetogênica o fazia para tratar obesidade, sobrepeso, síndrome metabólica ou diabetes. Da mesma forma, os diversos ensaios clínicos randomizados que avaliaram essa estratégia sempre tiveram algumas dessas condições como critério de inclusão – afinal, pensava-se, as pessoas adotariam esse tipo de dieta por algum motivo, algo que necessitasse ser tratado.

Porém, **anedoticamente**, muitas pessoas relatam benefícios que vão muito além do emagrecimento: elas sentem mais energia, mais ânimo, mais clareza mental. Há relatos de casos publicados com melhora significativa de transtornos de humor e esquizofrenia[32]. E muitos atletas

....
32. DIETH; KERR-GAFFNEY; HOCKEY *et al.*, 2023.

têm adotado a estratégia como uma forma de melhorar a *performance* e a composição corporal. E é nesse grupo – pessoas saudáveis e magras, fisicamente ativas – que um estranho fenômeno passou a ser observado.

O perfil típico é o de uma pessoa que tinha colesterol LDL normal e era magra, saudável e fisicamente ativa e que – após adotar uma dieta *very low-carb* cetogênica – passa a ter um LDL muito, muito alto. Baseado em relatos de rede social, David Feldman propôs, em 2017, a existência desse fenótipo, que chamou de *"Lean Mass Hyper-Responder"*, ou, em uma tradução livre, hiper-respondedores magros. Há pouco tempo, juntamente a David Ludwig e colaboradores, esse fenótipo foi efetivamente descrito e publicado na literatura revisada pelos pares[33]. Os critérios diagnósticos de hiper-respondedor foram os seguintes: elevações de colesterol LDL acima de 200 mg/dL em pessoas que previamente tinham colesterol normal, a partir do início de uma dieta de muito baixo carboidrato (< 25 g por dia). Tal elevação deveria ser acompanhada de HDL de pelo menos 80 mg/dL e triglicerídeos de 70 mg/dL ou menos.

Baseado em uma série de casos de quase 550 pessoas, os autores identificaram que ser metabolicamente saudável (ou seja, ter triglicerídeos baixos e HDL alto – o que significa ser altamente sensível à insulina), bem como ter baixo índice de massa corporal (ou seja, ser magro), estava independentemente associado à probabilidade de apresentar uma hiper-resposta do colesterol LDL. Dito de outra forma: quanto mais saudável, magro e fisicamente ativo você for, maior a probabilidade de ter uma resposta exagerada dos níveis de colesterol LDL. E os níveis prévios de colesterol – antes da dieta – não ajudaram a prever quem terá hiper-resposta.

....

Dito de outra forma: quanto mais saudável, magro e fisicamente ativo você for, maior a probabilidade de ter uma resposta exagerada dos níveis de colesterol LDL.

....

Isso ajuda a resolver um paradoxo. Quando olhamos os estudos, como os do Virta ou mesmo metanálises de *low-carb* em pacientes obe-

---

33. NORWITZ; FELDMAN; SOTO-MOTA *et al.*, 2021.

sos, diabéticos ou com síndrome metabólica, o que vemos é uma melhora generalizada nos parâmetros de saúde metabólica, perda de peso e melhora ou remissão do diabetes. E o colesterol LDL fica igual ou aumenta muito pouco (em alguns casos, até se reduz). E, como vimos, um pequeno aumento à custa de partículas grandes e flutuantes, com redução concomitante de riscos muito maiores, é positivo para os pacientes. Mas muitos de nós atendemos pacientes que não tinham nada, passaram a adotar uma dieta cetogênica e chegam ao consultório com colesterol de 400, 500 ou mais. São os hiper-respondedores – uma fração particular da população. Definitivamente, não são a maioria, e certamente isso não é um motivo para desencorajar aqueles que poderiam se beneficiar da estratégia para tratar diabetes, síndrome metabólica ou obesidade.

Há toda uma discussão sobre por que isso acontece[34] e se esse fenótipo está associado aos mesmos riscos de ter o LDL elevadíssimo, mas por hipercolesterolemia familiar, que é uma doença hereditária na qual as quantidades de partículas de LDL ficam muito elevadas devido à ausência do receptor celular que o fígado utiliza para retirá-las de circulação. Um grupo argumenta que tais partículas aumentam nos hiper-respondedores apenas porque o tráfego de gordura como fonte de combustível está aumentado – mas que o tempo que as partículas permanecem no sangue é curto, o que as impede de se oxidar. Outro grupo argumenta que o que importa é o número total de partículas de LDL, independentemente da causa. Obviamente, essa controvérsia está fora do escopo deste livro e, de qualquer forma, não existem ainda estudos necessários para resolvê-la. David Feldman está capitaneando atualmente um estudo observacional de coorte seguindo hiper-respondedores com um exame de imagem chamado de escore de cálcio coronariano, para saber se tais pessoas apresentam aterosclerose acelerada. Levará ainda muitos anos para termos essa resposta.

O que nos coloca diante da seguinte pergunta: "Como conduzir esses casos perante todas essas incertezas?".

....
34. NORWITZ; SOTO-MOTA; KAPLAN *et al.*, 2022.

MITO: DIETAS *LOW-CARB* AUMENTAM OS RISCOS CARDIOVASCULARES

* * *

Por muitos anos havia uma grande pedra no sapato da teoria lipídica da doença cardiovascular. Se colesterol elevado era a causa do problema, por que a redução do colesterol não reduzia o risco? Como já vimos, os ensaios clínicos randomizados de redução de colesterol **com dieta** não trouxeram resultado. E vários remédios que reduziam o colesterol também se mostravam incapazes de reduzir infartos e mortes. Um exemplo emblemático foi o *Coronary Drug Project*, de 1975[35]. Nesse grande ensaio clínico randomizado, várias drogas foram testadas em pacientes com colesterol elevado. Duas funcionavam particularmente bem para reduzir o colesterol – o clofibrato e a niacina. Após um seguimento de cinco anos, o desfecho substituto (colesterol) foi reduzido, mas os desfechos concretos (morte, infartos) não. Isso só mudaria anos mais tarde, com o advento das estatinas, uma nova classe de drogas que interfere na síntese de colesterol, provocando reduções mais significativas de colesterol total e LDL e, além disso, apresentam efeitos anti-inflamatórios diretamente na parede dos vasos sanguíneos, o que – argumentam alguns – talvez seja ainda mais importante (os chamados efeitos **pleiotrópicos**).

Que as estatinas são capazes de reduzir o risco de eventos cardiovasculares e a mortalidade cardiovascular é hoje algo bem estabelecido na literatura. A redução é da ordem de 25% de risco relativo. Acontece que a maioria das pessoas – incluindo alguns profissionais de saúde – não compreende a diferença entre risco relativo e risco absoluto. Não é raro que, confrontado com o número 25%, as pessoas concluam que uma em cada 4 pessoas tratadas evitarão um infarto ou a morte. Isso seria uma redução de 25% do risco absoluto – algo quase inexistente na medicina.

Nos Estados Unidos, a legislação permite que medicamentos que só podem ser vendidos sob prescrição médica sejam anunciados para o público leigo, inclusive na televisão. Um anúncio que ficou famoso foi o do Lípitor (atorvastatina) em 2003, que mostrava uma foto do doutor Robert Jarvik, inventor do coração artificial "e usuário de Lípi-

---
35. CLOFIBRATE and Niacin in Coronary Heart Disease, 1975.

tor", ao lado de uma afirmação, em letras garrafais: "Lípitor reduz o risco de ataque cardíaco em 36%". Vamos dar uma olhada de onde saíram esses números?

O estudo, de 2003[36], randomizou milhares de pessoas com colesterol elevado e consideradas de alto risco cardiovascular para atorvastatina ou placebo. É importante frisar que as pessoas não tinham apenas colesterol elevado. Elas tinham pelo menos outros três fatores de risco, como tabagismo, diabetes, relação triglicerídeos/HDL elevada etc. Ou seja, não estamos falando da população em geral, mas de uma parcela bastante doente, de alto risco.

Quando olhamos os números absolutos, contudo, o que encontramos? De cada cem pessoas usando placebo, três morreram em 3,3 anos, e de cada cem pessoas usando Lípitor, 1,9 morreu nesse mesmo período. Mas isso é uma diferença de 1,1%, você dirá. Sim, a diferença absoluta foi de cerca de 1%. Então é mentira a afirmação de que essa medicação reduz em 36% o risco cardiovascular? O mais incrível é que não, não é mentira. Funciona assim: 1,9% é 36% a menos do que 3%. Assim, a redução absoluta de 1,1% entre os tratados e não tratados é uma redução de 36% de risco relativo.

Ou seja, é verdade que o uso de estatinas reduz o risco de eventos cardiovasculares fatais e não fatais em pessoas de alto risco. Mas a redução é muito pequena em termos **absolutos** (na maioria dos estudos é algo entre 0,5% a 1%), e não se aplica a todas as pessoas com colesterol um pouco elevado, e sim a uma população selecionada de pessoas de alto risco, semelhante àquela que foi selecionada no estudo em questão.

Em 2008, outro estudo, chamado JUPITER, marcou época[37], pois foi o primeiro a mostrar não apenas uma redução na mortalidade cardiovascular, mas também na mortalidade geral com uma medicação chamada rosuvastatina. Curiosamente, isso aconteceu em pessoas com colesterol LDL abaixo de 130, ou seja, normal. O critério de inclusão era ter uma proteína C reativa elevada – um marcador de inflamação – e colesterol normal.

....
36. SEVER; DAHLÖF; POULTER *et al.*, 2003.
37. RIDKER; DANIELSON; FRANCISCO *et al.*, 2008.

Eu espero que não tenha escapado ao leitor a ironia: o primeiro e grande estudo que finalmente mostrou que as estatinas salvam vidas foi conduzido exclusivamente em pessoas com colesterol baixo. Como assim? Acontece que, como já dissemos, as estatinas têm outros efeitos além da redução do colesterol (efeitos "pleitrópicos", no jargão médico). E um desses efeitos é anti-inflamatório. Isso é amplamente aceito, e o melhor lugar para ler sobre isso é na própria introdução do estudo JUPITER, que deixa claro que o motivo da realização do estudo é o fato de que ¾ (75%) das pessoas que infartam têm colesterol dentro dos limites da normalidade. Você, leitor, já sabe por quê: afinal, os maiores fatores de risco cardiovascular são outros.

O estudo contou com 18 mil pacientes e demonstrou uma redução de 54% em ataques cardíacos, 48% menos derrames, 46% menos angioplastias e 20% menos mortes. Essas são reduções grandes ou pequenas? Se você leu com atenção até aqui, sua resposta virá na forma de uma pergunta: "Qual é o risco **absoluto** dos eventos e qual é a redução de risco absoluto?". O número de pessoas que sofreram desfechos desfavoráveis no grupo placebo foi de 1,36 a cada cem pessoas/ano; e o número de pessoas que sofreram desfechos desfavoráveis no grupo rosuvastatina foi de 0,77 a cada cem pessoas/ano. Ou seja, a redução absoluta de risco foi de 1,36% − 0,77% = 0,59%. Sim, é menos de um por cento.

As calculadoras de risco cardiovascular, o NNT e a decisão compartilhada

Como vimos, o benefício que determinado paciente obterá com o tratamento depende da magnitude do seu risco absoluto. Uma pessoa que tem um risco muito baixo não terá grandes benefícios em reduzi-lo ainda mais. Contrariamente, um indivíduo de risco muito alto obteria grande benefício potencial ao reduzir esse risco em, digamos, 25%. Uma analogia que costumo usar é a do capacete de pedreiro. Esse equipamento de proteção individual reduz bastante o risco de morte no caso de algo cair sobre a cabeça de quem o usa. Qualquer pessoa que use um capacete estará mais protegida – é fato. Então, por que não andamos todos de capacete o tempo todo? É que o risco absoluto (de ser atingido na cabeça por algo pesado) de alguém que trabalha numa obra de construção civil é muito maior do que o risco absoluto de isso acontecer com alguém que trabalha num escritório. Assim, optamos por indicar o uso do capacete apenas na obra, e não no escritório, muito embora o capacete reduza, em termos relativos, o risco nas duas situações. É que, quando um risco já é próximo de zero, reduzi-lo em 25% continua produzindo um risco próximo de zero: não havendo benefício real, restam apenas os inconvenientes de seu uso.

Assim, a indicação de tratamento não deveria se basear única e exclusivamente no fato de o colesterol total estar acima de 200 ou o LDL acima de 130. Afinal, como já vimos à exaustão, esses números, isoladamente, pouco significam. E é por isso que as sociedades de cardiologia têm adotado calculadoras de risco cardiovascular que levam em consideração outros fatores. Uma das primeiras foi a calculadora de Framingham (sim, sempre Framingham!), que utiliza idade, diabetes, pressão arterial, colesterol total e HDL, e IMC. Observe que o colesterol LDL não é um dos parâmetros – o que não deveria ser surpresa, visto seu baixo poder preditivo. Uma das calculadoras mais completas é a utilizada pelo sistema de saúde do Reino Unido, o NHS. Chamada de QRISK3, essa calculadora inclui, além das variáveis acima, etnia, história familiar, doença renal, doenças autoimunes, doença mental, uso de antipsicóticos ou corticoides e diagnóstico de disfunção erétil. E, o que é mais interessante: não apenas o colesterol LDL não faz parte da calculadora como ela aceita apenas a relação colesterol total/HDL – sim, o índice de Castelli, aquele que é mais preditivo do que o colesterol isoladamente e que reflete, em parte, o grau de resistência à insulina do indivíduo.

E para que servem todas essas calculadoras? Para estimar o risco absoluto. Se você tem um risco absoluto de 2% ou 3% (o que pode tranquilamente acontecer em pessoas cujo colesterol total é bem maior que 200), talvez não faça sentido usar uma medicação que reduzirá esse risco em 25% (o que significaria uma redução absoluta da ordem de 0,5%). Mas se seu risco absoluto for de 20%, certamente o benefício da medicação passaria a ser significativo.

Existe uma forma de expressar esses números que é muito mais fácil para a compreensão do paciente e para sua tomada de decisão, o **NNT**, ou **número que necessita ser tratado**. Trata-se de uma simples transformação matemática. Por exemplo: se pegarmos o estudo do Lípitor sobre o qual falamos, em que havia uma redução de risco absoluto de cerca de 1%, o NNT seria 100, ou seja, cem pessoas com aquelas características (colesterol elevado e pelo menos mais três fatores de risco) precisariam ser tratadas por 3,3 anos para que uma se beneficiasse (tenha em mente que talvez esse número fosse menor se o número de anos fosse maior).

A partir de que valor de NNT devemos tratar? Aqui entra um conceito importante: o da **decisão compartilhada**. Na medicina baseada em evidências, os dados oriundos de bons estudos científicos são importantes, assim como a experiência clínica do médico, mas igualmente importantes são as preferências e os valores do paciente. Talvez uma redução de 25% do risco relativo de ter um infarto seja importantíssimo para o médico, mas talvez o paciente, sabendo que cem pessoas na sua situação precisariam ser tratadas para que uma venha a se beneficiar, prefira não usar um comprimido todos os dias – é direito dele. Ou pode ser que a pessoa queira reduzir seu risco a qualquer custo e faça questão de tratar, mesmo que a magnitude do benefício potencial seja pequena – mais uma vez, é sua prerrogativa. De toda forma, a tomada de decisão precisa ser compartilhada entre o médico e o paciente. E, para que isso possa ocorrer, é necessário que o paciente esteja corretamente *informado* sobre os riscos e benefícios. Não se considera mais, nos dias de hoje, boa prática a atitude paternalista, por parte do profissional, que manda o paciente usar uma medicação porque "seu colesterol está 230 – você quer morrer do coração?".

A polarização

À medida que os diversos benefícios da abordagem *low-carb* ficaram cada vez mais evidentes na literatura científica e que os diversos mitos sobre seus alegados riscos foram sendo desmentidos, seus potenciais efeitos sobre o colesterol total e o colesterol LDL passaram a ser uma das últimas pedras no sapato para sua ampla adoção. Como já vimos neste capítulo, boa parte de tais preocupações são infundadas. Mas nem todas. E as posições dos grupos favoráveis e contrários foram ficando cada vez mais polarizadas e extremas, até atingir a irracionalidade.

De um lado, temos um grupo de profissionais de saúde que são contra a adoção de *low-carb* **por princípio**. Essas pessoas preferem que um paciente continue usando insulina e mantendo uma hemoglobina glicada de 10% (valor normal abaixo de 5,7%) a ter a chance de reverter esse quadro com menos remédios, pois o colesterol poderia subir de 180 para 230 (sendo que qualquer calculadora de risco cardiovascular mostraria uma redução do risco neste contexto, além de tudo que já falamos sobre tamanho de partículas, migração do padrão B para o padrão A etc.). Essa é uma postura flagrantemente irracional.

De outro lado, no afã de defender a estratégia *low-carb* desses ataques infundados, outro grupo decidiu, contra todas as evidências, que colesterol é irrelevante na doença cardiovascular, que quanto mais alto o colesterol melhor (sim, há quem defenda isso) e que as estatinas são um verdadeiro veneno. Chamo isso de **negacionismo do colesterol** – e trata-se de uma postura que prejudica a adoção de dietas de baixo carboidrato pela comunidade de profissionais de saúde sérios. É, também, uma postura irracional.

E é isso que o termo **polarização** significa. De um lado, exageram-se os riscos de *low-carb* por qualquer efeito que possa ter em LDL (usam-se os óculos de LDL, aqueles); de outro, subestima-se qualquer risco associado a colesterol, mesmo em casos de hiper-resposta nos quais os níveis de LDL ficam estratosféricos, e superestimam-se os riscos associados ao uso das estatinas – para muito além do que a literatura permite.

As estatinas

As estatinas bloqueiam a síntese de colesterol em todas as células do corpo. E a rota metabólica afetada interfere com a síntese de outros compostos, que podem impactar a produção de energia nas mitocôndrias. Talvez por isso cerca de 5% a 10% dos pacientes em uso de estatinas referem dores musculares – e às vezes podem ocorrer até danos mais graves nos músculos. Há ainda relatos – bem raros, é verdade – de um fenômeno chamado de amnésia global transitória, no qual pacientes simplesmente esquecem até o próprio nome. Isso levantou o receio de que, no longo prazo, pudesse haver aumento do risco de Alzheimer, por exemplo. Acontece que mecanismos – será que eu já disse isso? – pavimentam o caminho para o inferno. Se fôssemos nos basear em mecanismos, teríamos que aceitar também que existem mecanismos plausíveis para que a gordura na dieta aumentasse o risco cardiovascular. No entanto, como vimos, não aumenta. Da mesma forma, para decidir sobre a segurança das estatinas, não interessa saber como elas interferem nas rotas metabólicas X ou Y, e sim o que mostram as evidências.

Todo mundo já ouviu falar no efeito placebo. Mas você conhece o seu primo maligno, o efeito nocebo? Funciona assim: você leu (ou ouviu no Instagram) que estatinas provocam dor muscular. Então você começa a ter dores musculares e conclui: isso é por causa do remédio. Pode ser que sim, pode ser que não. Ou então esquece as chaves ou o celular e pensa – "isso é por causa do maldito remédio". Será? Um ensaio clínico randomizado foi conduzido para testar essa hipótese[38]. Pessoas que já haviam interrompido o uso de estatinas devido aos efeitos colaterais foram recrutadas e randomizadas para alternar em diferentes meses entre uma estatina, um placebo, ou nada (o estudo era, naturalmente, duplo cego, de modo que as pessoas não sabiam se estavam tomando placebo ou estatina). Elas davam notas aos seus efeitos colaterais de 0 a 100. O escore médio de sintomas foi 8 nos meses sem pílula alguma e 16,3 nos meses de uso da atorvastatina. Mas o resulta-

---

38. WOOD; HOWARD; FINEGOLD et al., 2020.

do incrível é o seguinte: o escore médio de sintomas foi 15,4 durante o uso do placebo. Isso significa que 90% dos efeitos adversos das estatinas nessa população de pessoas que chegaram a interromper a medicação por intolerância na verdade não tinham nada a ver com a medicação, e sim com as expectativas negativas em relação ao seu uso – o efeito nocebo.

Quer dizer que as estatinas não têm efeitos colaterais? Não, mas quer dizer que seus defensores tendem a ignorar as queixas de seus pacientes e superestimar os benefícios, e seus detratores definitivamente inflam desproporcionalmente os riscos e os efeitos colaterais, além de ignorar as evidências de seus benefícios. Aliás, você já parou para pensar em quão bizarro é haver defensores ou detratores de um remédio? **Remédio é uma ferramenta a ser utilizada quando indicado, e não um time de futebol para ser alvo de torcida organizada.**

Um achado que aparece em diversos estudos é que o uso crônico de estatinas aumenta o risco de diabetes[39]. Tal risco é da ordem de 1 novo caso de diabetes a cada 204 usuários. Certamente não é um risco grande, mas deve ser comparado ao benefício: se um indivíduo de baixo risco tem um NNT de 217 para infarto (217 pessoas precisam ser tratadas para evitar que uma delas sofra um infarto), mas tem um NNH (*number necessary to harm*, ou "número necessário para lesar" – quantas pessoas precisam ser tratadas para uma ser prejudicada) de 204 para diabetes, significa que essa pessoa tem mais chance de ser prejudicada do que beneficiada. E o NNH para dano muscular (dor muscular, redução na capacidade de fazer exercício etc.) é de 21: a cada 21 pessoas que usam estatinas, uma será prejudicada nesse sentido.

Não existe almoço grátis, e certamente não existem drogas sem efeitos adversos. Essas coisas devem ser explicadas ao paciente de uma maneira que ele possa entender – usando números, de preferência. Por exemplo: "Seu risco é alto; portanto, faz sentido reduzir esse risco, mesmo sabendo que determinados efeitos adversos podem ocorrer"; ou "seu risco é baixo (calcular e fornecer o número), mesmo seu coles-

---

[39]. Disponível em: https://thennt.com/nnt/statins-persons-low-risk-cardiovascular-disease/. Acesso em: 10 mar. 2023.

terol estando mais alto; assim, sua chance de benefício com o uso de medicação é baixa e pode ser superada pelos riscos". Essa é uma abordagem racional, que não demoniza nem santifica uma medicação e respeita a inteligência e as preferências do paciente.

Certamente boa parte das pessoas que usam estatinas hoje em dia não precisaria estar usando. Ferramentas como calculadoras de risco cardiovascular são subutilizadas, e eu arriscaria dizer que a maioria dos pacientes usa medicação porque o número (do colesterol total ou LDL) veio em vermelho ou em negrito no resultado do laboratório, indicando estar fora do valor de referência. Já vi uma paciente de 65 anos absolutamente saudável, que tinha o hábito de correr 10 km algumas vezes por semana, chegar à consulta usando uma estatina porque seu colesterol total era 220 mg/dL, muito embora seu HDL fosse 85, seus triglicerídeos fossem 70 e seu HOMA-IR (índice de resistência à insulina) fosse 1,2 (valores ótimos são abaixo de 2). Não apenas ela não tinha indicação para o uso da medicação, que foi prescrita de forma robótica apenas porque o número 220 aparecia em vermelho, mas ela não conseguia mais correr por causa da dor nas pernas. É absolutamente evidente (ou deveria ser!) que seu hábito de corridas reduzia muito mais seu risco cardiovascular do que baixar artificialmente no papel um número que não precisava ser baixado. Isso sem falar no bem-estar que a prática do esporte lhe trazia – e que ela estava sacrificando para mudar a cor do número no resultado do laboratório.

* * *

O que nos traz novamente aos hiper-respondedores – essa pequena minoria de pessoas que fazem *low-carb*. E se a paciente que descrevi acima corresse 10 km, fosse magra e saudável, com HDL de 85 e triglicerídeos de 70, mas seu colesterol total fosse 480 mg/dL? É razoável deixar assim?

David Feldman – o mesmo que publicou o fenótipo dos hiper-respondedores magros – está conduzindo um estudo-piloto com tais pacientes – gente com esses níveis de colesterol, e que recusa tratamento farmacológico – para avaliar se apresentam ou não aterosclerose acelerada. Há opiniões divergentes – baseadas em mecanismos, aqueles que pavimentam... bem, você já sabe o quê – sugerindo que tais pacientes possam ter baixo risco, mesmo com níveis de colesterol LDL que costumam ser vistos apenas em hipercolesterolemia familiar homozigótica, uma condição na qual pessoas muitas vezes infartam ainda na infância. É, sem dúvida, um assunto fascinante e desafiador do ponto de vista intelectual, mas penso que não podemos apostar nessa hipótese empenhando a saúde alheia (fora de um estudo científico aprovado por um comitê de ética em pesquisa). Com base no que sabemos até hoje, tais pacientes devem ser informados de que estão em risco, e devem ser tratados se assim o desejarem.

No próprio estudo de Ludwig, Feldman e colaboradores[40], cinco pacientes com hiper-resposta conseguiram reduzir os níveis de LDL entre 122 e 480 mg/dL com a simples reintrodução de 50 a 100 g de carboidratos ao dia. Felizmente, a maioria dessas pessoas não tem necessidade de se manter em *very low-carb* (dieta cetogênica – abaixo de 50 g ao dia). Vamos lembrar que os hiper-respondedores tendem a ser magros e metabolicamente saudáveis.

Na prática, o que fazemos é reintroduzir carboidratos saudáveis (tubérculos como batata, batata-doce, mandioca) e frutas com mais carboidratos (como banana, manga, maçã etc.). Não estamos falando em reintroduzir churros! A mudança da matriz de gorduras da dieta também parece ser útil: menos gorduras saturadas de carne e laticínios, e mais gorduras insaturadas como azeite de oliva, nozes, castanhas, amêndoas e abacate, além de peixes e frutos do mar.

Mas existem pessoas para as quais deixar de fazer dieta cetogênica não é uma alternativa razoável. Indivíduos que colocaram doenças psiquiátricas graves em remissão com dieta *very low-carb* (como ocorre rotineiramente no Departamento de Psiquiatria Metabólica da Stanford University[41]), indivíduos que tratam epilepsia refratária e, o que é muito mais comum, pessoas que controlaram ou reverteram diabetes tipo 2

---

40. NORWITZ; SOTO-MOTA, KAPLAN *et al.*, 2022.
41. Disponível em: https://med.stanford.edu/psychiatry/patient_care/metabolic.html. Acesso em: 10 mar. 2023.

ou que, pela primeira vez na vida, conseguiram controlar a obesidade de forma sustentável e sem fome. Para essas pessoas, é inadmissível abandonar todos esses benefícios altamente tangíveis em função de riscos teóricos e – o principal – **riscos que podem ser evitados.**

Para esses indivíduos, as estatinas são excelentes opções, permitindo que mantenham os grandes benefícios da dieta cetogênica sem arriscar-se com níveis de LDL que, após levar em conta todos os pontos levantados até aqui, sejam ainda considerados inseguros.

Outra opção interessante é a ezetimba. Trata-se de uma droga com mecanismo de ação distinto das estatinas, atuando na absorção intestinal do colesterol. Tradicionalmente é adicionada às estatinas para aumentar seu efeito, ou em monoterapia para quem não tolera estatinas. Mas muitos médicos que trabalham especificamente com pacientes hiper-respondedores reportam resultados muito bons com essa medicação em monoterapia – reduções de mais de 50% nos níveis de LDL (apesar de a literatura citar redução na casa dos 20%). Trata-se de **informação anedótica**, ainda não publicada na literatura revisada pelos pares. Mas é algo a ser considerado pelos médicos, que, cada vez mais, encontrarão casos como esses em seus consultórios.

> O que era para ser apenas mais um capítulo acabou virando um dos maiores segmentos deste livro. É que o assunto é complexo. E a polarização simplificadora entre "colesterol simplesmente não é um problema" versus "esta dieta é perigosa pois pode elevar o colesterol" – duas postulações simples e erradas – requer uma discussão que introduza nuances. Assim, sobretudo para quem não é da área da saúde, um breve sumário se faz necessário:
>
> – É inapropriado alegar que dietas *low-carb* são perigosas pelo fato de não serem necessariamente baixas em gordura, visto que há ampla evidência de que a gordura na dieta não

está associada com risco aumentado de doença cardiovascular ou mortalidade.
- É inapropriado alegar que dietas *low-carb* são perigosas com base na ideia de que toda dieta saudável deveria levar a uma redução de colesterol, visto que nunca se demonstrou que a redução de colesterol por meio de dieta reduza doença cardiovascular ou mortalidade.
- É inapropriado alegar que dietas *low-carb* são perigosas por seus efeitos sobre o colesterol total ou colesterol LDL, visto que *low-carb* é benéfico para diversos outros fatores de risco cardiovasculares cuja importância é muito superior (sobretudo diabetes, resistência à insulina e síndrome metabólica).
- As estatinas são drogas que de fato reduzem o risco cardiovascular. Mas a redução absoluta do risco depende da magnitude desse risco, para começo de conversa. Ou seja, alguém que já teve um infarto vai se beneficiar muito mais do que quem apenas tem um colesterol mais elevado. A prescrição de todo e qualquer medicamento sempre leva em conta riscos e benefícios, e isso obviamente também é válido no caso das estatinas. Certamente boa parte das pessoas que usam estatinas hoje em dia não precisaria estar usando – prescrições mecânicas são muitas vezes feitas apenas porque o colesterol está fora do valor de referência do laboratório. Existem calculadoras de risco cardiovascular que possibilitam a correta identificação de quem são os indivíduos que efetivamente podem se beneficiar de tais drogas. Por outro lado, há grande exagero no que diz respeito aos efeitos colaterais dessa classe de medicamentos. Um estudo controlado demonstrou que 90% dos efeitos colaterais podem ser atribuídos ao efeito nocebo, isto é, à crença disseminada de que o remédio fará mal. Estatinas não são uma panaceia, nem tampouco são um veneno: podem e devem ser utilizadas quando indicado.

– Feitas todas essas ressalvas, não se deve ignorar o fenômeno dos hiper-respondedores, indivíduos cujo LDL eleva-se muito além do razoável. Nesses casos, existe a opção de modificar as gorduras da dieta e introduzir carboidratos saudáveis ou, quando isso não é possível, medicá-los adequadamente para que possam continuar a auferir os benefícios obtidos sem submeter-se a riscos desnecessários. Existe papel para estatinas e outros medicamentos nessa minoria de casos.

13

MITO: DIETAS *LOW-CARB* FAZEM MAL PARA O FÍGADO

Existe, curiosamente, um mito de que "dietas *low-carb* sobrecarregam o fígado". Considero esse um dos mitos mais estranhos. Afinal, os outros mitos tratados até aqui têm, superficialmente, alguma plausibilidade. Vamos lembrar que indivíduos com insuficiência renal crônica grave (pré-dialítica) efetivamente precisam atentar para a quantidade de proteína que ingerem, o que faz com que pessoas pensem erroneamente que as proteínas da dieta são a causa dos problemas renais (Capítulo 10). A tradição dentro da nutrição esportiva de empregar grande quantidade de carboidratos na dieta dos atletas pode ter criado a fantasia de que uma dieta de baixo carboidrato fosse produzir o derretimento dos músculos (Capítulo 11). E uma dieta de baixo carboidrato pode, efetivamente, elevar os níveis de colesterol, o que não raro está acompanhado da *redução* do risco cardiovascular. Mas para compreender esse aparente paradoxo é necessário um entendimento mais profundo dos determinantes de tal risco (Capítulo 12). Porém, a ideia de que *low-carb* pudesse, de alguma forma, ser prejudicial à saúde do fígado é deveras estranha – bizarra mesmo.

Afinal, qual é a lógica? De que forma, por meio de que mecanismo fisiopatológico, uma dieta pobre em açúcar e farináceos e rica em vegetais, frutos do mar, peixes, carnes e ovos afetaria negativamente esse órgão?

Mesmo sendo esse um mito sem nenhum cabimento, fiz o exercício de pesquisar o assunto no PubMed, o gigantesco banco de dados da biblioteca nacional de saúde dos Estados Unidos, que cataloga todas as principais publicações científicas da área biomédica. Até pelo tamanho dessa base de dados, em geral é possível encontrar artigos defendendo diferentes posições em relação a quase todos os assuntos. Eu cruzei todas as palavras-chave possíveis, e não havia nada que implicasse uma dieta de baixo carboidrato como fator de risco para doenças do fígado. Embora uma dieta *low-carb* não seja necessariamente de alta proteína, pesquisei também a relação entre dieta hiperproteica e fígado. Mais uma vez, nada. Esse assunto conseguiu o impossível – a unanimidade na literatura científica – simplesmente não há coisa alguma publicada que ligue negativamente dietas de baixo carboidrato ou de alta proteína com a gênese de doença hepática – é literalmente uma lenda urbana.

Em compensação, o que não faltam são artigos mostrando o benefício dessa abordagem para o maior problema que acomete esse órgão, a gordura no fígado, ou esteatose hepática.

Até os anos 1980, pessoas que apresentavam gordura no fígado eram consideradas alcoólatras até que se provasse o contrário. Já havia relatos na literatura da associação entre gordura no fígado, diabetes e obesidade, mas foi somente em 1980 que o termo "esteato-hepatite não alcoólica" foi cunhado pela primeira vez, significando uma inflamação do fígado (hepatite) causada por acúmulo de gordura (o radical "esteato", do grego, significa gordura), sendo que a causa não era o consumo excessivo de álcool.

Embora seja provável que já houvesse muitos casos de esteatose hepática antes dos anos 1980 que não eram diagnosticados, também é fato que vivemos hoje uma epidemia de gordura no fígado. Estima-se que incríveis 50% da população mundial são afetados por esta patologia[1], que era relativamente infrequente há apenas quarenta anos. Nitidamente é um fenômeno que caminha passo a passo com a epidemia

---

1. LIU; AYADA; ZHANG *et al.*, 2022.

de obesidade. A esteatose hepática é a causa mais comum de doença crônica do fígado. Dos pacientes com esteatose hepática, muitos irão progredir para esteato-hepatite, fibrose hepática e, por fim, cirrose, para a qual o único tratamento é o transplante hepático. Em cerca de quarenta anos, uma doença que era quase desconhecida está-se tornando uma das causas mais comuns desse tipo de transplante.

Não existe tratamento medicamentoso particularmente eficaz para esteatose – o único tratamento que funciona, mesmo, é mudança de estilo de vida. Isso significa que boa parte dos pacientes com gordura no fígado fica sem tratamento, pois os médicos não costumam ter treinamento adequado para esse tipo de orientação.

Você já parou para pensar quão estranho é uma doença cujo nome – esteatose não alcoólica – diz o que ela *não* é? Isso é como dizer que uma pessoa é "não brasileira": não é uma informação muito útil, visto que restam outras 194 possíveis nacionalidades. Não seria melhor – mais informativo – dizer que a pessoa é, por exemplo, tailandesa?

Felizmente, há um forte movimento por parte dos hepatologistas para mudar esse nome estranho para um nome que, em vez de dizer o que a doença não é, diga o que ela de fato é. No lugar de NAFLD, MAFLD ("Metabolic Associated Fatty Liver Disease"), ou Esteatose Hepática Associada à Síndrome Metabólica. Sim, ela de novo – a síndrome metabólica!

A esteatose é, de fato, a manifestação hepática da síndrome metabólica e da resistência à insulina, sendo esse o motivo de sua forte associação com obesidade, diabetes e doença cardiovascular.

* * *

Já falamos sobre a infelicidade de que a palavra "gordura" é usada tanto para designar a gordura presente na dieta como para falar da gordura que acumulamos no corpo. Isso gerou grandes equívocos, como a orientação de que pessoas com excesso de gordura corporal evitassem a gordura na dieta, o que as levou a aumentar o consumo de açúcar e amido, piorando a resistência à insulina e favorecendo o ganho de peso.

Pois a mesma confusão ocorre milhares de vezes por dia dentro dos consultórios. Após avaliar um ultrassom com gordura no fígado, o médico manda a pessoa não comer carne vermelha (é bem verdade que ele manda fazer isso para qualquer diagnóstico, desde glaucoma até unha encravada), nem laticínios que não sejam desnatados, nem nada que não seja diet em gordura. Nem mesmo abacate. Afinal, a gordura está se acumulando no fígado – então não se pode consumi-la! Essa ideia é tão simplória quanto mandar não comer salada para não ficar verde. Há altas chances de que alguém orientado dessa maneira volte com uma esteatose (ou uma esteato-hepatite) ainda mais grave no ano seguinte. Afinal, são pessoas com sobrepeso ou obesidade, resistência à insulina e/ou diabetes – justamente as pessoas que menos toleram os carboidratos na dieta, e que mais se beneficiam de sua redução. Para essas pessoas, o perigo do churrasco não é a picanha, e sim o pão de alho.

Mas já vimos que uma dieta *low-carb* é a melhor estratégia nutricional para síndrome metabólica e resistência à insulina (Capítulo 9), de modo que, para tratar uma doença chamada esteatose hepática associada à síndrome metabólica, certamente seria uma excelente opção, não é mesmo? Se você respondeu sim, acertou!

....

Para essas pessoas, o perigo do churrasco não é a picanha, e sim o pão de alho.

....

Os estudos em animais são muitos e nos mostram o seguinte:

O que leva à esteatose é a conversão do excesso de glicose e frutose em triglicerídeos no fígado; se esta conversão excede a capacidade do órgão de exportá-los, eles acumulam-se nos hepatócitos (células do fígado); quanto menos carboidratos na dieta, menos esteatose; e quanto mais proteína na dieta, menos esteatose e menos disfunção hepática.

Por exemplo, em animais, observa-se que uma dieta cetogênica (com grande quantidade de gordura) é capaz de impedir completamente o desenvolvimento de esteatose no fígado de camundongos geneticamente obesos, e que esse efeito é independente da obesidade[2].

....
2. OKUDA; MORITA, 2012.

E o que acontece em camundongos quando se usa uma dieta hiperproteica, consistindo em 35% de proteínas? Eles perdem peso, reduzem o percentual de gordura e reduzem o acúmulo de gordura no fígado. Ou seja, uma dieta com muita proteína (que o mito afirma que poderia "forçar" o fígado) protege o fígado contra a esteatose hepática[3].

Em outro estudo, o acúmulo de gordura no fígado (esteatose) foi induzido em ratos, com uma dieta rica em sacarose (açúcar de mesa). Os ratos com esteatose foram então colocados em duas dietas: uma dieta-controle, com mais carboidratos (a dieta da pirâmide alimentar), e outra com baixo carboidrato e alta proteína. A dieta *low-carb* com mais proteína reverteu a esteatose nos roedores, diferentemente da dieta com mais carboidratos, semelhante à das diretrizes humanas[4].

Em outro estudo em camundongos, várias estratégias foram testadas (*low-carb* com alta gordura, pirâmide alimentar, dieta hiperproteica com *low-carb* ou com *low-fat*, restrição calórica etc.). O único achado consistente foi o de que dietas com **mais proteína beneficiam** o fígado, reduzindo a esteatose[5].

Mas o que mostram os estudos no que se refere aos seres humanos?

Um ensaio clínico randomizado coreano publicado em 2017[6] sorteou 106 pacientes com esteatose para um grupo de educação em dieta *low-fat* e outro em dieta *low-carb*. A gordura intra-hepática diminuiu significativamente no grupo *low-carb* em comparação com o grupo *low-fat*. A normalização dos valores de ALT (ou TGP, uma enzima do fígado associada à esteatose) na oitava semana foi de 38,5% para o grupo *low-carb* e 16,7% para o grupo *low-fat*. Não só as enzimas hepáticas mas também os níveis de pressão arterial diminuíram significativamente no grupo *low-carb* (é a síndrome metabólica melhorando, afinal). O consumo calórico também diminuiu mais no grupo *low-carb* em comparação ao *low-fat*, e o grupo *low-carb* apresentou uma redução maior da gordura intra-abdominal.

---

3. SCHWARZ; TOMÉ; BAARS et al., 2012.
4. UEBANSO; TAKETANI; FUKAYA et al., 2009.
5. GARCIA-CARABALLO; COMHAIR; VERHEYEN et al., 2013.
6. JANG; JUN; LEE et al., 2017.

> A gordura intra-hepática diminuiu significativamente no grupo *low-carb* em comparação com o grupo *low-fat*.

Mas alguém poderia dizer que as pessoas melhoraram da esteatose hepática apenas porque emagreceram (admitindo, assim, tacitamente, que *low-carb* emagrece mais). Esta é uma das poucas situações em que estudos isocalóricos podem ser realmente úteis. Como já demonstramos no Capítulo 9, a restrição de carboidratos é melhor para síndrome metabólica mesmo quando o emagrecimento é igual ao de outras dietas, e até mesmo quando se impede o emagrecimento de ocorrer: a simples retirada do açúcar e do excesso de amido já reduzem a hiperinsulinemia que está por trás do quadro. E não é diferente com a Esteatose Hepática Associada à Síndrome Metabólica. Em um estudo publicado em 2018[7], os autores escreveram:

> realizamos uma intervenção de curto prazo com uma dieta isocalórica com baixo teor de carboidratos com aumento do teor de proteína em indivíduos obesos com esteatose hepática não alcoólica [...] Observamos reduções rápidas e dramáticas da gordura do fígado e outros fatores de risco cardiometabólicos. (MARDINOGLU *et al.*, 2018)

Em outras palavras, mesmo sem redução de peso ou de calorias, observou-se o efeito – tanto sobre a gordura no fígado quanto sobre os demais aspectos da síndrome metabólica.

> [...] mesmo sem redução de peso ou de calorias, observou-se o efeito – tanto sobre a gordura no fígado quanto sobre os demais aspectos da síndrome metabólica.

Da mesma forma, quando há redução de peso semelhante, o grupo que emagrece com *low-carb* melhora mais da esteatose – exatamente o que vimos que ocorria no Capítulo 9, no que diz respeito à síndrome

---

7. MARDINOGLU; WU; BJORNSON *et al.*, 2018.

metabólica. Em um estudo publicado em 2011[8], voluntários foram submetidos a uma dieta *very low-carb* com menos de 20 g de carboidratos por dia ou a uma dieta de fome com 1.200 a 1.500 calorias por dia. Ambos os grupos acabaram perdendo o mesmo peso (mas só um passou fome); contudo, o grupo *low-carb* teve melhora mais significativa na gordura hepática.

....
[...] as orientações de estilo de vida fornecidas pelos hapatologistas foram tratadas nesse estudo como placebo.
....

Poderíamos continuar citando muitos estudos, mas creio que um ensaio clínico randomizado publicado em 2021 é suficientemente emblemático[9]. Setenta e quatro pacientes foram sorteados para seguir por doze semanas uma dieta *low-carb high-fat* (baixo carboidrato com mais gordura), jejum intermitente 5:2 (consumir de 500 a 600 calorias duas vezes por semana), ou orientações gerais de estilo de vida fornecidas por um hepatologista. O teor de gordura do fígado foi medido por ressonância magnética no início e no final do estudo. Houve uma redução absoluta de 7,1% da gordura hepática no grupo *low-carb*, 6,1% no grupo do jejum intermitente e 2,5% no grupo que foi orientado pelos hepatologistas. Não houve diferença estatisticamente significativa entre *low-carb* e jejum, e ambos foram muito melhores do que as orientações médicas tradicionais. De fato, na linguagem empregada pelos autores do texto, as orientações de estilo de vida fornecidas pelos hepatologistas foram tratadas neste estudo como placebo. Não devemos nos apressar a condenar esses especialistas. Esse exemplo apenas ressalta o total despreparo dos médicos como um todo para fornecer orientações de estilo de vida efetivamente baseadas em evidência. Tratam a estratégia mais eficaz como "dieta da moda" e recomendam platitudes como "tente perder peso" (sem dizer como), e "coma mais açúcar e amido (frutas e grãos integrais)", e "evite proteína e gordura"

---
8. BROWNING; BAKER; ROGERS *et al.*, 2011.
9. HOLMER; LINDQVIST; PETERSSON *et al.*, 2021.

(carne vermelha e a gordura natural dos alimentos) – tudo isso é literalmente o oposto do que se deveria sugerir para alguém com resistência à insulina e síndrome metabólica. Este livro pretende colaborar para mudar esse estado de coisas.

> Não houve diferença estatisticamente significativa entre *low-carb* e jejum, e ambos foram muito melhores do que as orientações médicas tradicionais.

A vesícula

A vesícula está intimamente ligada ao fígado, de modo que não surpreende que haja mitos relacionando a vesícula com dietas de baixo carboidrato. Eles dividem-se entre "será que essa dieta pode causar problemas na minha vesícula?" e "será que eu posso fazer essa dieta, pois tenho pedras na vesícula" ou, ainda, "não tenho mais vesícula, e agora?".

Antes de mais nada, vamos entender o que é a vesícula biliar e sua relação com a alimentação. O fígado produz continuamente a bile, substância cuja função é emulsificar as gorduras da dieta. Como se sabe, gordura e água não se misturam, a não ser que haja um detergente. A bile é isso: um detergente para tornar a gordura da dieta solúvel.

Acontece que a demanda por bile não é contínua, e sim periódica. Passamos várias horas em jejum (quando não precisamos de nenhuma bile), e de repente comemos um churrasco – quando precisamos de grande quantidade de bile. Mas a bile é produzida de forma contínua pelo fígado. Como o corpo resolve esse problema? Entra em cena a vesícula biliar. A bile que é produzida acumula-se na vesícula. A vesícula, por sua vez, é capaz de concentrar a bile (absorvendo a água) cerca de dez vezes. Ou seja, a vesícula armazena um detergente concentrado. Quando comemos um alimento gorduroso, o intestino detecta a presença de gordura e secreta um hormônio chamado colecistoquinina (CCK), que desencadeia imediatamente a contração e esvaziamento da vesícula biliar, permitindo o correto aproveitamento e digestão da gordura. Todos os animais carnívoros têm vesícula biliar (com exceção das baleias), pois alimentam-se de forma intermitente (e não contínua) e sua dieta contém gordura. Várias espécies de herbívoros já perderam a vesícula, dada sua menor utilidade nesse contexto[10].

E por que as pessoas desenvolvem pedras na vesícula? Um dos motivos mais comuns é seu pouco uso. Quando há pouca secreção do hormônio CCK, seja por consumo de quantidades muito pequenas de comida por longo prazo ou, o que é mais comum, pela adoção de uma dieta pobre em gorduras, ocorre uma "estase" da bile na vesícula, isto é, a bile fica parada, acumulando-se na vesícula em velocidade mais alta do que é utilizada. E a vesícula cumpre a sua tarefa de concentrar essa bile cada vez mais. A bile superconcentrada acaba levando à precipitação dos sais biliares (o chamado "barro biliar") e, por fim, à formação de cálculos biliares.

É sabido que síndrome metabólica (sempre ela), diabetes e obesidade estão associados ao risco de pedras na vesícula. É impossível não ponderar sobre o fato de que todas essas doenças estão atreladas ao excesso de carboidratos refinados. Basta pensar por poucos minutos para concluir que são diferentes manifestações clínicas de uma mesma disfunção – por isso estão "associadas".

....

É sabido que síndrome metabólica (sempre ela), diabetes e obesidade estão associados ao risco de pedras na vesícula.

....

Em uma revisão de 150 estudos publicados entre 1965 e 2006, a principal associação entre dieta e pedras na vesícula foi o consumo de açúcar[11]. Alto carboidrato, e não baixo carboidrato.

Em outro importante estudo[12] publicado pela Escola de Saúde Pública de Harvard, foi avaliada uma coorte prospectiva de 44.525

---

10. GORHAM; IVY, 1938.
11. MÉNDEZ-SÁNCHEZ; ZAMORA-VALDÉS; CHÁVEZ-TAPIA et al., 2006.
12. TSAI; LEITZMANN; WILLETT et al., 2005.

pessoas por doze anos. Os grandes fatores de risco para pedras na vesícula sintomáticas foram: consumo total de carboidratos, índice glicêmico e carga glicêmica da dieta, consumo de amido, de sacarose e de frutose – o oposto de *low-carb*.

Um dos fatores de risco para o desenvolvimento de pedras na vesícula é justamente a perda de peso, especialmente quando rápida ou significativa. Isso provavelmente se deve à menor necessidade de esvaziamento da vesícula devido à restrição calórica. Uma metanálise de ensaios clínicos randomizados[13] demonstrou inequivocamente que, se a perda de peso ocorrer mediante o uso de uma dieta mais alta em gordura – ou seja, uma dieta *low-carb* –, a chance de formar cálculos na vesícula se reduz dramaticamente. Isso faz todo o sentido, visto que uma dieta com mais gordura impede a estase da bile (isto é, impede que a bile fique parada dentro da vesícula, sem uso).

Como vimos, um estilo de vida *low-carb* é uma das melhores formas de reduzir o risco de ter problemas de vesícula. Mas e se você já precisou ter a sua retirada, e agora?

Como explicado acima, seu fígado continua fabricando bile, a diferença é que você não pode dispor de uma grande quantidade de bile concentrada para digerir uma grande quantidade de gordura de uma só vez. Por esse motivo, algumas pessoas que não têm vesícula podem ter um pouco mais de dificuldade com uma refeição especialmente gordurosa, como um churrasco. Mas, como já vimos no Capítulo 7, *low--carb* não precisa (e talvez nem deva) ser super *high-fat*. Quanto à gordura natural dos alimentos, o intestino das pessoas que já tiveram sua vesícula retirada parece adaptar-se bem, com o tempo.

E se você já tem cálculos na vesícula? Bem, se você tem cólicas biliares, isso se deve ao fato de que a pedra (ou pedras) está obstruindo a saída da vesícula. Neste caso, uma refeição gordurosa, ao desencadear a contração da vesícula, pode desencadear a dor, e é bem provável que você tenha de remover a vesícula e, felizmente, esse é um procedimento simples e rotineiro hoje em dia. Às vezes, cálculos grandes e assintomá-

---

13. STOKES; GLUUD; CASPER *et al.*, 2014.

ticos podem ser deixados em paz. Cálculos pequenos têm o risco potencial de obstruir as vias biliares e provocar pancreatite, uma doença muito séria. Assim, em caso de pedras na vesícula, fale com seu médico sobre as especificidades do seu caso e, se precisar de cirurgia, não se preocupe – poderá manter seu estilo de vida alimentar depois disso.

14

MITO: DIETAS *LOW-CARB* PREJUDICAM OS OSSOS

Certos mitos lembram aqueles patos de borracha que, não importa quantas vezes você tente afundar, sempre voltam à superfície da banheira. De fato, não é raro que eu atenda alguém em consultório que foi advertido por seu médico ou nutricionista de que "essa dieta é muito perigosa, e poderá afetar seus rins, seu fígado, seus músculos e seus ossos". Aparentemente, comer peixe, frango, legumes, salada, abacate e framboesa tem riscos semelhantes à exposição ao plutônio. Sobre os demais mitos da lista já falamos, mas o que têm os ossos a ver com comer menos carboidratos?

Mecanismos são as lajotas que pavimentam o caminho para o inferno, não é mesmo? Ao que tudo indica, tudo isso começou há mais de vinte anos quando um pequeno estudo indicou que mulheres consumindo mais proteínas excretavam mais cálcio na urina. Esse cálcio, naturalmente, deveria estar vindo dos ossos. Logo, mais proteínas na dieta significariam mais perda óssea. Estava plantado o ovo da serpente, que eclodiria em todo tipo de teoria elaborada a fim de explicar de que forma uma dieta *low-carb* dissolveria seus ossos com o tempo.

Todas as teorias envolviam o pH do sangue. Apenas lembrando, pH é uma medida de acidez (ou alcalinidade) de uma solução aquosa.

Água pura tem pH neutro – ou 7, em uma escala que vai de 1 (o mais ácido) até 14 (o mais alcalino).

Uma vertente da teoria se fixava nos corpos cetônicos, aqueles da dieta cetogênica, que são ácidos. Ignorando que a maioria das dietas *low-carb* não são cetogênicas, e que mesmo pessoas que tentam fazer uma dieta cetogênica têm bastante dificuldade em atingir e manter o estado de cetose nutricional, esses autores também confundiam cetose nutricional com uma condição patológica chamada cetoacidose, que ocorre apenas em diabetes tipo 1 e em raros casos de diabetes tipo 2 que já produzem muito pouca insulina – sobretudo quando estão utilizando medicamentos glicosúricos (como já explicado no Capítulo 9, sobre diabetes). Cetoacidose é uma doença grave e aguda que ocorre devido a uma deficiência de insulina, e não a uma deficiência de churros na dieta. Se você não for um diabético tipo 1 (ou tipo 2 dependente de insulina ou usando glicosúricos), você não atingiria o estado de cetoacidose nem querendo, por mais *low-carb* que fosse a sua dieta. Em suma, uma dieta *low-carb* – ainda que cetogênica – não provoca acidose metabólica, uma condição na qual o pH do sangue fica abaixo de sua estreita faixa normal de 7,35 a 7,45.

Mas, e se dieta cetogênica provocasse acidose, o que isso tem a ver com os ossos? A ideia é que o corpo precisaria do cálcio dos ossos para tamponar a acidez. E isso explicaria a maior excreção de cálcio na urina. Mas o fato é que, nos estudos que mostraram esse aumento de excreção de cálcio há mais de vinte anos, a variável testada não foi dieta cetogênica, e sim dieta de alta proteína. Mas o que proteína tem a ver com isso?

Como vimos, o pH da água pura é sete (neutro). As substâncias que misturamos à água fazem seu pH variar. Assim, podemos dizer que um alimento tem uma carga ácida ou alcalina, dependendo daquilo que sobra no corpo após seu metabolismo. Essa carga ácida ou alcalina depende das "cinzas" que seriam formadas por sua "queima". Cálcio alcaliniza (pois forma, por exemplo, $Ca(OH)^2$ – uma base); enxofre acidifica, pois forma ácido sulfúrico; e assim por diante. Se consumimos muitos vegetais, por exemplo, a carga alcalina será maior, devido à grande quantidade de tais minerais formadores de bases. Já as proteínas tendem a ter uma carga predominantemente ácida (especialmente por seu conteúdo de enxofre). Então, reza a lenda, uma dieta rica em proteínas resultará em uma acidose que precisará ser tamponada pelo cálcio dos ossos – e isso explicaria a consequente perda de cálcio na urina e a osteoporose.

Só há três problemas com essa fantasia: 1) quem disse que o pH do sangue é de fato afetado pelo que comemos?; 2) quem disse que o mecanismo de tamponamento do pH para a carga ácida de um alimento envolve o cálcio dos ossos?; e 3) quem disse que o cálcio da urina está vindo dos ossos? Esse, caro leitor, é o problema de basearmos condutas – e ditarmos regras – baseados em mecanismos. Frequentemente, a realidade é diferente do que nosso conhecimento simplório sobre mecanismos faz supor.

1) **O pH do sangue não é afetado pelo que comemos.** Muito do que acontece em nosso metabolismo depende de temperatura e pH estáveis. Já sabemos que a temperatura interna do nosso organismo é altamente regulada por um termostato. Da mesma forma, o pH do sangue oscila em uma estreita faixa entre 7,35 e 7,45. Se você não sofre de insuficiência renal ou respiratória, nada que você coma mudará o pH do sangue de forma significativa. Pode comer um pé de couve inteiro ou um rodízio de churrasco – o pH do sangue não mudará. E ainda bem que não muda, pois tanto a alcalose metabólica (sangue muito alcalino) como a acidose metabólica (sangue muito ácido) são situações muito graves, que você normalmente encontrará em pacientes muito doentes, por vezes internados em CTI ou fazendo hemodiálise. O corpo tem mecanismos, chamados de sistema tampão (o mais importante sendo o do ácido carbônico/bicarbonato), que regulam essa função vegetativa básica. Mas como o organismo consegue lidar com algo tão ácido quanto um vinagre (ácido acético) ou algo tão alcalino quanto uma colher de bicarbonato sem alterar de forma significativa o pH?

Para que você não tenha de se preocupar com isso, existem os rins e os pulmões! Se você consome coisas acidificantes, é a urina que fica mais ácida. Por exemplo: qualquer grão, integral ou não, e qualquer produto de origem animal vai acidificar a urina. Alimentos com carga líquida alcalina alcalinizam a urina – exemplo: frutas cítricas, vegetais folhosos. O pH da urina muda para que o pH do corpo não mude. A urina fica contida e isolada na bexiga, que é impermeável, a fim de manter essa diferença de pH.

2) Nos pacientes com acidose metabólica crônica – por exemplo, aqueles com insuficiência renal crônica, nos quais os rins não conseguem regular o pH do corpo como descrito acima – de fato ocorre desmineralização óssea. Mas o sangue dessas pessoas não ficou um pouco mais ácido porque elas comeram picanha – foi por uma doença nos rins! Para que pudesse ser verdade que consumir uma dieta mais rica em proteína fosse causar perda de massa óssea por motivos de pH, seria necessário que o pH mudasse por causa da dieta – o que não é verdade.

3) Mas, até aqui, só falamos de mecanismos. Quem sabe alguém poderia fazer a gentileza de medir essas coisas? Os ossos perdem cálcio por causa da proteína na dieta? E os ossos ficam mais frágeis? São esses os desfechos concretos que interessam. A resposta é não, não há perda de massa óssea, pelo contrário.

Um dos estudos mais importantes para começar a pôr fim a esses equívocos foi publicado em 2006. O artigo "O efeito de uma dieta de baixo carboidrato sobre a remodelação óssea"[1] recrutou trinta voluntários e os dividiu em dois grupos de quinze. Um grupo seguiu sua dieta habitual e o outro foi submetido a uma dieta *very low-carb* com 20 g de carboidratos no primeiro mês e 40 g no segundo e terceiro mês. Foram medidos os valores de marcadores de renovação óssea, pois o que queremos saber é se há perda de massa óssea, e não se há excreção de cál-

1. CARTER, J. D.; VASEY, F. B.; VALERIANO *et al.*, 2006.

cio na urina. Qual foi a única diferença em três meses? Nas palavras dos autores:

> Embora os pacientes em dieta low-carb tenham perdido significativamente mais peso do que os controles, a dieta não aumentou os marcadores de remodelação óssea comparado com os controles em nenhum momento. Além disso, não houve mudança significativa na taxa de remodelação óssea em comparação aos controles.

Mas então de onde está vindo o (pequeno) aumento da excreção de cálcio na urina dessas pessoas, se não vem dos ossos?

Um estudo de 2003[2] já demonstrava que o efeito de uma dieta com mais proteína é **aumentar a absorção intestinal de cálcio**, e é esse o motivo da excreção levemente aumentada de cálcio na urina. Pare um pouco para refletir sobre isso. Há décadas (e inclusive nos dias de hoje) profissionais de saúde – que deveriam estar mais bem informados – afirmam que "essa dieta poderá causar osteoporose" pois a acidez gerada pelo consumo de proteína vai dissolver os ossos, e a prova disso é o aumento da excreção de cálcio na urina. A realidade? O que você come não afeta significativamente o pH do sangue, mas uma dieta mais rica em proteína melhora a eficiência da absorção de cálcio do seu intestino, melhorando, assim, a oferta desse mineral para os ossos. É literalmente o oposto – equivale a suplementar cálcio na dieta.

Gosto muito de um estudo de 2011[3], cujo título é tão informativo que tudo o que você precisa saber já está contido nele mesmo: "Uma dieta rica em proteína de carne e em carga ácida renal potencial aumenta a absorção fracional de cálcio e sua excreção renal sem afetar os marcadores de reabsorção ou de formação óssea em mulheres pós-menopáusicas". Eu não conseguiria resumir isso melhor em uma frase.

Eu poderia ficar citando muitos outros estudos (e acredite: eles existem!), mas seria enfadonho e serviria apenas para reforçar o que já

---

2. KERSTETTER; O'BRIEN; INSOGNA, 2003.
3. CAO; JOHNSON; HUNT, 2011.

foi dito. Mas gostaria de salientar outro aspecto importante, que muitas vezes passa batido. Os ossos não são feitos apenas de minerais como cálcio e fósforo: eles não são pedras. São tecidos vivos, e seu principal elemento estrutural é o colágeno – uma proteína. Assim como no caso dos músculos, o elemento mais importante para a saúde dos ossos e dos tendões é o consumo adequado de proteína e o exercício envolvendo sobrecarga – ou seja, treinos de força.

Isso significa que não apenas o mito de que um consumo aumentado de proteína poderia ser prejudicial aos ossos por alterar o pH do sangue é falso – é literalmente o oposto da realidade. E isso não sou eu quem diz. Isso já é uma posição oficial da Fundação Nacional de Osteoporose dos Estados Unidos, publicada na forma de uma revisão sistemática e metanálise de 2017 no *American Journal of Clinical Nutrition*[4]. O estudo conclui que

> [...] as evidências atuais não mostram efeitos adversos de maior ingestão de proteínas. Embora houvesse tendências **positivas** na densidade mineral óssea, na maioria dos sítios ósseos, apenas a coluna lombar apresentou evidência moderada para sustentar os benefícios da maior ingestão proteica. (SHAMS-WHITE et al., 2017)

Ou seja, em 2017 já nem se discutia a hipótese cientificamente incorreta de que o consumo de proteínas pudesse ser deletério para um órgão composto de proteína, como é o caso dos ossos (e dos tendões e músculos) – isso seria um completo disparate. A discussão é sobre o quão benéfico é o consumo maior de proteína para evitar osteoporose – existem algumas evidências de benefício para vários pontos do esqueleto, mas os benefícios mais comprovados são para a coluna lombar. **Benefícios**, eu disse.

É importante também sublinhar que há consenso sobre a importância de aumentar o consumo de proteínas nos idosos. A síntese proteica é menos eficaz (nos músculos e nos ossos), tornando necessário

---

4. SHAMS-WHITE; CHUNG; DU et al., 2017.

um maior aporte[5]. Aliás, o estudo de Framingham (sempre ele) já mostrava isso[6]:

> A menor ingestão de proteína foi significativamente relacionada à perda óssea nos locais do fêmur e da coluna [...]. **Pessoas no quartil mais baixo de ingestão de proteínas apresentaram a maior perda óssea.** Semelhante ao efeito geral da proteína, a menor porcentagem de proteína animal também foi significativamente relacionada à perda óssea [no] fêmur e da coluna [...]. Mesmo após o controle de fatores de confusão conhecidos, incluindo perda de peso, mulheres e homens com ingestão proteica relativamente baixa tiveram aumento da perda óssea, sugerindo que **a ingestão proteica é importante na manutenção ou minimização da perda óssea em idosos.** Além disso, a maior ingestão de proteína animal não parece afetar negativamente o esqueleto nesta população idosa. (HANNAN et al., 2000)

O fascinante no que tange aos mitos sobre *low-carb* é que um chimpanzé que fizesse escolhas binárias aleatórias erraria apenas metade das vezes. No mundo da nutrição, parece haver um forte vetor no sentido do erro deliberado – de afirmar o oposto da realidade. A implausibilidade de se errar tanto e de forma tão crassa sugere, para mim, que o motivo é mais de natureza ideológica do que apenas ignorância. No afã de tentar manter a coerência, de reafirmar que a restrição de carboidratos não passa de uma "dieta da moda", disseminam-se mitos verdadeiramente constrangedores. É a versão científica de *fake news*: se colar, colou.

---

5. NOWSON; O'CONNEL, 2015.
6. HANNAN; TUCKER; DAWSON-HUGHES et al., 2000.

15

MITO: DIETAS *LOW-CARB* CAUSAM ÁCIDO ÚRICO E GOTA

A gota é uma patologia que causa muita dor – uma artrite causada pela precipitação e acúmulo de cristais de ácido úrico na articulação. O mais comum é que haja o envolvimento de uma única articulação, em geral com muita dor, inchaço e, por vezes, vermelhidão. O dedão do pé parece ser um dos alvos prediletos.

Normalmente os níveis de ácido úrico estão elevados – em geral acima de 6,8 mg/dL. Mas é curioso que a maioria das pessoas com ácido úrico elevado jamais desenvolverá gota. Mas, e o que é o ácido úrico?

O ácido úrico é um subproduto do metabolismo das purinas. Purinas são uma classe de moléculas orgânicas, presentes em animais e plantas. A cafeína nossa de cada dia é uma purina. Da mesma forma, a teobromina, presente no chocolate e no guaraná, é uma purina. E as purinas estão dentro de nós, dentro de cada célula. Das quatro letras do nosso alfabeto genético – A, T, G, C – duas, Adenina e Guanina, são purinas. Cada célula nossa contém, em seu DNA, cerca de três bilhões de pares de bases. Aproximadamente metade delas é composta de purinas. E tem mais: a molécula que nossas células usam como a moeda das trocas energéticas – o ATP. A letra A do ATP é adenosina (a mesma adenina ligada a um açúcar chamado ribose). Cada molécula de ATP (e são muitas) de cada uma de nossas células contém portanto uma purina. E todas essas coisas, quando são degradadas pelo metabolismo, terminam com a formação de ácido úrico que, como o nome sugere, é eliminado pelos rins na urina.

Quando consumimos alimentos compostos de seres vivos (o que deveria ser quase tudo o que comemos), as purinas estarão lá. Quanto mais células, quanto mais núcleos nestas células, mais DNA teremos – e mais purinas. Assim, as purinas não estão presentes apenas na carne vermelha, como muitos pensam. Basta um tecido ser densamente povoado por células – como ocorre em músculos (carne de qualquer tipo) e órgãos (vísceras como fígado, por exemplo) – para que seja alto em purinas. Os vegetais costumam ter uma densidade celular menor – têm mais água e fibras. Mas eles também contêm purinas e, quando são desidratados – como é o caso de grãos e sementes –, a quantidade de purinas é grande também. Sardinhas contêm quase quatro vezes mais purinas do que carne vermelha. Peito de frango contém um pouco mais que a carne vermelha. Grãos integrais de todos os tipos contêm muitas purinas.

E o que tem poucas purinas? Alimentos refinados, compostos fundamentalmente de amido. As farinhas brancas refinadas e, portanto, quaisquer pães, massas e biscoitos feitos com esses ingredientes. Açúcar também não contém purinas – afinal, o processo de refino dos amidos e açúcares elimina quase tudo o que é nutritivo nessas plantas – e as purinas estão nessa parte eliminada.

Assim como nos demais mitos, o mito de que dietas *low-carb* provocam gota ou a pioram é baseado em pensamento simplista e mecanismos – aqueles que pavimentam o caminho para o inferno. O mito é mais ou menos assim: se o ácido úrico é derivado das purinas, devemos evitar alimentos ricos em purinas, e com isso reduziremos os ataques de gota. Então, uma dieta na qual se consome muita carne irá piorar a gota. Logo, *low-carb* causa gota e quem tem gota não pode fazer *low-carb*.

Mas e o que os estudos mostram? Qual a evidência de que uma dieta pobre em carboidratos piora ou causa gota? Qual a evidência de que uma dieta pobre em purinas – que muitos médicos e nutricionistas recomendam para pacientes com gota – efetivamente reduz os ataques de gota?

Lembra do estudo DIRECT de 2008, aquele no qual trezentas pessoas foram randomizadas para uma dieta Atkins (*low-carb*) com calorias liberadas, uma dieta mediterrânea com restrição de calorias ou uma dieta *low-fat* (de baixa gordura) com restrição de calorias? Falamos bastante sobre ele no Capítulo 3 e em outros capítulos – por ter sido um estudo muito bem conduzido com duração de 24 meses.

Uma análise secundária desse estudo foi conduzida com sangue dos participantes que havia sido congelado – de forma que permitisse análises que não haviam sido feitas na época[1]. Dez anos depois, essas amostras foram descongeladas para que se pudesse avaliar o que aconteceu com o ácido úrico das pessoas em cada dieta. Segundo o mito, o ácido úrico das pessoas sorteadas para a dieta Atkins deveria ter disparado, visto que os alimentos liberados incluíam carnes, peixe, frango, ovos, vísceras até a saciedade. Mas não foi isso que aconteceu.

Figura 15.1

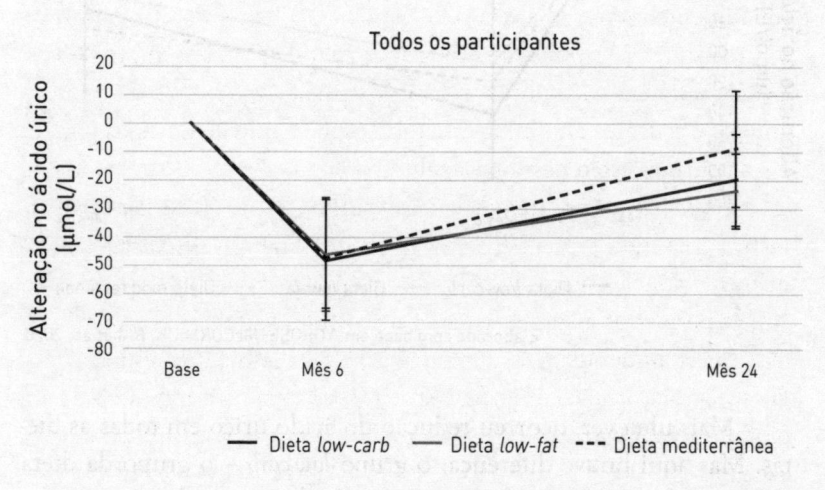

Elaborado com base em: YOKOSE; McCORMICK; RAI *et al.*, 2020.

----
1. YOKOSE; McCORMICK; RAI *et al.*, 2020.

Na Figura 15.1, o que se vê é que o ácido úrico foi reduzido exatamente na mesma proporção em todos os grupos – o fato de a dieta ter sido mais ou menos rica em purinas não teve nenhum efeito. O que houve de comum a todos os três grupos? Emagrecimento. Observe que houve uma recuperação parcial dos níveis de ácido úrico aos 24 meses. Mais uma vez, isso coincidiu com o reganho gradual do peso perdido.

Mas e o que aconteceu com as pessoas que, já no início do estudo, apresentavam ácido úrico elevado? O que aconteceria com alguém nessas condições que é sorteado para uma dieta rica em carne, e com permissão de comer até a saciedade? Certamente deve ter piorado muito, certo? Afinal, é o que todos dizem, não é mesmo?

Figura 15.2

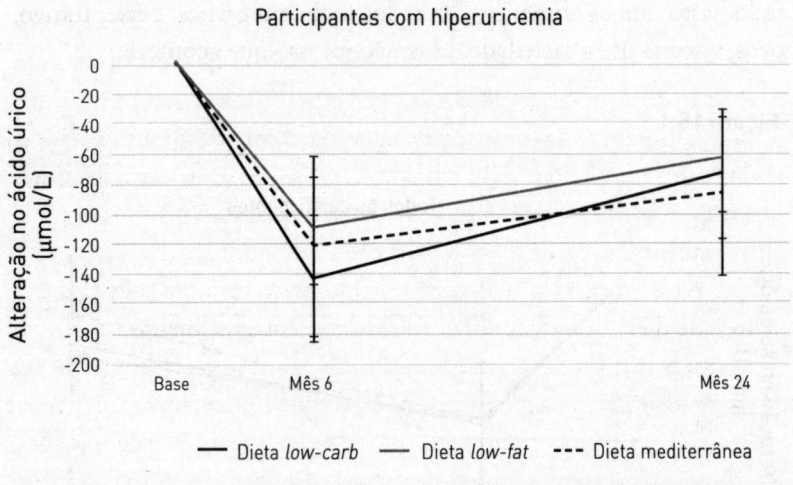

Participantes com hiperuricemia

— Dieta *low-carb*   — Dieta *low-fat*   --- Dieta mediterrânea

Elaborado com base em: YOKOSE; McCORMICK; RAI *et al.*, 2020.

Mais uma vez, ocorreu redução do ácido úrico em todas as dietas. Mas aqui houve diferença: o grupo *low-carb* – o grupo da dieta Atkins – teve uma queda mais acentuada do que os demais grupos. Como é possível, visto que esse grupo tem mais purinas na dieta do que os demais?

MITO: DIETAS *LOW-CARB* CAUSAM ÁCIDO ÚRICO E GOTA

Acontece que apenas cerca de 1 mg/dL do ácido úrico em nosso sangue vem das purinas que consumimos. A grande maioria do nosso ácido úrico é endógeno, isto é, é subproduto da degradação das nossas próprias purinas – que, como vimos, não são poucas. Lembram-se de quando falamos que o próprio Ancel Keys, o pai da moderna teoria dieta-coração, disse que o colesterol na dieta não era relevante? Ele testou voluntários com dietas pobres e ricas em colesterol e o colesterol no sangue variou muito pouco. Por quê? Porque a maior parte do colesterol em nosso sangue é produzida pelo nosso próprio fígado. A ênfase em mecanismos e o pensamento simplista gera os incontáveis mitos da nutrição.

A verdade é que boa parte das pessoas que têm ácido úrico elevado também tem síndrome metabólica. A hiperuricemia (elevação do ácido úrico) é, assim como a gordura no fígado, parte da síndrome descrita por Gerald Reaven – embora não faça parte dos 5 critérios diagnósticos originais. E o que a síndrome metabólica teria a ver com a elevação do ácido úrico? Mais uma vez, o problema envolve a insulina. Vamos lembrar que o que caracteriza a síndrome metabólica é a resistência à insulina, e que isso, por sua vez, leva a níveis elevados desse hormônio: a hiperinsulinemia compensadora. E essa insulina elevada atua sobre os rins, reduzindo a excreção de ácido úrico.

E é esse o motivo pelo qual o ácido úrico caiu em todos os três grupos de dieta neste estudo: porque houve emagrecimento e melhora da resistência à insulina em todos eles. E por que o ácido úrico caiu mais com *low-carb* justamente nas pessoas que tinham ácido úrico mais elevado? Porque estas eram as pessoas com mais resistência à insulina, e a resistência à insulina melhorou mais com *low-carb*, como sói ocorrer. Os autores do estudo fizeram uma análise multivariada na qual a quantidade de peso perdido e a redução dos valores de insulina foram os únicos preditores de quanto o ácido úrico cairia.

Mas o estudo citado não investigou pessoas com gota. O que será que aconteceria com pessoas que não apenas apresentam ácido úrico elevado, mas que têm, de fato, crises frequentes de gota – se tais pessoas reduzissem os carboidratos e aumentassem as proteínas? Ou seja, se elas fizessem o contrário do que indicam as diretrizes? Um pequeno estudo-piloto foi publicado há mais de vinte anos[2] para tentar responder a essa pergunta. Intitulado "Efeitos benéficos da perda de peso associada à restrição moderada de calorias/carboidratos e aumento proporcional da ingestão de proteína e gordura insaturada nos níveis séricos de ácido úrico e lipoproteínas na gota: um estudo piloto", o estudo recrutou treze pacientes não diabéticos mas com pelo menos dois ataques de gota nos últimos quatro meses.

....

Os autores do estudo fizeram uma análise multivariada na qual a quantidade de peso perdido e a redução dos valores de insulina foram os únicos preditores de quanto o ácido úrico cairia.

....

Assim como no estudo anterior, observou-se queda nos níveis de ácido úrico em todos os treze pacientes – muito embora a dieta tivesse 30% de proteínas e não fosse restrita em purinas:

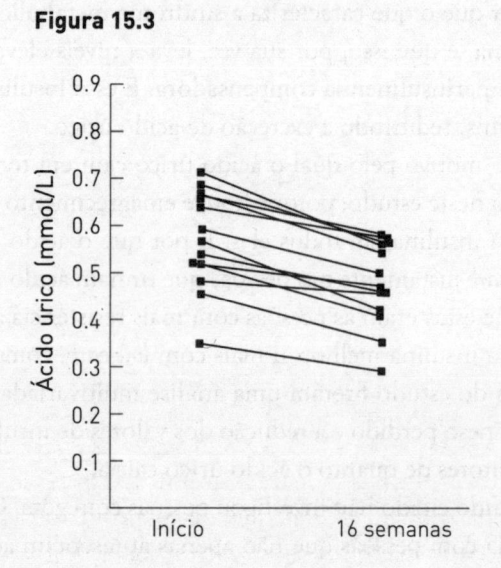

Figura 15.3

Elaborado com base em: DESSEIN; SHIPTON; STANWIX et al., 2000.

....
2. DESSEIN; SHIPTON; STANWIX et al., 2000.

MITO: DIETAS *LOW-CARB* CAUSAM ÁCIDO ÚRICO E GOTA   345

Cada linha unindo dois pontos é um dos treze pacientes. Após quatro meses de uma dieta com menos carboidratos e mais proteínas (mas com restrição calórica e perda de 7,7 kg), todos reduziram seus níveis de ácido úrico.

Mas ácido úrico é um desfecho substituto. O que importa mesmo é ter ou não gota – um desfecho concreto. O que aconteceu com os ataques de gota desses pacientes (que foram selecionados por terem ataques com muita frequência)?

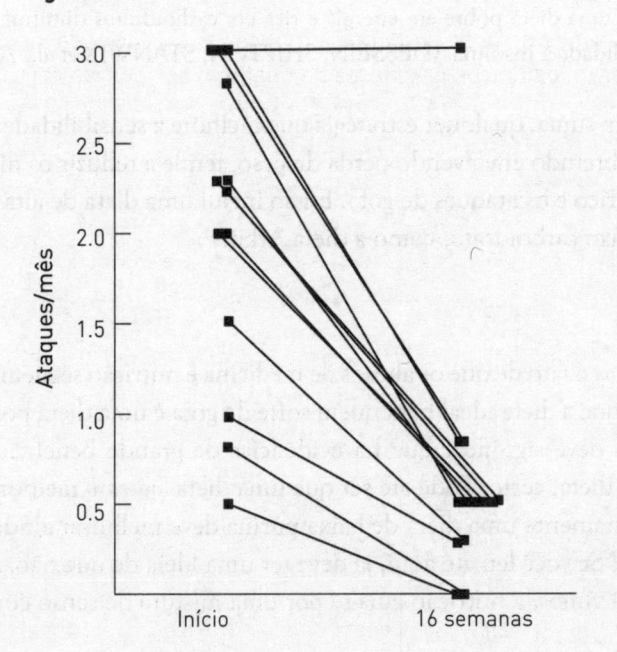

Figura 15.4

[Gráfico: eixo Y "Ataques/mês" de 0,5 a 3,0; eixo X com pontos "Início" e "16 semanas"; treze linhas conectando valores iniciais a valores finais, todas com tendência decrescente exceto uma.]

Elaborado com base em: DESSEIN; SHIPTON; STANWIX *et al.*, 2000.

Como se vê, com exceção de um paciente, todos os outros doze tiveram redução da frequência de ataques de gota com a adoção de uma dieta que, repito, tem mais proteínas e menos carboidratos – e que não é pobre em purinas.

Os autores desse estudo-piloto sabiam perfeitamente que o que mais importa para a gota é a resistência à insulina. A primeira frase do artigo é "Gota e a síndrome de resistência à insulina têm várias coisas em comum". E por que escolheram uma dieta com mais proteína, mesmo sendo mais rica em purinas?

A redução de peso aumenta a sensibilidade à insulina e reduz os níveis de insulina e de triglicerídeos. Além disso, a proporção dos diferentes macronutrientes afeta a sensibilidade à insulina. Uma dieta pobre em energia e rica em proteínas melhora a sensibilidade à insulina, enquanto uma dieta pobre em energia e rica em carboidratos diminui a sensibilidade à insulina. (DESSEIN; SHIPTON; STANWIX et al., 2000)

Em suma, qualquer estratégia que melhore a sensibilidade à insulina, sobretudo envolvendo perda de peso, tende a reduzir os níveis de ácido úrico e os ataques de gota. E isso inclui uma dieta de alta proteína e baixo carboidrato, como a dieta Atkins[3].

* * *

Mas o fato de que os alunos de medicina e nutrição seguem aprendendo que a dieta ideal para quem sofre de gota é uma dieta pobre em purinas deve significar que há evidências de grande benefício desse tipo de dieta, certo? Pode até ser que uma dieta *low-carb* melhore gota, mas certamente uma dieta de baixa purina deve melhorar ainda mais, correto? Se você leu até aqui, já deve ter uma ideia de que não. Afinal, como já vimos, a nutrição guia-se por uma mistura de senso comum e

---

3. Nos pacientes com ácido úrico elevado ou gota, pode haver um aumento inicial dos valores no início de uma dieta *low-carb*. Isso acontece por dois motivos: a competição entre corpos cetônicos e ácido úrico pela excreção renal (quando mais corpos cetônicos são excretados, há redução da excreção de ácido úrico), e o aumento do consumo de purinas. Sabemos que a melhora do quadro metabólico vai produzir, no final, uma redução do ácido úrico e da gota. Acontece que a melhora da síndrome metabólica e da resistência à insulina, ligadas ao emagrecimento e à redução da gordura visceral, não é imediata. Assim, em pacientes com valores muito altos de ácido úrico ou com gota, pode ser adequado o uso de medicação para redução do ácido úrico até que ocorra a melhora/remissão da síndrome metabólica.

mecanismos, prestando pouca atenção a ensaios clínicos com desfechos concretos.

A verdade é que a dieta – difícil de seguir e nutricionalmente inadequada – que é orientada para pacientes com gota jamais demonstrou ser útil para gota em ensaios clínicos randomizados[4]. Mas tem um grande potencial de piorar as coisas.

Ao pesquisar sobre dieta para gota, o que encontramos são orientações que parecem destinadas a piorar a síndrome metabólica. Na edição de 2018 do livro *Krause*[5], livro-texto muito adotado nas faculdades de nutrição do Brasil, lê-se por exemplo que "é prudente aconselhar os pacientes a consumir um plano de refeições **equilibrado**, com consumo limitado de alimentos de origem animal e cerveja, evitando alimentos com alto teor de purinas". O leitor é então orientado a olhar as tabelas para escolher os alimentos com menor teor de purinas. Com o subtítulo "Conteúdo de purina insignificante: os alimentos incluídos nesse grupo podem ser consumidos diariamente", vem uma lista que inclui: pão branco e bolachas, bolo, *cookies*, cereais e produtos derivados de cereais, broa de milho, sorvete, macarrão, talharim, pipoca, pudins e arroz (açúcar e doces aparece com um asterisco indicando *"com moderação"*). Por outro lado, em uma tabela intitulada "Os alimentos nesta lista devem ser omitidos da dieta de pacientes que apresentam gota", encontram-se enchovas, carne moída, mexilhões, perdiz, sardinhas, vieiras, coração, arenque, rim e cavala. Espero que não escape ao leitor a ironia de que, em uma doença associada à resistência à insulina, excesso de peso e diabetes, diversos peixes e frutos do mar devem ser "omitidos" da dieta, mas pão branco, bolachas, arroz, macarrão e pudins estão liberados. Também é curioso que se fala o tempo todo em reduzir a carne vermelha, mas a tabela na qual estão os alimentos com mais purinas é fundamentalmente composta de frutos do mar, peixes e aves (com exceção da carne moída). Lembrando que o ensaio clínico citado anteriormente mostrou que uma dieta com mais peixes e menos carboidratos melhorou o ácido úrico e os ataques de gota, e que a

---
4. KULASEGARAN; DALBETH *et al.*, 2016.
5. MAHAN; ESCOTT-STUMP; RAYMOND, 2018.

dieta de baixa purina não demonstrou eficácia em ensaios clínicos randomizados. Lembrando também que uma dieta Atkins, composta de toda a lista proibida nesse livro, e que elimina toda a lista dos alimentos que, segundo o livro, poderiam ser consumidos diariamente, foi a que mais reduziu o ácido úrico dos pacientes com hiperuricemia. Eis os riscos que se corre ao adotar condutas baseadas em mecanismos. Mesmo sem haver evidências de ensaios clínicos, adota-se algo. O motivo? "É prudente". **É a distopia da nutrição: prudência significa menos peixe e mais pudim.**

> É a distopia da nutrição: prudência significa menos peixe e mais pudim.

Sublinhando o fato de que as purinas da dieta são pouco importantes no manejo da gota, está o fato que uma das coisas que mais aumentam os níveis de ácido úrico é a frutose. E a frutose, obviamente, não contém purinas. Como isso é possível? É que a frutose aumenta a degradação de purinas endógenas (não vou cansar o leitor com os detalhes dos mecanismos, até porque já sabemos que, para nós, eles são irrelevantes – importa o desfecho concreto – que há aumento agudo do ácido úrico). Portanto o que mais eleva o ácido úrico no sangue não é coração de galinha, vieiras ou sardinhas, muito menos carne vermelha. É o açúcar (lembre-se de que 50% do açúcar de mesa é composto de frutose). Da mesma forma, sucos de fruta (mesmo que naturais ou integrais) e outras fontes de frutose e sacarose. O problema dos mitos é que se incorporam à cultura e ao senso comum. É muito provável que um paciente com gota seja encontrado evitando um churrasco e bebendo suco de uva – para desespero de seu dedão do pé.

* * *

Anos atrás, atendi um paciente diabético com obesidade e síndrome metabólica. Ele tinha um histórico de gota e utilizava medicação para manter o ácido úrico baixo (alopurinol). Indiquei a ele que adotasse uma dieta de baixo carboidrato (literalmente o contrário da dieta "prudente" recomendada para gota). O paciente perdeu 18 quilos e colocou o diabetes e a síndrome metabólica em remissão. Como ácido úrico elevado é, na maioria das vezes, consequência da resistência à insulina, decidi suspender o alopurinol – e o ácido úrico permaneceu normal. Foi apenas então que o paciente disse: "sabe por que eu engordei e fiquei diabético?". E contou a seguinte história: "quando eu era mais jovem, eu era magro e praticava esportes. Até que, um dia, eu tive uma crise de gota – foi muito doloroso! Fui então orientado a evitar carnes, peixes e frutos do mar (carne vermelha nem pensar), mas poderia comer à vontade arroz, batata, pão, massa etc. Fui engordando, e o ácido úrico aumentou, e desde então faço uso de alopurinol. Acabei desenvolvendo diabetes".

Quando digo que a ênfase em mecanismos pavimenta o caminho para o inferno, é a isso que me refiro. Em um modelo extremamente simplista, a ideia deveria funcionar. Gota ocorre por excesso de ácido úrico, que é produto final do metabolismo das purinas. Ora, basta eliminar as purinas da dieta – é tão óbvio! Na prática, a troca do peixe pelo pudim, da carne pelo pão provoca ganho de peso e resistência à insulina, e a hiperinsulinemia resultante faz com que haja menor excreção de ácido úrico na urina. E é assim que as melhores intenções produzem desastres. Mecanismos teóricos servem apenas para levantar hipóteses, e não para ditar condutas. A realidade – que as pessoas emagrecem e melhoram a síndrome metabólica, o que inclui a gota, com *low-carb* – tem primazia sobre os mecanismos.

EPÍLOGO

Este livro não tem como objetivo convencê-lo de que todas as pessoas deveriam seguir uma dieta *low-carb*. Não resta dúvida de que é possível ser saudável consumindo uma dieta alta em carboidratos e baseada principalmente em plantas, por exemplo. Um estudo de 2017 gerou manchetes no mundo todo[1] ao anunciar que os Tsimane, povo indígena que vive nas florestas ao norte da Bolívia, tinha o coração mais saudável do mundo. A dieta desse povo era composta do que conseguiam caçar e coletar (incluindo porcos selvagens, antas, capivaras, peixes, frutas silvestres e nozes), além de uma agricultura de subsistência composta de arroz, milho, mandioca e banana-da-terra. Os pesquisadores calcularam que 72% das calorias consumidas pelos Tsimane eram oriundas de carboidratos. É bem verdade que a totalidade da alimentação era *in natura* ou minimamente processada e que os carboidratos eram todos altamente fibrosos. E antes que você conclua que o alto carboidrato é o segredo da vida longa, lembre-se de que essas populações vivem em um ambiente livre de poluição ou estresse crônico, com grande carga de atividade física intensa diária, e não apre-

---
1. KAPLAN; THOMPSON; TRUMBLE *et al.*, 2017.

sentam obesidade, diabetes ou síndrome metabólica. Comer arroz e milho na frente da televisão não produz coronárias felizes.

A literatura científica indica ainda outros padrões alimentares associados com bons desfechos de saúde, com destaque para a dieta mediterrânea. De fato, é difícil encontrar alguma publicação científica ou matéria jornalística que não coloque a dieta mediterrânea como saudável ou recomendável. Dietas vegetarianas gozam também da mesma preferência. É bem verdade que populações que seguem esse tipo de alimentação são sabidamente *health conscious*, de modo que tendem a ter bons desfechos independentemente de a dieta ser ou não a causa (revisite o "viés do paciente bem comportado", no Capítulo 12).

Então, por que um livro em defesa da dieta *low-carb*? Porque dietas como a mediterrânea e a vegetariana não precisam ser defendidas – elas já são promovidas constantemente pela mídia e por profissionais de saúde. As dietas de baixo carboidrato, por outro lado, são vilipendiadas, maltratadas, caluniadas. E, como vimos, isso se dá por conta de mitos sem fundamento e por ignorância quanto ao robusto arcabouço científico que lhes dá sustentação. Posto de outra forma: dietas *low-carb* precisam ser defendidas.

Não somos os Tsimane. A grande maioria da nossa população tem sobrepeso ou obesidade. Boa parte tem resistência à insulina e síndrome metabólica, que, por sua vez, são fatores de risco para uma litania de males que incluem doença cardiovascular, diabetes, câncer e Alzheimer. Como tentamos demonstrar de forma convincente, uma dieta *low-carb* é altamente eficaz para reverter esse quadro. Não é a única forma de fazê-lo, mas é uma das poucas que não requer passar fome e que pode ser feita com comida de verdade, sem suplementos ou medicamentos. Na situação em que nos encontramos, precisamos de mais opções, não de menos.

A epidemia de diabetes é um fato, e não faltam estimativas quanto ao ano em que o sistema de saúde dos diferentes países entrará em colapso por sua causa. A dieta dos Tsimane, com seus 72% de carboidratos naturais e no contexto daquele estilo de vida, não causa diabetes. Mas, uma vez que as pessoas tenham desenvolvido a doença, uma dieta com 72% de carboidratos, ainda que não ultraprocessados, seria um desastre. Dietas *low-carb* são uma solução possível para um problema potencialmente intratável. Mas, para isso, é indispensável que os profissionais de saúde entendam que não se trata apenas de mais uma "dieta da moda" e não repitam mitos sem fundamento. Mudar de hábitos não é fácil, mesmo quando há todo tipo de incentivo. As pessoas não precisam que a sociedade em geral – e os profissionais de saúde em particular – lhes interponha ainda mais obstáculos.

Uma das histórias mais recorrentes que ouvi nos últimos doze anos é mais ou menos assim: "anos atrás, eu li o livro do doutor Atkins, segui a dieta e perdi vinte quilos sem passar fome e sem fazer esforço. Então, meu médico disse: 'pare já com essa loucura! Essa dieta da proteína até emagrece, mas vai lhe matar do coração e acabar com seus rins'. Então, eu parei, ganhei os vinte quilos novamente e hoje estou diabético". É uma história triste e desnecessária.

Se este livro tiver servido para mudar a atitude de alguns profissionais de saúde e para tranquilizar alguns pacientes, terá cumprido a sua função.

AGRADECIMENTOS

Meu envolvimento com *low-carb* começou em abril de 2011 por puro acaso, quando escutei uma entrevista do autor e jornalista Gary Taubes em um *podcast* chamado *Skepticality*, que fazia parte da divulgação de seu mais recente livro: *Por que engordamos e o que fazer para evitar*. Fascinado pelo que ouvi, comprei o livro imediatamente e, poucos dias depois, comecei a experimentar essa nova forma de se alimentar. Essa experiência viria a ser transformadora de formas que eu jamais poderia imaginar. Sou, portanto, eternamente grato a Gary Taubes por me ter despertado o interesse por esse estilo de vida. Passariam mais de seis meses até aceitar a sugestão da minha amiga e colega doutora Larissa Centeno para escrever um *blog*. Obrigado, Lari, pela dica! Eu, que nem sabia direito o que era um *blog*. Doze anos depois e 20 quilos a menos, sou eu quem se encontra no processo de divulgar um livro.

Comecei a escrever postagens que, em um primeiro momento, apenas resumiam o que eu aprendera nos livros que eu lia sem cessar. Ao mesmo tempo, começava a checar fontes, ler os estudos científicos, os quais tentava resumir em postagens a um só tempo inteligíveis para o leitor leigo e sempre baseadas em evidências, para contar com o respeito dos profissionais de saúde. Em determinado momento, o *blog* viralizou e o número de acessos passou a aumentar sem parar. Comecei a interagir com os leitores, que me faziam perguntas as quais, por sua vez, geravam mais postagens para tentar responder aos questionamentos com profundidade. Preciso agradecer a cada um dos leitores que tornaram esse processo possível.

Os anos passaram e em maio de 2017 recebi um *e-mail* de um endocrinologista de São Paulo – Rodrigo Bomeny – que dizia que meu *blog* tinha sido fundamental para mudar a forma como ele orientava seus pacientes. Rapidamente nos tornamos amigos *on-line*, mas nunca imaginei que essa amizade da internet resultaria em uma grande amizade e em projetos conjuntos, como o curso "Diabetes: a solução", que treinou tantas centenas de profissionais de saúde no manejo dessa patologia com o emprego da estratégia de baixo carboidrato. Ainda nos idos de 2017, Rodrigo me enviou um pequeno *e-book* no qual havia organizado as postagens do meu *blog* por assunto – um índice das postagens – que ele distribuía a seus pacientes. Foi nesse momento que percebi que eu precisava escrever um livro. O *blog* tinha muito conteúdo, mas era disperso – faltava uma narrativa coesa. Sou muito grato ao Rodrigo Bomeny por todo o apoio, a parceria, a amizade, os ensinamentos e por ter sido a primeira pessoa a reacender seriamente em mim a ideia de escrever um livro: uma ideia que eu tive pela primeira vez em 2015 e havia abandonado.

Este livro não foi uma construção linear. Em 2015 eu comecei a escrever o primeiro capítulo, mas não consegui dar seguimento. E o projeto ficou engavetado por vários anos, mesmo depois do estímulo do Rodrigo Bomeny. Mas o Rodrigo ganharia uma aliada formidável: minha esposa Sarita Fontana. Sob pressão cerrada, retomei o projeto de 2015, escrevi mais um capítulo e dei para a Sari ler. O ano era 2019. Ela gostou muito e não largou mais do meu pé. O estímulo, o apoio e a insistência dela foram as poderosas forças que venceram a minha procrastinação. Não fosse por ela, este livro teria permanecido para sempre como uns poucos arquivos na nuvem. Isso e incontáveis outros projetos. Não tenho palavras para agradecer!

Após um hiato de mais dois anos, o projeto foi retomado e não parou mais. E então passei a contemplar as possibilidades. Deveria fazer uma autopublicação ou buscar uma editora? Quando parei para pensar no objetivo disso tudo – divulgar para um público amplo, diferente daquele que já me conhecia por causa do *blog* – a opção correta ficou óbvia: precisava de uma editora de grande reputação e capilaridade. Agradeço ao amigo e bibliófilo João Armando Nicotti por ajudar a navegar esse mar de possibilidades.

Ter recebido uma resposta positiva da Editora WMF poucas semanas após enviar os originais foi um momento inesquecível, e tenho muita gratidão à Luciana Veit, ao Felipe Novo e, claro, ao Alexandre Martins Fontes, que acreditaram desde o princípio neste projeto de um escritor neófito.

Muitas pessoas leram total ou parcialmente os manuscritos – uma tarefa por vezes enfadonha – sugerindo alterações, fazendo correções e ajudando a melhorar este livro que, como todos, nasceu imperfeito. Minha gratidão a Gabriela Furlin, William Rutzen, Larissa Centeno, Rodrigo Bomeny, Leo Costa, João Armando Nicotti, Augustus Fernandes, Rafael Lund e José N. Alencar. E, claro, à minha querida esposa, que além de ter sido a força motriz por trás de todo esse projeto, ajudou a revisar todo o manuscrito. E há aqueles que apoiaram e viabilizaram esse projeto de diversas formas, como meu amigo Arthur Gerdau Johannpeter.

Cabe ainda um agradecimento especial à minha editora, Márcia Leme, que converteu um monte de arquivos de texto com montes de pequenos erros na obra que você tem em suas mãos e, ao agradecer a ela, agradeço também aos demais editores, revisores e diagramadores da WMF.

Por fim, agradeço a paciência dos meus amigos e familiares com as minhas ausências e pouca disponibilidade durante esse processo. Mas valeu a pena.

REFERÊNCIAS BIBLIOGRÁFICAS

ANDERSON, K. M.; CASTELLI, W. P.; LEVY, D. Cholesterol and Mortality: 30 Years of Follow-up From the Framingham Study. JAMA, v. 257, n. 16, pp. 2176-2180, 1987.

ANTONIO, J.; ELLERBROEK, A.; SILVER, T. *et al.* A High Protein Diet Has No Harmful Effects: A One-Year Crossover Study in Resistance-Trained Males. *J Nutr Metab*, 2016.

ARAÚJO, J.; CAI, J.; STEVENS, J. Prevalence of Optimal Metabolic Health in American Adults: National Health and Nutrition Examination Survey 2009-2016. *Metabolic Syndrome and Related Disorders*, v. 17, n. 1, pp. 46-52, 27 nov. 2018.

ARCHER, E.; PAVELA, G.; LAVIE, C. J. The Inadmissibility of 'What We Eat in America' (WWEIA) and NHANES Dietary Data in Nutrition & Obesity Research and the Scientific Formulation of National Dietary Guidelines. *Mayo Clin Proc*, v. 90, n. 7, pp. 911-926, 1 jul. 2015.

ASTRUP, A.; MONTEIRO, C. A. Does the concept of "ultra-processed foods" help inform dietary guidelines, beyond conventional classification systems? NO. *The American Journal of Clinical Nutrition*, v. 116, n. 6, pp. 1482-1488, dez. 2022.

ATHINARAYANAN, S. J.; ADAMS, R. N.; HALLBERG, S. *et al.* Long-Term Effects of a Novel Continuous Remote Care Intervention Including Nutritional Ketosis for the Management of Type 2 Diabetes: A 2-Year Non-randomized Clinical Trial. *Front. Endocrinol*, v. 10, 5 jun. 2019. Disponível em: https://www.frontiersin.org/articles/10.3389/fendo.2019.00348/full. Acesso em: 23 fev. 2023.

ATHINARAYANAN, S. J.; HALLBERG, S. J.; McKENZIE, A. L. *et al.* Impact of a 2-year Trial of Nutritional Ketosis on Indices of Cardiovascular Disease Risk in Patients With Type 2 Diabetes. *Cardiovasc Diabetol*, n. 19, n. 208, 2020.

BALLY, P. R.; CAHILL JR., G. F.; LEBOEUF, B.; RENOLD, A. E. Studies on Rat Adipose Tissue *in Vitro*. *The Journal of Biological Chemistry*, v. 235, n. 2, pp. 333-336, fev. 1960.

BAZZANO, L. A.; HU, T.; REYNOLDS, K. *et al.* Effects of Low-Carbohydrate and Low-Fat Diets: A Randomized Trial. *Annals of Internal Medicine*, v. 161, n. 5, pp. 309-318, 2 set. 2014.

BEGLEY, S. Records Found in Dusty Basement Undermine Decades of Dietary Advice. *Scientific American*, 19 abr. 2017. Disponível em: https://www.scientificamerican.com/article/records-found-in-dusty-basement-undermine-decades-of-dietary-advice/. Acesso em: 11 ago. 2023.

BELLUZ, J. Brazil has the Best Nutritional Guidelines in the World. *Vox*, 20 fev. 2015. Disponível em: https://www.vox.com/2015/2/20/8076961/brazil-food-guide. Acesso em: 10 fev. 2023.

BERNSTEIN, R. K. Dr. Bernstein's Diabetes Solution: The Complete Guide to Achieving Normal Blood Sugars. Boston: Little, Brown and Company, 2011.

BERTSCH, R. A.; MERCHANT, M. A. Study of the Use of Lipid Panels as a Marker of Insulin Resistance to Determine Cardiovascular Risk. *The Permanente Journal*, v. 19, n. 4, 1 dez. 2015.

BLUNDELL, J.; FINLAYSON, G.; AXELSEN, M. *et al.* Effects of Once-Weekly Semaglutide on Appetite, Energy Intake, Control of Eating, Food Preference and Body Weight in Subjects With Obesity. *Diabetes Obes Metab*, v. 19, n. 9, pp. 1242-1251, maio 2017.

BODEN, G.; SARGRAD, K.; HOMKO, C. *et al.* Effect of a Low-Carbohydrate Diet on Appetite, Blood Glucose Levels, and Insulin Resistance in Obese Patients with Type 2 Diabetes. *Annals of Internal Medicine*, 15 mar. 2005.

BOLETINS DA FSP. Prof. CARLOS Augusto Monteiro segue como um dos cientistas mais citados do mundo. *Boletins da FSP*, 13 nov. 2020. Disponível em: https://www.fsp.usp.br/site/noticias/mostra/24430. Acesso em: 10 fev. 2023.

BRASIL. Ministério da Saúde. Secretaria de Atenção à Saúde. *Guia alimentar para a população brasileira*. Brasília, DF: MS, 2014. Disponível em: https://bvsms.saude.gov.br/bvs/publicacoes/guia_alimentar_populacao_brasileira_2ed.pdf. Acesso em: 10 fev. 2023.

BRINKWORTH, G. D.; BUCKLEY, J. D.; NOAKES, M. *et al.* Renal Function Following Long-Term Weight Loss in Individuals With Abdominal Obesity on a Very-Low-Carbohydrate Diet Vs High-Carbohydrate Diet. *J Am Diet Assoc.*, v. 110, n. 4, pp. 633-638, abr. 2010.

BROWNING, J. D.; BAKER, J. A.; ROGERS, T. *et al.* Short-Term Weight Loss and Hepatic Triglyceride Reduction: Evidence of a Metabolic Advantage with Dietary

Carbohydrate Restriction. *The American Journal of Clinical Nutrition*, v. 93, n. 5, maio 2011.

BUGA, A.; KACKLEY, M. L.; CRABTREE, C. D. et al. The Effects of a 6-Week Controlled, Hypocaloric Ketogenic Diet, With and Without Exogenous Ketone Salts, on Body Composition Responses. *Front. Nutr.*, v. 8, 24 mar. 2021.

CAO, J. J.; JOHNSON, L. L.; HUNT, J. R. A Diet High in Meat Protein And Potential Renal Acid Load Increases Fractional Calcium Absorption And Urinary Calcium Excretion Without Affecting Markers of Bone Resorption or Formation in Postmenopausal Women. *The Journal of Nutrition*, v. 141, n. 3, pp. 391-397, mar. 2011.

CARTER, J. D.; VASEY, F. B.; VALERIANO, J. et al. The Effect of a Low-Carbohydrate Diet on Bone Turnover. *Osteoporosis International*, v. 17, n. 9, pp. 1398-1403, 2006.

CASTELLI, W. P. Cholesterol and Lipids in the Risk of Coronary Artery Disease – The Framingham Heart Study. *Can J Cardiol*, 4 Suppl A:5A-10A, jul. 1988.

CHAWLA, S.; SILVA, F. T.; MEDEIROS, S. A. et al. The Effect of Low-Fat and Low-Carbohydrate Diets on Weight Loss and Lipid Levels: A Systematic Review and Meta-Analysis. *Nutrients*, v. 12, n. 12, pp. 3774, dez. 2020. Disponível em: https://www.ncbi.nlm.nih.gov/pmc/articles/PMC7763365/.

CHOI, Y. J.; JEON, S.M.; SHIN, S. Impact of a Ketogenic Diet on Metabolic Parameters in Patients with Obesity or Overweight and with or without Type 2 Diabetes: A Meta-Analysis of Randomized Controlled Trials. *Nutrients*, v. 12, n. 7, 2020.

CHOWDHURY, R.; WARNAKULA, S.; KUNUTSOR, S. et al. Association of Dietary, Circulating, And Supplement Fatty Acids with Coronary Risk: a Systematic Review And Meta-Analysis. *Ann Intern Med*, v. 160, n. 6, pp. 298-406, 18 mar. 2014.

CHRISTOPHERSON, T.; D'AGOSTINO, D. The Origin (and future) of the Ketogenic Diet – Part 1. *In:* WOLF, R. *Revolutionary Solutions to Modern Life*, 2015.

CLOFIBRATE and Niacin in Coronary Heart Disease. *JAMA*, v. 231, n. 4, pp. 360-381, 1975.

COOPER, T.; AINSBERG, A. *Breakthrough*: Elizabeth Hughes, the Discovery of Insulin, and the Making of a Medical Miracle. Nova York: St. Martin's Griffin, 2011.

CUCUZZELLA, M.; RILEY, K.; ISAACS, D. et al. Adapting Medication for Type 2 Diabetes to a Low Carbohydrate Diet. *Frontiers in Nutrition*, v. 8, 9 ago. 2021.

CURHAN, G. C.; WILLETT, W. C.; RIMM, E. B. et al. A Prospective Study of Dietary Calcium and other Nutrients and the Risk of Symptomatic Kidney Stones. *N Engl J Med*, v. 328, pp. 833-838, 25 mar. 1993.

DAVIES, M. J.; D'ALESSIO, D. A.; FRADKIN, J. et al. Management of Hyperglycemia in Type 2 Diabetes, 2018. A Consensus Report by the American Diabetes Association (ADA) and the European Association for the Study of Diabetes (EASD). *Diabetes Care*, v. 41, n. 12, dez. 2018.

DEHGHAN, M.; MENTE, A.; ZHANG, X. et al. Associations of Fats and Carbohydrate Intake with Cardiovascular Disease And Mortality in 18 Countries From

Five Continents (Pure): A Prospective Cohort Study. *The Lancet*, v. 390, n. 10107, 29 ago. 2017.

DESSEIN, P. H.; SHIPTON, E. A.; STANWIX, A. E. *et al.* Beneficial Effects of Weight Loss Associated with Moderate Calorie/Carbohydrate Restriction, And Increased Proportional Intake of Protein And Unsaturated Fat on Serum Urate And Lipoprotein Levels in Gout: A Pilot Study. *Ann Rheum Dis*, v. 59, n. 7, pp. 539-543, jul. 2000.

DEVRIES, M. C.; SITHAMPARAPILLAI, A.; BRIMBLE, K. S. *et al.* Changes in Kidney Function Do Not Differ between Healthy Adults Consuming Higher- Compared with Lower- or Normal-Protein Diets: A Systematic Review and Meta-Analysis. *The Journal of Nutrition*, v. 148, n. 11, pp. 1760-1775, nov. 2018.

DIABETES AUSTRALIA. Position Statement: Low Carbohydrate Eating for People with Diabetes, 2018. Disponível em: https://www.diabetesaustralia.com.au/wp-content/uploads/Diabetes-Australia-Position-Statement-Low-Carb-Eating.pdf. Acesso em: 20 fev. 2023.

DIABETES CANADA. POSITION STATEMENT ON LOW-CARBOHYDRATE DIETS FOR ADULTS WITH DIABETES: A RAPID REVIEW. *Can J Diabetes*, v. 44, n. 4, pp. 295-299, jun. 2020.

DIABETES CONTROL AND COMPLICATIONS TRIAL RESEARCH GROUP; NATHAN, D. M.; GENUTH, S. *et al.* The Effect of Intensive Treatment of Diabetes on the Development and Progression of Long-Term Complications in Insulin-Dependent Diabetes Mellitus. *The New England Journal of Medicine*, v. 329, n. 14, 30 set. 1993.

DIABETES UK. Position Statement: Low Carb Diets for People with Diabetes, 2017. Disponível em: https://diabetes-resources-production.s3.eu-west-1.amazonaws.com/resources-s3/public/2021-05/low-carb-diets-for-people-with-diabetes-position-statement-may-2021.pdf. Acesso em: 20 fev. 2023.

DIETH, D. M.; KERR-GAFFNEY, J.; HOCKEY, M. *et al.* Efficacy of Low Carbohydrate and Ketogenic Diets in Treating Mood and Anxiety Disorders: Systematic Review and Implications for Clinical Practice. *BJPsych Open*, v. 9, n. 3, 17 abr. 2023.

DIXON, J. B.; O'BRIEN, P.; PLAYFAIR, J. *et al.* Adjustable Gastric Banding And Conventional Therapy for Type 2 Diabetes: A Randomized Controlled Trial. *JAMA*, v. 299, n. 3, pp. 316-323, 2008.

DRUMMEN, M.; TISCHMANN, B. G.-C.; FOGELHOLM, A. R. *et al.* High Compared with Moderate Protein Intake Reduces Adaptive Thermogenesis and Induces a Negative Energy Balance during Long-term Weight-Loss Maintenance in Participants with Prediabetes in the Postobese State: A PREVIEW Study. *The Journal of Nutrition*, v. 150, n. 3, pp. 458-463, mar. 2020.

DUE, A.; TOUBRO, S.; SKOV, R. *et al.* Effect of Normal-Fat Diets, Either Medium or High in Protein, on Body Weight In Overweight Subjects: A Randomised 1-Year Trial. *International Journal of Obesity*, n. 28, pp. 1283-1290, 10 ago. 2004.

REFERÊNCIAS BIBLIOGRÁFICAS

DUGANI, S. B.; MOORTHY, V.; LI, C. et al. Association of Lipid, Inflammatory, and Metabolic Biomarkers With Age at Onset for Incident Coronary Heart Disease in Women. *JAMA Cardiol*, v. 6, n. 4, pp. 437-447, 20 jan. 2021.

DUNKLER, D.; DEHGHAN, M.; TEO, K. K. et al. Diet and Kidney Disease in High--Risk Individuals With Type 2 Diabetes Mellitus. *JAMA Intern Med*, v. 173, n. 18, pp. 1682-1692, 14 out. 2013.

EBBELING, C. B.; FELDMAN, H. A.; LUDWIG, D. S. et al. Effects of a Low Carbohydrate Diet on Energy Expenditure During Wight Loss Maintenance: Randomized Trial. *BMJ*, v. 363, 14 nov. 2018.

EBBELING, C. B.; SWAIN, J. F.; LUDWIG, D. S. et al. Effects of Dietary Composition on Energy Expenditure During Weight-Loss Maintenance. *JAMA*, v. 307, n. 24, pp. 2627-2634, 2012.

ECHT, D. S.; LIEBSON, P. R.; MITCHELL, B. et al. Mortality and Morbidity in Patients Receiving Encainide, Flecainide, or Placebo – The Cardiac Arrhythmia Suppression Trial. *The New England Journal of Medicine*, v. 324, pp. 781-788, 21 mar. 1991.

EVERT, A. B.; DENNISON, M.; GARDNER, C. D. et al. Nutrition Therapy for Adults with Diabetes or Prediabetes: A Consensus Report. *Diabetes Care*, v. 42, n. 5, pp. 731-754, 2019.

FACCHINI, F. S.; SAYLOR, K. L. A Low-Iron-Available, Polyphenol-Enriched, Carbohydrate-Restricted Diet to Slow Progression of Diabetic Nephropathy. *Diabetes*, v. 52, n. 5, pp. 1204-1209, 1 maio 2003.

FONTANA, S.; SOUTO, J. C. *Guia de adoçantes*. Porto Alegre: [s. d.], 2021. E-book.

FORIGHT, R. M.; PRESBY, D. M.; SHERK, V. D. et al. Is Regular Exercise an Effective Strategy for weight loss maintenance?. *Physiol Behav*, maio 2018.

GARCIA-CARABALLO, S. C.; COMHAIR, T. M.; VERHEYEN, F. et al. Prevention and Reversal of Hepatic Steatosis With a High-Protein Diet in Mice. *Biochim Biophys Acta*, v. 1832, n. 5, maio 2013.

GEPNER, Y.; SHELEF, I.; SCHWARZFUCHS, D. et al. Effect of Distinct Lifestyle Interventions on Mobilization of Fat Storage Pools: Central Magnetic Resonance Imaging Randomized Controlled Trial. *Circulation*, 15 nov. 2017.

GOLDENBERG, J. Z.; DAY, A.; BRINKWORTH, G. D. et al. Efficacy and Safety of Low and Very Low Carbohydrate Diets for Type 2 Diabetes Remission: Systematic Review and Meta-Analysis Of Published and Unpublished Randomized Trial Data. *BMJ*, 2021.

GORDON, E. S.; GOLDBERG, Marshall; CHOSY, Grace J. A New Concept in the Treatment of Obesity. *JAMA*, v. 186, n. 1, pp. 50-60, 1963.

GORHAM, F. W.; IVY, A. C. General Function of the Gall Bladder from the Evolutionary Standpoint. *Field Museum of Natural History*, v. XXII, n. 3, 21 jun. 1938.

GREGORY, R. M.; HAMDAN, H.; TORISKY, D. et al. A Low-Carbohydrate Ketogenic Diet Combined with 6-Weeks of Crossfit Training Improves Body Composition and Performance. *International Journal of Sports and Exercise Medicine*, v. 3, n. 2, 2017.

GREYLING, A.; APPLETON, K. M.; RABEN, A. et al. Acute Glycemic and Insulinemic Effects of Low-Energy Sweeteners: a Systematic Review and Meta-Analysis of Randomized Controlled Trials. *The American Journal of Clinical Nutrition*, v. 112, n. 4, pp. 1002-1014, out. 2020.

HALL, K. D.; BEMIS, T.; BRYCHTA, R. et al. Calorie for Calorie, Dietary Fat Restriction Results in More Body Fat Loss than Carbohydrates Restriction in People with Obesity. *Cell Metabolism*, v. 22, pp. 427-436, 13 ago. 2015.

HALL, K. D.; GUO, J.; COURVILLE, A. B. et al. Effect of a Plant-Based, Low-Fat Diet Versus an Animal-Based, Ketogenic Diet on Ad Libitum Energy Intake. *Nature Medicine*, v. 27, pp. 344-353, 21 jan. 2021.

HALL, K. D. The Potential Role of Protein Leverage in the US Obesity Epidemic. *Obesity: A Research Journal*, v. 27, n. 8, 16 maio 2019.

HALL, K. D.; AYUKETAH, A.; BRYCHTA, R. et al. Ultra-processed Diets Cause Excess Calorie Intake and Weight Gain: An Inpatient Randomized Controlled Trial of Ad Libitum Food Intake. *Cell Metab.*, v. 30, n. 1, pp. 67-73, 16 maio 2019.

HALLBERG, S.; ADAMS, R. Two Year Clinical Trial Outcomes Provide Evidence for Long-Terme Benefits of the Virta Treatment for Type 2 Diabetes. *Virta*, 6 jun. 2019.

HALLBERG, S. J.; McKENZIE, A. L.; WILLIAMS, P. T. et al. Effectiveness and Safety of a Novel Care Model for the Management of Type 2 Diabetes at 1 Year: An Open-Label, Non-Randomized, Controlled Study. *Diabetes Ther.*, v. 9, n. 2, abr. 2018.

HALLBERG, S. J.; GERSHUNI, V. M.; HAZBUN, T. L. et al. Reversing Type 2 Diabetes: A Narrative Review of the Evidence. *Nutrients*, 2019.

HAMMARSTEN, J.; PEEKER, R. Urological Aspects of the Metabolic Syndrome. *Nature Reviwes Urology*, 2 ago. 2011.

HANNAN, M. T.; TUCKER, K. L.; DAWSON-HUGHES, B. et al. Effect of Dietary Protein on Bone Loss in Elderly Men and Women: The Framingham Osteoporosis Study. *J Bone Miner Res*, v. 15, n. 12, dez. 2000.

HAYES, M. J.; KAESTNER, V.; MAILANKODY, S. et al. Most Medical Practices are Not Parachutes: A Citation Analysis of Practices Felt by Biomedical Authors to be Analogous to Parachutes. *CMAJ Open*, v. 6, n. 1, 17 jan. 2018.

HIATT, R. A.; ETTINGER, B.; CAAN, B. et al. Randomized Controlled Trial of a Low Animal Protein, High Fiber Diet in the Prevention of Recurrent Calcium Oxalate Kidney. *Am J Epidemiol*, v. 144, n. 1, pp. 25-33, 1 jul. 1996.

HOLMER, M.; LINDQVIST, C.; PETERSSON, S. et al. Treatment of NAFLD with Intermittent Calorie Restriction Or Low-Carb High-Fat Diet – A Randomised Controlled Trial. *JHEP Reports*, v. 3, n. 3, jun. 2021.

HOOGEVEEN, R. C.; GAUBATZ, J. W.; SUN, W. *et al.* Small Dense Low-Density Lipoprotein-Cholesterol Concentrations Predict Risk for Coronary Heart Disease. *ATVB*, v. 34, n. 5, maio 2014.

HOWARD, B. V.; VAN HORN, L.; HSIA, J. *et al.* Low-Fat Dietary Pattern and Risk of Cardiovascular Disease: The Women's Health Initiative Randomized Controlled Dietary Modification Trial. *JAMA*, v. 295, n. 6, pp. 655-666, 2006.

HYDE, P. N.; SAPPER, T. N.; CRABTREE, C. D. *et al.* Dietary Carbohydrate Restriction Improves Metabolic Syndrome Independent of Weight Loss. *JCI Insight*, v. 4, n. 12, 20 jun. 2019.

IMAMURA, F.; FRETTS, A.; MARKLUND, M. *et al.* Fatty Acid Biomarkers of Dairy Fat Consumption and Incidence of Type 2 Diabetes: A Pooled Analysis of Prospective Cohort Studies. *PLoS Medicine*, v. 15, n. 10, 10 out. 2018.

JANG, E. C.; JUN, D. W.; LEE, S. M. *et al.* Comparison of Efficacy of Low-Carbohydrate and Low-Fat Diet Education Programs in Non-Alcoholic Fatty Liver Disease: A Randomized Controlled Study. *Hepatology Research*, v. 45, n. 3, 2017.

JAYEDI, A.; ZERAATTALAB, S.; JABBARZADEH, B. *et al.* Dose-Dependent Effect of Carbohydrate Restriction for Type 2 Diabetes Management: A Systematic Review and Dose-Response Meta-Analysis of Randomized Controlled Trials. *The American Journal of Clinical Nutrition*, v. 116, n. 1, pp. 40-56, jul. 2022.

JESUDASON, D. R.; PEDERSEN, E.; CLIFTON, P. M. Weight-Loss Diets in People with Type 2 Diabetes and Renal Disease: A Randomized Controlled Trial of the Effect of Different Dietary Protein Amounts. *The American Journal of Clinical Nutrition*, v. 98, n. 2, pp. 494-501, ago. 2013.

JOHNSTON, C.; TJONN, S. L.; SWAN, P. D. *et al.* Ketogenic Low-Carbohydrate Diets have no Metabolic Advantage over Nonketogenic Low-Carbohydrate Diets. *The American Journal of Clinical Nutrition*, v. 83, n. 5, pp. 1055-1061, maio 2006.

KAPLAN, H.; THOMPSON, R. C.; TRUMBLE, B. C. *et al.* Coronary Atherosclerosis in Indigenous South American Tsimane: A Cross-Sectional Cohort Study. *The Lancet*, v, 389, n. 10080, pp. 1730-1739, 17 mar. 2017.

KERSTETTER, J. E.; O'BRIEN, K. O.; INSOGNA, K. L. Dietary Protein, Calcium Metabolism, and Skeletal Homeostasis Revisited. *The American Journal of Clinical Nutrition*, v. 78, n. 3, pp. 584S-592S, set. 2003. Disponível em: https://pubmed.ncbi.nlm.nih.gov/12936953/. Acesso em: 13 mar. 2023.

KLAHR, S.; LEVEY, A. S.; BECK, G. J. *et al.* The Effects of Dietary Protein Restriction and Blood-Pressure Control on the Progression of Chronic Renal Disease. *The New England Journal of Medicine*, v. 330, pp. 877-884, 31 mar. 1994.

KRAUSS, R. M.; BLANCHE, P. J.; RAWLINGS, R. S. *et al.* Separate Effects of Reduced Carbohydrate Intake and Weight Loss on Atherogenic Dyslipidemia. *The American Journal of Clinical Nutrition*, v. 83, pp. 1025-1031, 2006.

KULASEGARAN, T.; DALBETH, N. Dietary Management of Gout: What is the Evidence? *The American Journal of Medicine*, v. 130, n. 1, 2016.

LEAN, M. E. J.; LESLIE, W. S.; BARNES, A. C. et al. Primary Care-Led Weight Management for Remission of Type 2 Diabetes (Direct): An Open-Label, Cluster-Randomised Trial. *The Lancet*, v. 391, n. 10120, pp. 541-551, 10 fev. 2018.

LEAN, M. E. J. ; LESLIE, W. S.; BARNES, A. C. et al. Durability of a Primary Care-Led Weight-Management Intervention For Remission Of Type 2 Diabetes: 2-Year Results Of The Direct Open-Label, Cluster-Randomised Trial. *The Lancet*, v. 7, n. 5, pp. 344-355, maio 2019.

LENNERZ, B. S.; KOUTNIK, A. P.; AZOVA, S. et al. Carbohydrate Restriction For Diabetes: Rediscovering Centuries-Old Wisdom. *The Journal of Clinical Investigation*, 4 jan. 2021.

LIU, J.; AYADA, I.; ZHANG, X. et al. Estimating Global Prevalence of Metabolic Dysfunction-Associated Fatty Liver Disease in Overweight or Obese Adults. *Clin Gastroenterol Hepatol*, v. 20, n. 3, pp. e573-e582, mar. 2022.

LUDWIG, D. S.; APOVIAN, C. M.; ARONNE, L. J. et al. Competing Paradigms of Obesity Pathogenesis: Energy Balance *versus* Carbohydrate-Insulin Models. *European Journal of Clinical Nutrition*, v. 76, pp. 1209-1221, 28 jul. 2022.

LUDWIG, D. S.; EBBELING, C. B. The Carbohydrate-Insulin Model of Obesity: Beyond "Calories In, Calories Out". *JAMA Intern Med*, v. 178, n. 8, pp. 1098-1103, 1 ago. 2018.

LUZ, P. L.; FAVARATO, D.; FARIA-NETO JUNIOR, J. et al. High Ratio of Triglycerides to HDL-Cholesterol Predicts Extensive Coronary Disease. *Clinics*, v. 63, n. 4, ago. 2008.

MAHAN, L. K.; ESCOTT-STUMP, S.; RAYMOND, J. L. *Krause*: alimentos, nutrição e dietoterapia. 14. ed. Rio de Janeiro: Elsevier, 2018.

MANNINEN, A. H. Very-Low-Carbohydrate Diets and Preservation of Muscle Mass. *Nutrition & Metabolism*, v. 3, 2006.

MANSOOR, N.; VINKNES, K. J.; VEIEROD, M. B. et al. Effects of Low-Carbohydrate Diets v. Low-Fat Diets on Body Weight and Cardiovascular Risk Factors: A Meta-Analysis of Randomised Controlled Trials. *The British Journal of Nutrition*, v. 115, n. 3, pp. 466-479, 4 dez. 2015.

MARDINOGLU, A.; WU, H.; BJORNSON, E. et al. An Integrated Understanding of the Rapid Metabolic Benefits of a Carbohydrate-Restricted Diet on Hepatic Steatosis in Humans. *Cell Metabolism*, v. 27, n. 3, pp. 559-571, 15 fev. 2018.

MARQUES, F. Carlos Augusto Monteiro: da privação ao excesso de comida. *Pesquisa Fapesp*, maio 2005. Disponível em: https://revistapesquisa.fapesp.br/da-privacao-ao-excesso-de-comida/. Acesso em: 10 fev. 2023.

MARTENS, E.; LEMMENS, S. G.; WESTERTERP-PLANTENGA, M. S. Protein Leverage Affects Energy Intake of High-Protein Diets in Humans. *The American Journal of Clinical Nutrition*, v. 97, n. 1, pp. 86-93, jan. 2013.

MARTIN, W. F.; ARMSTRONG, L. E.; RODRIGUEZ, N. R. Dietary Protein Intake and Renal Function. *Nutrition & Metabolism*, v. 2., n. 25, 2005.

McDERMOTT, K. Doctors remove 28 kg tumour which filled a WHEELBARROW from woman diagnosed as being obese. *MailOnline*, 28 out. 2012. Disponível em: https://www.dailymail.co.uk/news/article-2224036/Doctors-remove-28kg-tumour-filled-WHEELBARROW-woman-diagnosed-obese.html. Acesso em: 28 abr. 2023.

McKENZIE, A. L.; HALLBERG, S. J.; CREIGHTON, B. C. et al. A Novel Intervention Including Individualized Nutritional Recommendations Reduces Hemoglobin A1c Level, Medication Use, and Weight in Type 2 Diabetes. *JMIR Diabetes*, v. 2, n. 1, 2017.

MENCIMER, S. Science: Beef good, Bacon not so Bad. *Mother Jones*, 18 mar. 2013. Disponível em: https://www.motherjones.com/environment/2013/03/eat-burger-wont-kill-you/. Acesso em: 30 jun. 2023.

MÉNDEZ-SÁNCHEZ, N.; ZAMORA-VALDÉS, D.; CHÁVEZ-TAPIA, C. et al. Role of Diet in Cholesterol Gallstone Formation. *Clinica Chimica Acta*, v. 376, pp. 1-8, set. 2006.

MILLER, P. E.; PEREZ, V. Low Calorie Sweeteners and Body Weight and Composition: a Meta-Analysis of Randomized Controlled Trials and Prospective Cohort Studies. *The American Journal of Clinical Nutrition*, v. 100, n. 3, pp. 765-777, set. 2014.

MONTEIRO, C. A.; LEVY, R. B.; CLARO, R. M. et al. Uma nova classificação de alimentos baseada na extensão e propósito do seu processamento. *Cadernos de Saúde Pública*, v. 26, n. 11, pp. 2039-2049, 2010.

MULTIPLE Risk Factor Intervention Trial: Risk Factor Changes and Mortality Results. *JAMA*, v. 248, n. 12, pp. 1465-1477, 1982.

MURRAY, S. W.; McKELVEY, S.; HESELTINE, T. D. et al. The "Discordant Doppelganger Dilemma": SGLT2i Mimics Therapeutic Carbohydrate Restriction – Food Choice First Over Pharma? *Journal of Human Hypertension*, v. 35, n. 8, 2021.

NAUDE, C. E.; BRAND, A.; SCHOONEES, A. et al. Low-Carbohydrate versus Balanced-Carbohydrate Diets for Reducing Weight and Cardiovascular Risk. *Cochrane Database of Systematic Reviews*, 2022.

NORWITZ, N. G.; FELDMAN, D.; SOTO-MOTA, A. et al. Elevated LDL Cholesterol with a Carbohydrate-Restricted Diet: Evidence for a "Lean Mass Hyper-Responder" Phenotype. *Current Developments in Nutrition*, v. 6, n. 1, nov. 2021.

NORWITZ, N. G.; SOTO-MOTA, A., KAPLAN, B. et al. The Lipid Energy Model: Reimagining Lipoprotein Function in the Context of Carbohydrate-Restricted Diets. *Metabolites*, v. 12, n. 5, 2022.

NOWSON, C.; O'CONNEL, S. Protein Requirements and Recommendations for Older People: A Review. *Nutrients*, 2015.

OKUDA, T.; MORITA, N. A Very Low Carbohydrate Ketogenic Diet Prevents the Progression of Hepatic Steatosis Caused by Hyperglycemia in a Juvenile Obese Mouse Model. *Nutrition & Diabetes*, nov. 2012.

PAOLI, A. A.; CENCI, L.; POMPEI, P. et al. Effects of Two Months of Very Low Carbohydrate Ketogenic Diet on Body Composition, Muscle Strength, Muscle Area, and Blood Parameters in Competitive Natural Body Builders. *Nutrients*, v. 13, n. 2, 2021.

PAOLI, A. A.; GRIMALDI, K.; D'AGOSTINO, D. et al. Ketogenic Diet Does Not Affect Strength Performance in Elite Artistic Gymnasts. *Journal of the International Society of Sports Nutrition*, v. 9, n. 3, 2012.

PAOLI, A. A.; MANCIN, L.; CAPRIO, M. et al. Effects of 30 Days of Ketogenic Diet on Body Composition, Muscle Strength, Muscle Area, Metabolism, and Performance in Semi-Professional Soccer Players. *Journal of the International Society of Sports Nutrition*, v. 18, 2021.

PARK, S.; LEE, S.; KIM, Y. et al. Causal Effects of Relative Fat, Protein, and Carbohydrate Intake on Chronic Kidney Disease: A Mendelian Randomization Study. *The American Journal of Clinical Nutrition*, v. 113, n. 4, pp. 1023-1031, 6 abr. 2021.

PENNINGTON, A. W. A Reorientation on Obesity. *The New England Journal of Medicine*, v. 248, pp. 959-964, 1953a.

PENNINGTON, A. W. Treatment of Obesity with Calorically Unrestricted Diets. *The American Journal of Clinical Nutrition*, v. 1, pp. 343-348, 1953b.

PETURSSON, H.; SIGURDSSON, J. A.; BENGTSSON, C. et al. Is the Use of Cholesterol in Mortality Risk Algorithms in Clinical Guidelines Valid? Ten Years Prospective Data from the Norwegian HUNT 2 Study. *Journal of Evaluation in Clinical Practice*, fev 2012.

PUBLIC HEALTH COLLABORATION. Comparing Low-Carb Diets of less than 130g Carbohydrate per day to Low-Fat Diets of less than 35% Fat of Total Calories, 2022. Disponível em: https://phcuk.org/evidence/rcts/. Acesso em: 13 dez. 2022.

RAMSDEN, C. E.; ZAMORA, D.; LEELARTHAEPIN, B. et al. Use of Dietary Linoleic Acid For Secondary Prevention of Coronary Heart Disease And Death: Evaluation Of Recovered Data From the Sydney Diet Heart Study And Updated Meta-Analysis. *The British Medical Journal*, v. 346, 2013.

RAMSDEN, C. E.; ZAMORA, D.; MAJCHRZAK-HONG, S. et al. Re-Evaluation of the Traditional Diet-Heart Hypothesis: Analysis of Recovered Data from Minnesota Coronary Experiment (1968-73). *The British Medical Journal*, v. 353, 2016.

RAUBENHEIMER, D.; SIMPSON, S. J. 5 Appetites: Eat Like the Animals for a Naturally Healthy Diet. Londres: William Collins, 2020. E-book.

RAVNSKOV, U.; DIAMOND, D. M.; HAMA, R. et al. Lack of an Association or an Inverse Association Between Low-Density-Lipoprotein Cholesterol and Mortality in the Elderly: A Systematic Review. *BMJ Open*, 2016.

REAVEN, G. M. Banting Lecture 1988: Role of Insulin Resistance in Human Disease. *Diabetes*, v. 37, n. 12, pp. 1595-1607, dez. 1988.

REAVEN, G. M. Looking at the World through LDL-Cholesterol-Colored Glasses. *The Journal of Nutrition*, v. 116, n. 7, jul. 1986.

RIDDLE, M. C.; CELAFU, W. T.; EVANS, P. H. *et al.* Consensus Report: Definition and Interpretation of Remission in Type 2 Diabetes. *Diabetes Care*, v. 44, n. 10, pp. 2438-2444, ago. 2021.

RIDKER, P. M.; DANIELSON, E.; FRANCISCO, A. H. *et al.* Rosuvastatin to Prevent Vascular Events in Men and Women with Elevated C-Reactive Protein. *The New England Journal of Medicine*, v. 359, pp. 2195-2207, 2008.

RIDKER, P. M.; RIFAI, N.; COOK, N. R. *et al.* Non-HDL Cholesterol, Apolipoproteins A-I and B100, Standard Lipid Measures, Lipid Ratios, and CRP as Risk Factors for Cardiovascular Disease in Women. *JAMA*, v. 294, n. 3, pp. 326-333, 2005.

ROHRMANN, S.; OVERVAD, K.; BUENO-DE-MESQUITA, H. B. *et al.* Meat Consumption and Mortality – Results from the European Prospective Investigation into Cancer and Nutrition. *BMC Medicine*, v. 11, n. 63, 2013.

SALOW, L. R.; MASON, A. E.; KIM, S. An Online Intervention Comparing a Very Low-Carbohydrate Ketogenic Diet and Lifestyle Recommendations Versus a Plate Method Diet in Overweight Individuals With Type 2 Diabetes: A Randomized Controlled Trial. *Journal of Medical Internet Research*, v. 19, n. 2, 2017.

SANTOS, F. L.; ESTEVES, S. S., PEREIRA, A. C. *et al.* Systematic Review and Meta--Analysis of Clinical Trials of the Effects of Low Carbohydrate Diets on Cardiovascular Risk Factors. *Obesity Reviews*, v. 13, n. 11, pp. 1048-1066, nov. 2012.

SCHER, B. A Flawed Analysis Finds Low-Carb Benefits Disappear After Six Months. *Bad Science*, 2 nov. 2020. Disponível em: https://www.dietdoctor.com/a-flawed-analysis-finds-low-carb-benefits-disappear-after-six-months. Acesso em: 12 fev. 2023.

SCHWARZ, J.; TOMÉ, D.; BAARS, A. *et al.* Dietary Protein Affects Gene Expression and Prevents Lipid Accumulation in the Liver in Mice. *PloS One*, v. 7, n. 10, 2012.

SEVER, P. S.; DAHLÖF, B.; POULTER, N. R. *et al.* Prevention of coronary and stroke events with atorvastatin in hypertensive patients who have average or lower-than--average cholesterol concentrations, in the Anglo-Scandinavian Cardiac Outcomes Trial – Lipid Lowering Arm (ASCOT-LLA): a Multicentre Randomised Controlled Trial. *Lancet*, v. 361, n. 9364, pp. 1149-1158, 5 abr. 2003.

SHAI, I.; SCHWARZFUCHS, D.; HENKIN, Y. *et al.* Weight Loss with a Low-Carbohydrate, Mediterranean, or Low-Fat Diet. *The New England Journal of Medicine*, v. 359, pp. 229-241, 17 jul. 2008.

SHAMS-WHITE, M. M.; CHUNG, M.; DU, M. *et al.* Dietary Protein and Bone Health: a Systematic Review and Meta-Analysis from the National Osteoporosis Foundation. *The American Journal of Clinical Nutrition*, v. 105, n. 6, jun. 2017.

SHIMY, K. J.; FELDMAN, H. A.; KLEIN, G. L. Effects of Dietary Carbohydrate Content on Circulating Matabolic Fuel Availability in the Postprandial State. *Journal of the Endocrine Society*, v. 4, n. 7., jul. 2020.

SIMPSON, S. J.; RAUBENHEIMER, D. Obesity: The Protein Leverage Hypothesis. *Obesity Reviews*, v. 6, n. 2, 2005.

SIRI-TARINO, P. W.; SUN, Q.; HU, F. B. *et al.* Meta-Analysis of Prospective Cohort Studies Evaluating the Association of Saturated Fat With Cardiovascular Disease. *The American Journal of Clinical Nutrition*, v. 91, n. 3, pp. 535-546, mar. 2010.

SKOV, A. R.; TOUBRO, S.; RONN, B. *et al.* Randomized Trial on Protein vs Carbohydrate in *Ad Libitum* Fat Reduced Diet for the Treatment of Obesity. *International Journal of Obesity*, v. 23, pp. 523-536, 1999.

SMITH, G. C. S.; PELL, J. P. Parachute Use to Prevent Death and Major Trauma Related to Gravitational Challenge: Systematic Review of Randomised Controlled Trials. *The British Medical Journal*, v. 327, 2003.

SNORGAARD, O.; POULSEN, G. M.; ANDERSEN, H. K. *et al.* Systematic Review and Meta-Analysis of Dietary Carbohydrate Restriction in Patients with Type 2 Diabetes. *BMJ Open Diabetes Research and Care*, 2017.

SOCIEDADE BRASILEIRA DE DIABETES. Diretrizes: 2019-2020. São Paulo: Clannad, 2019. Disponível em: https://edisciplinas.usp.br/pluginfile.php/5730478/mod_resource/content/0/Diretrizes-SBD-2019-2020.pdf. Acesso em: 18 fev. 2023.

SORENSEN, A.; MAYNTZ, D.; RAUBENHEIMER, D. *et al.* Protein-Leverage in Mice: The Geometry of Macronutrient Balancing and Consequences for Fat Deposition. Obesity: A Research Journal, v. 16, 2008. Disponível em:

SOUTO, J. C. Colesterol V – causa e efeito *versus* associação. *Dr. Souto*, 12 fev. 2013a. Disponível em: https://www.lowcarb-paleo.com.br/2013/02/colesterol-v-causa-e-efeito-versus.html. Acesso em: 10 mar. 2023.

SOUTO, J. C. *Comida sem filtro #23* – Adoçante engorda ou emagrece? [S. l.: s. d.], out. 2021a. Podcast. Disponível em: https://drsouto.com.br/comida-sem-filtro-23-adocante-engorda-ou-emagrece/. Acesso em: 2 fev. 2023.

SOUTO, J. C. *Low-carb* e autoimunidade. *Dr. Souto*, 27 mar. 2014a. Disponível em: https://www.lowcarb-paleo.com.br/?s=low-carb+e+imunidade. Acesso em: 17 ago. 2023.

SOUTO, J. C. Microbioma – Hope or Hype? *Dr. Souto*, 31 maio 2021b. Disponível em: https://www.lowcarb-paleo.com.br/?s=Hope+ou+Hype%3F. Acesso em: 17 ago. 2023.

SOUTO, J. C. Na medicina, às vezes a verdade está bem na frente do seu nariz. *Dr. Souto*, 10 dez. 2013b. Disponível em: https://www.lowcarb-paleo.com.br/2013/07/na-medicina-as-vezes-verdade-esta-bem.html. Acesso em: 12 dez. 2022.

SOUTO, J. C. Novo *Guia alimentar para a população brasileira*. *Dr. Souto*, 8 nov. 2014b. Disponível em: https://www.lowcarb-paleo.com.br/2014/11/novo-guia-alimentar-para-populacao.html. Acesso em: 10 fev. 2023.

SOUTO, J. C. O erro de tratar os diferentes de forma igual – resistência à insulina impacta na resposta à low-carb. *Dr. Souto*, 23 set. 2015. Disponível em: https://www.lowcarb-paleo.com.br/2015/09/o-erro-de-tratar-os-diferentes-de-forma.html. Acesso em: 20 abr. 2023.

SOUTO, J. C. O viés do paciente bem comportado. *Dr. Souto*, 1 abr. 2017a. Disponível em: https://www.lowcarb-paleo.com.br/2017/04/o-vies-do-paciente-bem-comportado.html. Acesso em: 14 fev. 2023.

SOUTO, J. C. *Reductio ad absurdum*. *Dr. Souto*, 10 abr. 2017b. Disponível em: https://www.lowcarb-paleo.com.br/?s=Reductio+ad+absurdum. Acesso em: 17 ago. 2023.

STEAD, L. F.; BUITRAGO, D.; PRECIADO, N. *et al*. Physician Advice for Smoking Cessation. *Cochrane Database of Systematic Reviews*, n. 5, 2013.

STOKES, C.; GLUUD, L. L.; CASPER, M. *et al*. Ursodeoxycholic Acid and Diets Higher in Fat Prevent Gallbladder Stones During Weight Loss: A Meta-Analysis of Randomized Controlled Trials. *Clinical Gastroenterology and Hepatology*, v. 12, n. 7, pp. 1090-1100, jul. 2014.

TAUBES, G. *Por que engordamos e o que fazer para evitar*. Porto Alegre: L&PM, 2014.

TAYLOR, R. Pathogenesis of Type 2 Diabetes: Tracing the Reverse Route from Cure to Cause. *Diabetologia*, v. 51, n. 10, out. 2008.

TAYLOR, R.; LIM, E. L.; HOLLINGSWORTH, K. G. *et al*. Reversal of Type 2 Diabetes: Normalisation of Beta Cell Function in Association with Decreased Pancreas and Liver Triacylglycerol. *Diabetologia*, v. 54, n. 10, 2011.

THE CORONARY DRUG PROJECT RESEARCH GROUP. Influence of Adherence to Treatment and Response of Cholesterol on Mortality in the Coronary Drug Project. *The New England Journal of Medicine*, v. 303, pp. 1038-1041, 30 out. 1980.

THE TELEGRAPH. The Girl who must Eat Every 15 Minutes to Stay Alive, 28 jun. 2010. Disponível em: https://www.telegraph.co.uk/news/health/news/7858664/The-girl-who-must-eat-every-15-minutes-to-stay-alive.html. Acesso em: 29 abr. 2023.

THOMSEN, M. N.; SKYTTE, M. J.; SAMKANI, A. *et al*. Dietary Carbohydrate Restriction Augments Weight Loss-Induced Improvements in Glycaemic Control and Liver Fat in Individuals With Type 2 Diabetes: A Randomised Controlled Trial. *Diabetologia*, v. 65, n. 3, 2022.

TSAI, C.; LEITZMANN, M. F.; WILLETT, W. C. *et al*. Dietary Carbohydrates and Glycaemic Load and The Incidence of Symptomatic Gall Stone Disease in Men. *Gut*, v. 54, 2005.

UEBANSO, T.; TAKETANI, Y.; FUKAYA, M. *et al*. Hypocaloric High-Protein Diet Improves Fatty Liver and Hypertriglyceridemia in Sucrose-Fed Obese Rats Via Two Pathways. *American Journal of Physiology, Endocrinology and Metabolism*, v. 297, n. 1, pp. E74-E84, jul. 2009.

UNWIN, D.; DELON, C.; UNWIN, J. *et al*. What Predicts Drug-Free Type 2 Diabetes Remission? Insights from an 8-Year General Practice Service Evaluation of a Lower Carbohydrate Diet with Weight Loss. *BMJ Nutrition, Prevention & Health*, 2023.

VOLEK, J. S.; FEINMAN, R. D. Carbohydrate Restriction Improves the Features of Metabolic Syndrome. Metabolic Syndrome May Be Defined by the Response to Carbohydrate Restriction. *Nutrition & Metabolism*, v. 2, n. 31, 2005.

VOLEK, J. S.; FREIDENREICH, D. J.; SAENZ, C. et al. Metabolic Characteristics of Keto-Adapted Ultra-Endurance Runners. *Metabolism*, v. 65, n. 3, pp. 100-110, mar. 2016.

WEIGLE, D. S.; BREEN, P. A.; MATTHYS, C. et al. A High-Protein Diet Induces Sustained Reductions in Appetite, Ad Libitum Caloric Intake, and Body Weight Despite Compensatory Changes in Diurnal Plasma Leptin and Ghrelin Concentrations. *The American Journal of Clinical Nutrition*, v. 82, n. 1, pp. 41-48, jul. 2005.

WESTERTERP-PLANTENGA, M. S.; LEJEUNE, M. P.; NIJS, I. et al. High Protein Intake Sustains Weight Maintenance after Body Weight Loss in Humans. *International Journal of Obesity and Related Matabolic Disorders*, v. 28, n. 1, pp. 57-64, 2004.

WESTMAN, E. C.; YANCY, W. S.; EDMAN, J. S. et al. Effect of 6-Month Adherence to a Very Low Carbohydrate Diet Program. *The American Journal of Medicine*, v. 113, n. 1, pp. 30-36, jul. 2002.

WILDING, J. P. H.; BATTERHAM, R. L.; CALANNA, S. et al. Once-Weekly Semaglutide in Adults with Overweight or Obesity. *The New England Journal of Medicine*, v. 384, pp. 989-1002, 18 mar. 2021.

WILSON, J. M.; LOWERY, R. P.; ROBERTS, M. D. et al. Effects of Ketogenic Dieting on Body Composition, Strength, Power, and Hormonal Profiles in Resistance Training Men. *Journal of Strength and Conditioning Research*, v. 34, n. 12, dez. 2020.

WOOD, F. A.; HOWARD, J. P.; FINEGOLD, J. A. et al. N-of-1 Trial of a Statin, Placebo, or No Treatment to Assess Side Effects. *The New England Journal of Medicine*, 2020.

YANCY JR., W. S.; OLSEN, M. K.; GUYTON, J. R. et al. A Low-Carbohydrate, Ketogenic Diet versus a Low-Fat Diet to Treat Obesity and Hyperlipidemia. *Annals of Internal Medicine*, 18 maio 2004.

YERUSHALMY, J.; HILLEBOE, H. E. Fat in the Diet and Mortality from Heart Disease; A Methodologic Note. *New York State Journal of Medicine*, v. 57, n. 14, 1957.

YOKOSE, C.; McCORMICK, N.; RAI, S. K. et al. Effects of Low-Fat, Mediterranean, or Low-Carbohydrate Weight Loss Diets on Serum Urate and Cardiometabolic Risk Factors: A Secondary Analysis of the Dietary Intervention Randomized Controlled Trial (DIRECT). *Diabetes Care*, v. 43, n. 11, nov. 2020.

YUDKIN, J. *Pure, White and Deadly*. Nova York, Penguin Books, 1988.